LE SECRET DE MHORAG

À Érika,

Bon "voyage" dans les profondeurs des lacs d'Irlande et d'Écosse !

MARTIN BARRY

LE SECRET DE MHORAG

TOME 1

LE PASSAGE INTERDIT

Libre Expression

Une compagnie de Quebecor Media

Catalogage avant publication de Bibliothèque et Archives nationales du Québec
et Bibliothèque et Archives Canada

Barry, Martin

Le secret de Mhorag
Sommaire: t. 1. Le passage interdit.
ISBN 978-2-7648-0583-1
I. Titre. II. Titre: Le passage interdit.

PS8603.A771S42 2011   C843'.6   C2011-941244-6
PS9603.A771S42 2011

Édition: Monique H. Messier
Révision linguistique: Marie Pigeon Labrecque
Correction d'épreuves: Marie-Eve Gélinas
Couverture, grille graphique intérieure et mise en pages: Chantal Boyer
Illustration de couverture: Simon Dupuis
Photo de l'auteur: Sarah Scott
Dessin des cartes: Nicola Lemay

Remerciements
Nous reconnaissons l'aide financière du gouvernement du Canada par l'entremise du Fonds du livre du Canada
pour nos activités d'édition.
Nous remercions le Conseil des Arts du Canada et la Société de développement des entreprises culturelles du
Québec (SODEC) du soutien accordé à notre programme de publication.
Gouvernement du Québec – Programme de crédit d'impôt pour l'édition de livres – gestion SODEC.

Les Éditions Libre Expression
Groupe Librex inc.
Une compagnie de Quebecor Media
La Tourelle
1055, boul. René-Lévesque Est
Bureau 800
Montréal (Québec) H2L 4S5
Tél. : 514 849-5259
Téléc. : 514 849-1388
www.edlibreexpression.com

Dépôt légal – Bibliothèque et Archives nationales du Québec et Bibliothèque et Archives Canada, 2011

ISBN : 978-2-7648-0583-1

Distribution au Canada
Messageries ADP
2315, rue de la Province
Longueuil (Québec) J4G 1G4
Tél. : 450 640-1234
Sans frais : 1 800 771-3022
www.messageries-adp.com

Diffusion hors Canada
Interforum
Immeuble Paryseine
3, allée de la Seine
F-94854 Ivry-sur-Seine Cedex
Tél. : 33 (0)1 49 59 10 10
www.interforum.fr

Cet ouvrage a été composé en Fairfield light 11/16
et achevé d'imprimer en septembre 2011 sur les presses
de Imprimerie Lebonfon Inc. à Val-d'Or, Canada.

Imprimé sur du papier 100% postconsommation,
traité sans chlore, accrédité Éco-Logo et fait à partir de biogaz.

À Rachelle, avec qui j'ai vu
Doo lough pour la première fois.

Mot de l'auteur

Chaque contrée du monde peut se vanter de posséder au moins un monstre lacustre ou un serpent de mer qui erre dans ses profondeurs insondables pour n'apparaître qu'en de rares occasions. Objets de légendes ou énigmes zoologiques, ces géants aquatiques occupent depuis des siècles une place de choix dans notre imaginaire collectif. Qui n'a pas entendu parler de la créature du loch Ness ou de celle du lac Champlain ? Puisque ce récit relate l'épopée de ces animaux mystérieux, le cadre enchanteur des îles Britanniques avec ses lacs légendaires s'imposait donc tout naturellement comme toile de fond pour son premier tome.

Les principaux personnages humains de ce récit sont bien entendu fictifs. Toutefois, à quelques reprises, j'ai fait référence à certaines figures historiques. L'ecclésiastique Giraud de Cambrie – mieux connu sous le nom de Gerald of Wales – ou le roi Henri III d'Angleterre sont des exemples de personnages réels qui ont été adaptés aux besoins du récit. Les chapitres se situant au Moyen Âge sont donc inspirés par certaines pages tumultueuses de l'Histoire, dont celles de la conquête – dite « anglo-normande » – de l'Irlande.

On retrouvera fréquemment les termes « lough » et « loch ». Ces mots de souche celtique signifient simplement « lac ». On trouve des loughs en Irlande, tels le lough Mask ou le lough Derg, et des lochs exclusivement en Écosse, comme le loch Ness ou le loch Morar. La majeure partie du temps, les loughs tout comme les lochs désignent des plans d'eau douce situés à l'intérieur des terres. Il arrive parfois qu'un lough d'Irlande ou un loch d'Écosse désigne un bras de mer. C'est le cas par exemple du lough Foyle dans le nord-est de l'Irlande ou du loch Linnhe dans les Highlands d'Écosse.

Ainsi, au cœur de ces sombres lacs tout comme au fond des océans, de fascinantes créatures veillent sur leurs royaumes secrets, évitant tout contact avec les humains, jusqu'à ce que la fatalité en décide autrement.

Les personnages

ÉPOQUE CONTEMPORAINE

FITZWILLIAM, NORA : mère adoptive de John Émile Talbot, « Jet ». Épouse de Philippe Talbot. Copropriétaire de l'auberge Fitzwilliam-Talbot, dans l'ouest de l'Irlande.

FITZWILLIAM, HAROLD : grand-oncle de Jet et oncle de Nora Fitzwilliam. Homme à tout faire à l'auberge Fitzwilliam-Talbot.

FLYNN, JOE : garagiste, mécanicien et commerçant de Louisburgh, dans l'ouest de l'Irlande. Père de Molly Flynn.

FLYNN, MOLLY : amie de Jet et fille unique de Joe Flynn.

MCNICOL, ARCHIBALD : professeur d'histoire médiévale au Trinity College (Université de Dublin). Spécialiste en cryptozoologie, passionné par les monstres aquatiques. Lointain descendant de Diarmad MacNichol.

SKREB, VLADO : éminent pédopsychologue originaire de la ville de Zagreb, en Croatie, et établi dans l'ouest de l'Irlande.

TALBOT, JOHN ÉMILE, SURNOMMÉ « JET » : fils adoptif et unique de Philippe Talbot et de Nora Fitzwilliam. Accusait lors de son adoption – à trois ans – un sérieux retard de développement, mais a réussi à combler son déficit intellectuel dans un temps record. Possède la faculté de communiquer par la parole avec les corbeaux et les craves.

TALBOT, PHILIPPE : père adoptif de John Émile Talbot, « Jet ». Époux de Nora Fitzwilliam. Copropriétaire de l'auberge Fitzwilliam-Talbot, dans l'ouest de l'Irlande. Passionné de généalogie. Natif de Montréal.

L'ÉQUIPE SCIENTIFIQUE

BOURKE, VIVIANE : zoologiste originaire de Montréal, experte en faune et flore aquatiques. Engagée par la firme OZU à titre de consultante pour le tournage d'un documentaire sur les monstres aquatiques.

DE NANTES, BERNARD : zoologiste et cinéaste français, expert en exploration sous-marine, réalisateur d'un documentaire sur les monstres aquatiques.

DUVIVIER, FLAVIEN : preneur de son d'origine française. Collaborateur de longue date du cinéaste Bernard de Nantes.

ISHII, RYU : originaire de Tokyo, assistante du zoologiste Akira Matsumo et coordonnatrice pour l'expédition et le tournage d'un documentaire sur les monstres aquatiques.

JOUVET, HERVÉ : caméraman et plongeur français. Collaborateur de longue date du cinéaste Bernard de Nantes. Expert en photographie sous-marine.

MATSUMO, AKIRA : zoologiste en chef pour la firme japonaise OZU.

MCMORRIS, ELAINE : pilote d'hélicoptère originaire de Dublin, Irlande.

VIDAL, BRUNO : assistant du cinéaste Bernard de Nantes.

ÉPOQUE MÉDIÉVALE

DE CAMBRIE, GIRAUD (1146-1223) : ecclésiastique d'origines normande et galloise. Né dans le Pembrokeshire (pays de Galles). Auteur prolifique et maître à penser de l'aumônier Cormac MacNamara.

FITZHERBERT, HERBERT (1175-1218) : chevalier normand. Compagnon d'armes et chef de la garde personnelle du chevalier Garrett FitzWilliam. Père de Catherine FitzHerbert.

FITZHERBERT, CATHERINE (1203-1229) : fille unique du chevalier Herbert FitzHerbert et amie de Nollaig FitzWilliam.

FITZWILLIAM, DAVID (1183-1216) : chevalier normand. Fils aîné du chevalier William FitzWilliam. Frère de Garrett FitzWilliam.

FITZWILLIAM, GARRETT (1185-1227) : chevalier normand. Fils cadet de William FitzWilliam. Époux de Derdriu O'Corrigan. Père de Nollaig FitzWilliam. Seigneur du château FitzWilliam en Irlande. Connu pour avoir terrassé de nombreux monstres aquatiques.

FITZWILLIAM, NOLLAIG (1208-1278) : fils unique de Garrett FitzWilliam et de Derdriu O'Corrigan.

FITZWILLIAM, WILLIAM (1162-1216) : chevalier normand, seigneur du château FitzWilliam en Irlande. Père de Garrett et de David FitzWilliam. Célèbre pour avoir tué le monstre du lac Llangorse au pays de Galles en 1188.

MACNAMARA, CORMAC (1172-1230) : ecclésiastique irlandais, aumônier du château FitzWilliam et principal conseiller de Garrett FitzWilliam. Ancien élève de Giraud de Cambrie et grand connaisseur des monstres aquatiques.

MACNICHOL, DIARMAD (1161-1227) : aventurier écossais, protecteur de la communauté monastique du loch Maree. Grand ami des monstres aquatiques et guérisseur.

O'CORRIGAN, CATHAL (1183-1250) : chef de clan irlandais, frère aîné de Derdriu, Padraig et Rory O'Corrigan. Neveu de Fianna O'Corrigan.

O'CORRIGAN, DERDRIU (1190-1230) : dame du château FitzWilliam, épouse de Garrett FitzWilliam et mère de Nollaig FitzWilliam. Nièce de Fianna O'Corrigan. Possède la faculté de communiquer par la parole avec les corbeaux et les craves.

O'CORRIGAN, FIANNA (1163-1227) : révérende mère de la communauté monastique du loch Maree en Écosse. Tante de Cathal,

Derdriu, Rory et Padraig O'Corrigan. Principale auteure du Livre Vert sur les créatures aquatiques.

O'CORRIGAN, PADRAIG (1192-1227): aventurier irlandais. Frère cadet de Derdriu O'Corrigan et neveu de Fianna O'Corrigan.

PRENDERGAST, HENRI (1157-1216): chevalier normand, père de Richard Prendergast. Tenta en 1216 d'envahir le territoire des O'Corrigan.

PRENDERGAST, RICHARD (1178-1235): chevalier normand, fils d'Henri Prendergast. Succéda à son père.

MONSTRES LACUSTRES, SERPENTS DE MER ET AUTRES ANIMAUX

DALAK: serpent de mer mâle né vers l'an 200. Occupa le loch Linnhe (bras de mer écossais) jusqu'à sa mort en 1218.

GORDHAL (DIT GORDHAL LE BORGNE): monstre lacustre mâle né vers l'an 600. Occupe le loch Lurgainn (Écosse). Solitaire. Un des plus vieux monstres de l'hémisphère Nord. Féroce et imprévisible. Déteste Mhorag de même que les humains.

KHORNOR: monstre lacustre mâle né vers 450. Tué dans son lac du pays de Galles par William FitzWilliam le 30 septembre 1188.

KORAX (DIT KORAX LE 7e): crave à bec rouge mâle né vers l'an 1200. Originaire de la Falaise Noire (Écosse). Septième de sa lignée. Perpétua avec son fils – Korax le 8e – la tradition de dialogue et d'échange établie par Korax le 3e avec les monstres aquatiques et les humains.

KORAX (DIT KORAX LE 48e): jeune crave à bec rouge, mâle, originaire de la Falaise Noire. Quarante-huitième de sa lignée. Messager de Ranevoness (Doyenne du loch Ness).

MANDRIGANE : pie bavarde, femelle. Parcourt l'ouest de l'Irlande à la recherche d'opportunités et de nourriture. Connaît tous les animaux de la région, dont les monstres lacustres. Rusée, manipulatrice, imprévisible, volubile, intelligente.

MHORAG : monstre lacustre femelle née vers 1230. Mère de Ragdanor. Occupa pendant de nombreuses années le Grand Lac Profond (loch Morar, Écosse). Assume maintenant la gouverne du lac aux Sombres Collines, dans l'ouest de l'Irlande.

NARKHAL : monstre lacustre mâle né en Irlande vers 1100. Un des plus vieux Mentors de l'hémisphère Nord. Généreux, rusé. Connaît tous les tunnels de l'hémisphère Nord et particulièrement ceux d'Écosse et d'Irlande.

NHARG : tylosaure (reptile) mâle né vers l'an 900. Occupe en solitaire le lough Mask (nord-ouest de l'Irlande). Totalement adapté à l'eau douce comme à l'eau salée. Malgré la rareté de ses attaques, la crainte que ce géant inspire depuis des siècles empêche les monstres lacustres de traverser les eaux de son lac.

NARVELLE : monstre lacustre femelle née vers 1600. Mentore. Parcourt les tunnels d'Écosse et d'Irlande avec Nochlomyr (son partenaire de vie) et le vieux Narkhal.

NELDARANE : monstre lacustre femelle née au loch Ness (Écosse) vers l'an 600. Parfois appelée Neldarane l'ancienne. La plus âgée des monstres de lac. Mère de Ranevoness. Ancienne Doyenne de Ness. Lointaine descendante de Neldoch l'Ancien. Connue pour sa grande sagesse et sa propension à communiquer avec les humains.

NELDOCH (DIT NELDOCH L'ANCIEN) : monstre lacustre mâle né vers 4500 av. J.-C. et mort vers 3650 av. J.-C. Premier d'une longue et illustre lignée de monstres lacustres et de serpents de mer. Ancêtre – notamment – de Neldarane et Ranevoness.

NOCHLOMYR : monstre lacustre mâle né en Irlande vers 1500. Mentor. Parcourt les tunnels d'Écosse et d'Irlande avec Narvelle (sa partenaire de vie) et le vieux Narkhal.

NORVYNGAL : monstre lacustre mâle né vers 500 et tué le 11 juillet 1227. Occupa pendant des siècles le Grand Lac Profond (loch Morar, Écosse).

RAGDANOR : monstre aquatique hybride, mâle, né au Grand Lac Profond (loch Morar, Écosse) vers 1780. Fils de Mhorag (monstre lacustre) et de Zarak (serpent de mer). Vécut jusqu'en 1836 au loch Morar avec sa mère avant de s'exiler avec elle dans les eaux du lac aux Sombres Collines (Irlande).

RANEVONESS : monstre lacustre femelle née au loch Ness (Écosse) vers 1150. Fille de Neldarane. Doyenne de Ness depuis l'an 1700. Héritière de la sagesse de sa mère et de sa propension à établir des contacts avec les humains.

SHORUK : tylosaure (reptile) mâle né vers 1500. Parcourt les mers du Nord et certains tunnels d'Écosse et d'Irlande avec Vangor, qui lui sert de guide dans les tunnels.

THARVORAX LE 16ᵉ (DIT PÉRIMÉ) : vieux crave à bec rouge mâle, originaire de la péninsule de Horn, comté de Donegal (nord de l'Irlande). Connaît toutes les créatures de la région, dont Mhorag et les membres de la lignée des Korax.

TORGOLAN : monstre lacustre mâle né au loch Maree (Écosse) vers l'an 400 et mort vers 1450. Ses ancêtres occupaient le loch Maree depuis la nuit des temps. Grand guérisseur. Maintient un contact constant avec une communauté spirituelle située en bordure du lac, à laquelle appartenaient Fianna O'Corrigan et Diarmad MacNichol.

VANGOR : monstre lacustre né vers 1500 au loch Derg. Fils de Gordhal et de Gornyvane. Parcourt les tunnels d'Irlande et d'Écosse avec Shoruk le tylosaure. Ennemi des humains et des monstres qui communiquent avec eux.

ZARAK : serpent de mer mâle né vers 1227. Partenaire de vie de Mhorag. Père de Ragdanor. Traqué toute sa vie par des monstres aquatiques et des humains. D'une grande force et d'une incomparable agilité.

Îles britanniques

Océan Atlantique

Loch Morar

Loch Linnhe Loch Ness

Mer du Nord

ÉCOSSE

GRANDE ÎLE

Lough Derg

IRLANDE DU NORD

Doo Lough

Mer d'Irlande

IRLANDE

Dublin

ÎLE VERTE

PAYS DE GALLES

ANGLETERRE

Londres

Winchester

NORMANDIE

FRANCE

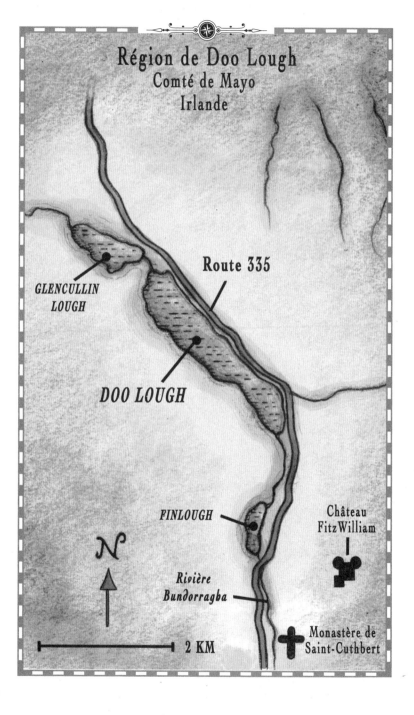

Région de Doo Lough
Comté de Mayo
Irlande

Route 335

GLENCULLIN
LOUGH

DOO LOUGH

FINLOUGH

Château
FitzWilliam

N

2 KM

Rivière
Bundorragba

Monastère de
Saint-Cuthbert

I

IRLANDE
XIIIe SIÈCLE

illiam FitzWilliam endossa la bure monastique que le jeune moine lui avait remise. La laine rugueuse et brunâtre de cet humble costume contrastait avec les riches vêtements qu'il venait d'abandonner. Il n'allait les porter de nouveau qu'après un long mois de prières et de pénitence. Il remarqua le moine augustinien qui s'occupait de ses effets personnels. Celui-ci disposa soigneusement de son armure aux motifs en losanges, de sa magnifique dague ornée de pierres scintillantes, mais aussi et surtout de sa grande hache de guerre qu'il portait d'ordinaire à la ceinture. Il s'en était rarement séparé. Elle lui avait servi durant tant de batailles par le passé. Le religieux termina de plier avec précaution une petite veste sans manches dont la texture et l'apparence attisèrent sa curiosité. Le cuir souple de ce vêtement changeait de couleur sous les variations de la lumière ambiante. William observa le religieux du coin de l'œil jusqu'à ce qu'il dépose la veste avec le reste de ses effets. Il couvrit alors son crâne dégarni du large capuchon pour ensuite ajuster le seul bijou qu'il portait en toutes circonstances : une chaîne au bout de laquelle pendait une petite fiole richement ornementée et remplie d'un liquide rougeâtre.

Lorsqu'il sortit de l'abri au toit de chaume en ce matin de juin, il fut surpris de constater que la brume s'était entièrement évaporée. Effleurant encore l'horizon, le soleil illuminait un paysage immobile qui inspirait le recueillement. William se dirigea vers le quai où l'attendaient ses deux fils de même que l'aumônier de la famille. L'aîné, David, ressemblait à son père. Trapu, large d'épaules, le regard perçant, il n'y avait que son épaisse chevelure frisottante qui différait de la tête dégarnie du vieux William. Âgé de trente-deux ans, il en paraissait davantage. Les dernières années avaient été pénibles pour lui. Le domaine ancestral des FitzWilliam était situé dans le lointain pays de Galles. David avait hérité de cette demeure lorsque son père s'était engagé dans la conquête de l'Irlande. Mais le château avait été récemment pris d'assaut par de redoutables guerriers gallois, forçant David à s'exiler.

Les derniers mois n'avaient guère été plus faciles pour William. Il avait dû composer avec d'incessants conflits territoriaux. Même s'il était encore vigoureux et vif d'esprit, William FitzWilliam n'avait plus le cœur aux affrontements. Il espérait terminer ses jours dans la quiétude de son château fortifié dans l'ouest de l'Irlande.

Aidé par deux Augustins, William fut le premier à monter à bord de la barque qui allait les emmener vers l'île des Saints, située au milieu du lac. Le sanctuaire du lough Derg était de loin le lieu de pèlerinage le plus connu d'Irlande et l'un des plus illustres d'Europe. William porta son regard vers la fameuse île et contempla le bâtiment religieux qui s'y trouvait. Il esquissa un sourire admiratif à la vue des murs de pierre qui, baignés par les rayons du soleil, semblaient faire office d'ambassade du paradis. Il s'évertuait à croire qu'un pèlerinage chrétien comprenant un mois de prières et de jeûnes contribuerait à réinstaurer la paix sur ses territoires.

David s'assit aux côtés de son père. Vêtus de bures identiques, ils illustraient le passage du temps tellement William incarnait ce que David allait devenir. Les moines aidèrent ensuite Garrett, le fils cadet de William, à monter à bord. Celui-ci était tout le contraire de l'aîné. Élancé et gracieux, il le dépassait presque d'une tête. Ses minces cheveux châtains couronnaient un visage noble à la mine déterminée. Ses grands yeux gris pâle – qu'il tenait de sa mère – lui conféraient une aura de mystère qui semblait le prédisposer à une vocation religieuse. Pourtant, sa destinée n'allait ressembler en rien à celle d'un prêtre. Même s'il n'avait pas hérité de la robuste charpente de son père, il avait bonne carrure et avait prouvé par le passé qu'un redoutable guerrier pouvait s'éveiller en lui. Âgé de trente et un ans, Garrett partageait maintenant avec William la gouvernance de leur château irlandais. Tout près de lui s'assit Cormac MacNamara, l'aumônier du château FitzWilliam. Cet ecclésiastique de quarante-quatre ans cachait mal sa peur de l'eau. Son teint blafard de même que ses traits fins mettaient en évidence de grands yeux noirs rappelant ceux d'un rongeur apeuré. Rien n'échappait à ce religieux, qui analysait tout ce qui l'entourait.

Deux moines augustiniens installés aux extrémités de la barque se mirent à pagayer en direction de l'île des Saints. Le clapotis régulier de l'eau contre les rames s'harmonisait avec le chant des oiseaux. William sentait sa foi se raffermir. Soudain, l'embarcation s'éleva légèrement puis se stabilisa de nouveau, comme si elle avait été traversée par une onde inexplicable. Les deux moines irlandais avaient cessé de ramer et se regardaient d'un air anxieux. L'aumônier Cormac, pour sa part, s'efforçait de rester calme tout en serrant de ses maigres doigts les rebords de la chaloupe. Les Augustins reprirent leur besogne, mais leur langage corporel traduisait une profonde inquiétude. FitzWilliam et ses fils tentèrent d'évaluer du regard la distance qu'il leur restait à parcourir avant d'atteindre le quai du monastère. Une expression d'effroi se figea sur le visage des moines, qui scrutaient de nouveau la surface du lac. Une sombre masse d'au moins dix mètres de longueur fonçait vers eux à toute vitesse. William eut le sang glacé d'épouvante.

Les moines se mirent désespérément à pagayer plus fort, mais le monstre lacustre fracassa l'embarcation dans un concert de craquements, de hurlements et d'éclaboussures. En une fraction de seconde, les six hommes furent projetés dans l'eau.

Quand Garrett reprit ses sens, il aperçut David qui gesticulait de façon brusque et désordonnée, cherchant un morceau d'épave auquel s'agripper. Le pauvre ne savait pas nager. Garrett se déplaça dans sa direction pour lui porter secours et eut le temps d'entrevoir le vieux William qui s'accrochait à un morceau de la coque. Garrett s'arrêta soudain. Le monstre passa à moins d'un mètre de lui et le foudroya d'un regard pénétrant avant de foncer droit sur son père. Il happa William au niveau du thorax. La scène était insoutenable. La tête hors de l'eau et serrant sa proie dans sa grande gueule, la créature secouait le chevalier comme un chien jouant avec un vulgaire chiffon. On entendait des os craquer. Le sang gicla de la bouche du vieil homme, mettant fin à ses cris de terreur. Puis, le monstre emporta le corps brisé de sa victime dans les profondeurs du lac.

Ainsi mourut William FitzWilliam, chevalier normand, héros de la troisième croisade et seigneur du château FitzWilliam.

Le calme revint pour un court moment, puis l'agitation se fit sentir et les cris des moines et des pèlerins retentirent d'un rivage à l'autre. Des deux fils, seul Garrett survécut. David mourut noyé. Les Augustins s'en sortirent indemnes tout comme Cormac MacNamara, que Garrett dut traîner vers le rivage. Quelques heures plus tard, le corps mutilé du vieux FitzWilliam fut retrouvé non loin du quai. Il portait encore les restes de sa bure monastique, mais la petite fiole qui pendait d'ordinaire à son cou avait disparu. Les raisons qui avaient poussé le monstre du lough Derg à s'attaquer de la sorte à un être humain constituaient un mystère que le chevalier FitzWilliam emportait avec lui dans la mort.

L'aumônier Cormac se remit rapidement du choc. Durant les jours qui suivirent l'attaque du monstre, Garrett garda un silence inquiétant. Ni les sanglots, ni la peur, ni la colère, ni le désespoir ne pouvaient se lire sur son visage. La tragédie qui avait eu lieu dans les eaux du lough Derg, en ce mois de juin de l'an 1216, et à laquelle il avait assisté depuis les premières loges allait lui tracer un destin inimaginable.

Pour les siècles à venir, le sort de ses descendants ainsi que celui des monstres aquatiques de l'hémisphère Nord s'en trouveraient profondément bouleversés.

2

Le jeune monstre de lac n'osait pas cligner des yeux. Son regard, accroché aux silhouettes géantes enchevêtrées dans un ballet frénétique, n'arrivait plus à distinguer le profil de sa mère. Les adversaires disparurent derrière le rideau de vase créé par les remous du combat. Seules ses moustaches percevaient les ondes brutales de cet affrontement dans les profondeurs obscures d'un lac écossais. Tapie dans les hautes algues, la créature s'efforçait de demeurer immobile pour faire corps avec le fond boueux. Mais il lui faudrait bientôt remonter à la surface pour aspirer l'oxygène qui commençait à lui manquer cruellement. « Je dois rester calme. Surtout, ne pas attirer l'attention. Elle vaincra. Elle vaincra, puis elle viendra me chercher et nous remonterons ensemble pour respirer », se répétait-il avec un optimisme forcé. Il n'avait jamais vu auparavant ces deux énormes monstres lacustres qui avaient surgi dans le loch pour attaquer sa mère. « D'où viennent-ils ? Pourquoi s'attaquent-ils à nous ? »

Un amas de petites bulles d'air s'échappèrent de ses narines pour s'élever vers la lumière du jour. Paniqué, il regarda autour de lui afin de s'assurer que les bulles étaient passées inaperçues. Sentant une présence, il fit volte-face et vit une troisième créature qui glissait sournoisement vers lui. La frayeur glaça son sang. L'imposante bête fonça sur sa proie dans un mouvement sinueux qui révéla son œil droit mutilé. Le jeune monstre recula et bondit vers le haut. Avec l'énergie du désespoir, il activa ses nageoires latérales pour atteindre au plus vite la surface du loch qui lui semblait aussi distante que le ciel.

Les mâchoires de son poursuivant effleuraient déjà son arrière-train quand, soudain, l'eau du lac se teinta de sang, filtrant de rouge les rayons solaires. Il risqua un coup d'œil derrière lui et aperçut le profil d'un majestueux serpent de mer en train de happer son agresseur.

«John!»

La voix du professeur Quinn extirpa le garçon de son sommeil. En ouvrant les paupières, John Émile Talbot poussa un cri de frayeur, provoquant le rire des élèves de la classe. Stupéfait, il appréhendait déjà les remarques de l'enseignant et l'avalanche de taquineries dont il ferait de nouveau l'objet. Il s'était encore endormi durant son cours d'histoire et avait fait, une fois de plus, le même rêve mystérieux. Les profondeurs du lac écossais, le terrible affrontement, le manque d'oxygène, l'attaque du sinistre monstre et l'intervention du serpent géant habitaient encore ses pensées.

Le professeur Quinn exigea le silence et tourna son attention vers John.

— Ça va aller?

Le jeune Irlandais de onze ans acquiesça d'un hochement de tête.

— Je peux aller aux toilettes? demanda-t-il, hésitant.

Quinn fit signe que oui.

Évitant les regards, John sortit en hâte de la salle, comme s'il tentait de fuir la vague de murmures qui le poursuivait.

Il traversa le corridor désert et se précipita dans la salle d'eau. Il s'arrêta en apercevant sa réflexion dans le miroir. L'impact du rêve se répercutait sur ses traits comme l'effet d'un coup de vent qui ne s'estompait pas. Cet étrange cauchemar hantait son sommeil de façon persistante depuis près d'un an déjà. Son insomnie chronique était devenue la principale source d'inquiétude de ses parents. Chaque fois qu'il finissait par succomber à la fatigue, il se revoyait en songe sous les traits d'un jeune monstre aquatique.

Il aspergea son visage d'eau, question de se ragaillardir, tout en espérant chasser de son esprit les images du rêve. «Courage, Little John!» se disait-il en pensant aux paroles d'encouragement que Philippe, son père, lui prodiguait occasionnellement. Il le surnommait «Little John», pour évoquer le compagnon de Robin des Bois, mais aussi le prénom de son grand-père maternel : John Fitzwilliam.

Francophone originaire de Montréal, Philippe Talbot avait adopté l'Irlande de ses lointains ancêtres depuis vingt ans. Même s'il avait assimilé la langue, l'accent et le mode de vie du pays – en plus d'épouser une Irlandaise –, il insistait pour que son fils connaisse les rudiments de la langue française.

Les copains de Little John lui préféraient toutefois le sobriquet «Jet», d'abord parce que l'on disait en blague que ce gringalet aux jambes maigrichonnes courait aussi vite qu'un avion à réaction – un *jet* en anglais. Mais aussi et surtout parce que le mot «JET» constituait un acronyme de son nom : John Émile Talbot.

Résigné à retourner en classe, Jet se regarda à nouveau dans le miroir. «Rien à faire», pensa-t-il. Il ressentait encore l'agitation du loch écossais.

3

Dès qu'il ouvrit l'œil, Ragdanor reconnut le décor familier de son paisible lac irlandais. Le jeune monstre lacustre n'était plus dans les eaux du Grand Lac Profond, tel que nommé par les monstres des lacs. Il n'était plus dans la partie nord de la Grande Île, connue sous le nom d'Écosse par les humains. Il avait une fois de plus revécu en songe cette terrible attaque qui avait eu lieu cent soixante-huit ans plus tôt. Avec l'aide d'un mystérieux serpent marin, sa mère avait réussi à faire fuir ses assaillants. Par la suite, ils s'étaient exilés de leur lac écossais pour entreprendre une série de longs et périlleux voyages. Il se souvenait vaguement des interminables distances qu'il avait parcourues dans des tunnels obscurs, souvent accroché à sa mère, qui s'efforçait de nager toujours plus vite.

Mais il y avait si longtemps. Ils vivaient maintenant en paix dans ce refuge aquatique d'Irlande, que les monstres appelaient l'Île Verte.

Il sortit le museau de son abri subaquatique, qui consistait en un agencement de troncs d'arbres savamment disposés par sa mère au fond de la partie nord-ouest du lac. Comme la plupart des refuges des monstres lacustres, ce lieu procurait davantage un sentiment de sécurité qu'une réelle protection. En jetant un coup d'œil au-dessus de lui, le monstre constata que le soleil de fin de journée commençait à dessiner des ombres à la surface. Quelques truites au regard moqueur vinrent le rejoindre, conscientes que le jeune géant ne constituait pas une menace. Ragdanor s'extirpa complètement de son gîte et fit quelques mouvements de brasse avant de s'arrêter. L'étrange sérénité du lieu révélait quelque chose d'inhabituel. Tout était calme. Tout était beaucoup trop calme. Même les truites trouvaient cette profonde quiétude un brin suspecte. Ragdanor se mit à nager à toute vitesse, causant un remous qui projeta à l'écart les poissons. Il parcourut plusieurs mètres et s'immobilisa brusquement de nouveau. Nul besoin d'explorer davantage le vaste territoire sous-marin qu'il connaissait tant. Ses facultés télépathiques ne captaient pas la moindre pensée en provenance de Mhorag, sa mère. Il comprit qu'une fois de plus elle s'était absentée et qu'il se retrouvait seul dans les eaux profondes du lac aux Sombres Collines. C'est ainsi que Ragdanor et Mhorag avaient nommé ce magnifique plan d'eau irlandais entouré de montagnes escarpées. Les élévations abruptes qui ceinturaient le lough impressionnaient par leur majesté, tout en procurant l'étrange sentiment de dissimuler d'obscurs secrets. Les humains, pour leur part, appelaient ce lac «Doo lough», ce qui signifiait tout simplement en irlandais lac sombre, ou lac noir.

Tous les sept ans, Mhorag quittait le lough pendant plusieurs mois. Elle s'esquivait habituellement en secret durant le sommeil de son rejeton, évitant ainsi la déchirante séparation. De toute façon, elle savait Ragdanor hors de danger. Même s'il détestait la voir s'aventurer seule dans le vaste monde, il s'était résigné à l'idée qu'elle accomplissait un devoir mystérieux. D'ailleurs, il était assez âgé pour se nourrir seul et assez futé pour ne pas être vu des humains.

Il y avait toutefois eu une exception. Vingt et un ans plus tôt, une femme dans la quarantaine aux traits tirés et à la peau pâle effectuait chaque jour des promenades solitaires sur la berge. Ragdanor l'avait observée. Il avait décelé chez elle une grande tristesse. Un jour, elle avait aperçu le jeune monstre et réussi contre toute attente à l'attirer avec quelques bouts de pain. Il préférait de loin cette nourriture aux algues et au plancton de sa diète quotidienne. Cette année-là, Mhorag s'était encore absentée pendant plus de trois mois. Elle n'était donc pas présente pour lui interdire d'accepter les dons de la bienfaitrice. Cependant, personne à part la femme au teint pâle n'avait vu le monstre aquatique. Après quelques semaines, les visites et les bouts de pain avaient subitement cessé.

Maintenant qu'il vieillissait et qu'il approchait de l'âge adulte, Ragdanor composait de moins en moins bien avec les fugues cycliques de Mhorag. «Où va-t-elle et pourquoi ne m'emmène-t-elle pas?» s'interrogeait-il. Cent dix-neuf ans s'étaient écoulés depuis qu'elle avait entrepris sa première escapade et il avait toujours respecté l'interdiction formelle de quitter le lac. En fait, il n'en avait jamais eu l'envie. Cependant, depuis quelque temps, Ragdanor se disait qu'il pourrait accompagner Mhorag dans ses futurs voyages afin de lui porter secours en cas de péril. De plus, il éprouvait un désir inexplicable qui grandissait sans cesse : s'aventurer sur la terre ferme. Il n'arrivait pas à comprendre ce qui pouvait éveiller cette tentation. À sa connaissance, sa mère n'avait jamais osé quitter le lough pour flâner dans les hautes herbes. Certes, elle lui avait raconté à maintes reprises la légende de Dochvol l'intrépide, connu pour ses expéditions terrestres. Mais cet exceptionnel monstre lacustre appartenait à un passé très lointain. Pourtant, rien au monde n'attirait davantage la jeune créature qu'une excursion sur le sol humide.

« Pourquoi suis-je si différent ? » se demandait-il sans cesse. Cette question était tout à fait justifiée. Sa mère avait l'apparence typique d'un monstre de lac, avec son cou allongé, son abdomen fort, ses trois bosses dorsales et ses nageoires latérales. Elle ressemblait un peu à un phoque géant qui aurait hérité d'un cou de dinosaure. Contrairement à Mhorag, dont le crâne était dégarni, Ragdanor possédait une crinière. Ce qui était tout à fait normal pour un monstre lacustre mâle. Cependant, son corps était de forme plus serpentine que celui de sa mère et, en plus, de magnifiques ailerons dorsaux s'alignaient jusqu'au bout de sa longue queue, appendice d'ordinaire inexistant chez les monstres de lac. « Mon père était-il un serpent de mer ? » songeait-il souvent. Il n'avait pourtant jamais rencontré de serpent de mer dans le cours de sa jeune existence, mais il se souvenait qu'un membre de cette espèce faisait toujours irruption dans son cauchemar. Corps allongé, longue queue, ailerons dorsaux, Ragdanor possédait en effet des attributs typiques des géants des mers.

Les monstres lacustres et les serpents de mer partageaient les mêmes lointains ancêtres chez les mammifères marins. Or, les uns ayant évolué principalement en eau douce et les autres en eau salée, leur apparence physique différait sensiblement[1].

Si Ragdanor s'interrogeait souvent sur ses origines, il n'avait toutefois aucun doute quant au lien proche qui l'unissait à Mhorag. Ils avaient tous deux de grands yeux verts identiques et une peau foncée, marbrée de turquoise.

Ragdanor remonta vers la surface. Seuls ses yeux et ses narines émergèrent des profondeurs, lui permettant de faire le plein d'oxygène. Désirant examiner davantage le paysage montagneux, il étira le cou. Âgé de deux cent vingt-quatre ans, il n'avait pas encore atteint sa taille adulte et ne faisait que douze mètres de longueur, de la tête à la queue. Scrutant les escarpements qui entouraient le lac, il envisagea d'entreprendre une excursion sur le sol. Soudain, il aperçut une volée de corbeaux freux qui contournèrent la montagne située à l'ouest du lac et se posèrent sur la grève, tel un voile noir tombant doucement dans l'herbe. Ragdanor se méfiait des oiseaux. Mhorag avait transmis cette crainte à son fils après lui avoir maintes fois raconté comment de perfides bêtes à plumes avaient trahi leur présence dans le Grand Lac Profond, précipitant la fameuse attaque dont il rêvait encore. Soudain, les moustaches du jeune monstre captèrent les vibrations d'une voiture qui approchait. Même s'il n'y avait pas lieu de s'alarmer, puisque le véhicule se trouvait encore à quelques kilomètres du plan d'eau, Ragdanor abandonna momentanément son projet d'exploration terrestre. Il replongea en provoquant de légères ondulations qui embrouillèrent le reflet des nuages.

---

1. L'appellation « serpent de mer » prête parfois à confusion puisqu'elle inclut le mot « serpent », suggérant une appartenance à la famille reptilienne. Toutefois, ces géants sont bel et bien des mammifères.

4

Les murets de pierre défilaient à vive allure par la fenêtre de la voiture familiale. Jet laissait son regard se perdre dans les mosaïques rocailleuses longeant l'étroite route entre Westport et Louisburgh. En cette fin de journée de juin, le soleil réchauffait de sa lumière orangée les frênes en bordure de la route. Chaque jour, Nora allait chercher son fils à l'école. La journée n'avait pas été facile pour Jet. Encore une rechute de sommeil en classe et une autre nuit blanche qui s'annonçait.

À l'horizon, de lointaines montagnes dénudées agrémentaient un environnement champêtre d'une tranquillité ensorcelante. On aurait dit un paysage lunaire où des herbages abondants auraient poussé. Tout en conduisant, la femme de trente-sept ans réfléchissait. Son fils avait consulté trois psychologues en six mois. Rien à faire, la fréquence des rêves s'intensifiait avec le temps. Les parents de Jet avaient pris des mesures draconiennes : interdiction de regarder des films de monstres, de jouer à des jeux électroniques dans lesquels apparaissait le moindre dragon, de se baigner dans un lac, de télécharger des images de dinosaures, bref tout ce qui pouvait stimuler l'inconscient à raviver ce cauchemar. Aucune de ces précautions n'avait changé quoi que ce soit à la situation. Il fallait rapidement trouver un docteur capable d'accomplir des miracles. Soudain, elle sentit les doigts de Jet s'agripper à son bras. Nora n'avait pas réalisé qu'elle roulait très vite sur une route sinueuse, oubliant que son fils était sujet à la nausée. Elle immobilisa son véhicule au sommet d'une petite pente qui descendait vers un lac ceinturé de montagnes abruptes. Il s'agissait de Doo lough.

Appuyé contre la portière, Jet humait l'air printanier. Il n'avait pas été malade. La fatigue et l'effet de la route tortueuse s'étaient simplement mêlés à l'angoisse pour créer une bonne dose d'étourdissement sans conséquence.

Le portable de Nora sonna et elle s'éloigna du véhicule pour répondre. Jet l'imita et s'aventura dans les broussailles en direction du lac. Il descendit la légère pente qui menait à une vaste surface gazonnée donnant sur la berge. À plusieurs mètres de distance, une cinquantaine de corbeaux se déplaçaient d'un secteur à l'autre de la rive. Leurs croassements s'intensifièrent de manière inhabituelle alors qu'ils s'approchaient de Jet. Intrigué, il fit quelques pas dans leur direction. Les corbeaux s'éloignèrent un peu, puis se rapprochèrent de nouveau en augmentant leurs cris. Au milieu de cette cacophonie, Jet crut discerner des mots : « Dalak ! Dalak ! Dalak a péri ! » Ce phénomène d'apparence purement accidentelle le fit d'abord sourire. Soudain, aussi incroyable que cela puisse sembler, il eut la quasi-certitude que les oiseaux prononçaient le nom « Fitzwilliam ». Le fait qu'ils réussissent à articuler un nom de façon aussi distincte était en soi étonnant. Mais en plus, il s'agissait du nom de famille de sa mère, Nora Fitzwilliam. Les corbeaux se déplacèrent de nouveau, amplifiant davantage leurs croassements. « FitzWilliam a sombré ! » crièrent-ils. Ils avancèrent encore tout en poussant leurs cris, mais cette fois, il n'y avait plus l'ombre d'un doute. Leurs paroles incohérentes s'agençaient pour former des phrases qui étaient entamées par un premier groupe, poursuivies par un deuxième et complétées par un troisième dans un enchaînement étourdissant. « FitzWilliam a sombré ! » « Il erre dans l'empire des ondes ! » « Par les hommes, il est pourchassé ! » « Chez les monstres, la colère gronde ! » Les corbeaux s'éloignèrent tout en continuant de déclamer leurs tirades énigmatiques. « FitzWilliam a sombré ! » « La mort guette sa bien-aimée ! »

Il faisait nuit dans les entrailles du lac. Ragdanor glissait lentement au-dessus de l'obscur paysage subaquatique. Grâce à son acuité visuelle très développée, il pouvait aisément distinguer le fond onduleux parsemé de branches tordues qui étaient submergées depuis des décennies. Quelques truites le suivaient encore, se laissant transporter dans son sillon. Dès qu'il constata que la profondeur du plan d'eau diminuait de façon appréciable, il ralentit. À moins de cent mètres devant lui se trouvait l'extrémité sud du lac aux Sombres Collines. À partir de ce point, le lough se transformait en une petite rivière qui continuait son cours méridional vers des contrées qui lui étaient inconnues. Sa mère lui avait parlé d'un grand bras de mer, d'interminables tunnels, de magnifiques lacs aux nobles créatures, mais tout cela lui semblait bien loin et horriblement menaçant. Ragdanor aurait souhaité voir sa mère surgir de l'obscurité. Il dut cependant se contenter de l'insondable quiétude de ce passage interdit. Il jeta un coup d'œil vers les truites qui firent demi-tour, n'osant pas s'aventurer plus loin. De ses puissantes nageoires postérieures, Ragdanor se propulsa vers le haut. Sa tête émergea du monde sous-marin, faisant voler en éclaboussures la surface inerte. Le jeune monstre poussa un interminable cri de lamentation, brisant le silence de la nuit.

Un frisson glacial traversa Jet. Debout à la fenêtre de sa chambre, il entendit le cri lointain du monstre qui résonna en écho dans les collines environnantes. Son réveil indiquait trois heures du matin. Il se demandait quelle créature pouvait produire un tel gémissement. Il attendit que la complainte insolite prenne fin, puis s'assit sur son lit. Pour une fois, ce n'était pas un cauchemar qui le tenait éveillé.

5

IRLANDE
XIIIe SIÈCLE

arrett FitzWilliam ouvrit les paupières et fixa de son regard apeuré les poutres du plafond de sa chambre. Un pâle rayon de lune effleurait l'imposante structure de bois. Le chevalier dégoulinait de sueur. Il ne comptait plus le nombre de fois où il s'était réveillé en sursaut après avoir revu en songe la terrifiante créature du lough Derg le dévisageant de ses sinistres yeux noirs. Il avait encore rêvé de la bête qui avait happé son père dans un concert de hurlements et de craquements d'os humains.

Trois mois s'étaient écoulés depuis que le vieux FitzWilliam avait été entraîné dans l'abîme par un monstre lacustre. « Quel étrange destin que celui de mon père », se disait Garrett.

En effet, pendant près de trois décennies, de septembre 1188 au mois de juin 1216, William FitzWilliam avait joui d'une réputation de héros qui l'avait précédé dans tous les royaumes d'Europe jusqu'au Moyen-Orient. Il avait connu l'adulation, le respect et la fortune en tous lieux. Tous admiraient ce valeureux chevalier normand, farouche combattant de la troisième croisade, seigneur d'un noble château au pays de Galles, puis d'une forteresse en Irlande. Et nul ne résistait au charme de ce guerrier trapu à la voix forte et à l'humour caustique. Pourtant, ce n'étaient ni sa personnalité, ni ses prouesses militaires, ni ses châteaux qui lui avaient obtenu de tels égards. William FitzWilliam avait accédé au statut de héros mythique à l'âge de vingt-six ans en terrassant un monstre de lac au cœur du lointain pays de Galles. Pourquoi fallut-il qu'il périsse broyé par les mâchoires d'une autre créature, vingt-huit années après cet exploit tant glorifié ? Un mystère planait sur cette tragédie. Si les monstres lacustres suscitaient à la fois crainte et curiosité, ils ne s'immisçaient presque jamais dans le monde des humains. Le fait que le géant du lough Derg, connu pour son caractère fuyant, avait si sauvagement attaqué son père obsédait Garrett.

Les croassements de quelques corbeaux le firent sursauter. Il constata alors que Derdriu, son épouse, avait quitté le lit. Elle partageait sa difficulté à dormir ces derniers temps. Sensible aux tourments de son mari, Derdriu ressentait fréquemment le besoin de faire de longues promenades nocturnes sur les terres du château. Garrett aurait aimé qu'elle soit près de lui à ce moment précis. Si elle ne savait pas toujours trouver le mot juste dans la langue française en usage chez les Normands, sa simple présence suffisait à lui apporter du réconfort. Décidé à la retrouver, il enfila ses courtes bottes et endossa un survêtement de laine.

Il se dirigea vers l'embrasure étroite qui donnait sur un corridor sombre. Puis, il entrouvrit une porte et jeta un œil à l'intérieur d'une petite pièce adjacente à la chambre principale. Nollaig, son fils âgé de sept ans, y dormait paisiblement.

« Il dort comme un ange, pendant que moi, je fais des cauchemars de bête hideuse qui dévore les hommes. Puisse Dieu lui faire grâce de pareils tourments. »

Garrett referma la porte et s'engagea dans l'escalier en colimaçon. Il aboutit dans la salle de garde où somnolaient à la lueur de l'âtre quelques hommes d'armes épuisés. Poussant discrètement une porte grinçante, il sortit de l'imposante tour carrée dans une petite cour encerclée de hauts murs tapissés de plantes grimpantes. Il espérait y apercevoir Derdriu respirant l'air frais, mais elle n'y était pas. Comme il l'avait appréhendé, elle s'était aventurée hors des murs du château. Même si le domaine était bien gardé, il n'aimait pas la savoir seule en train d'arpenter les terres au beau milieu de la nuit.

Un garde s'était assoupi avec un bol de nourriture en main et n'eut pas le temps de réagir au passage du chevalier, qui gravit les quelques marches du bâtiment central et ouvrit une lourde porte donnant sur la grande pièce principale.

Une seule des dix torches accrochées au mur de la salle brûlait encore. Garrett aperçut du coin de l'œil le profil de la majestueuse chaise de William FitzWilliam. Depuis la tragédie du lough Derg, il n'avait pas encore osé s'y asseoir. Il passa devant le foyer, dont la large bordure horizontale affichait les armoiries de sa famille. Accélérant le pas, il atteignit l'extrémité opposée de la salle, traversa le petit hall d'entrée donnant accès aux tours de garde et poussa les doubles portes pour se retrouver à l'extérieur.

Debout au pied des marches de l'entrée principale, vêtu de sa cotte de mailles et portant une large épée à sa ceinture, Herbert FitzHerbert leva les yeux en voyant apparaître Garrett. Ce colosse faisait partie de la garde personnelle de la famille depuis plusieurs années déjà. Âgé de quarante et un ans, grand, corpulent, large d'épaules, il remplissait à craquer ses vêtements de guerrier. Derrière sa barbe raide et grisonnante, un sourire en coin attendait toujours de poindre. Ce fils de noble s'était lié d'amitié avec Garrett et l'accompagnait en tous lieux. Sans mot dire, il indiqua le boisé situé au nord-est du château et Garrett comprit aussitôt qu'il s'agissait de la direction que Derdriu avait empruntée.

« FitzWilliam dans l'onde a sombré. » « Et FitzWilliam dans l'abîme s'enfoncera. » « Par les armes, Dalak le noble fut massacré ! »

«Et le guerrier à jamais en souffrira!» firent tour à tour les trois corbeaux perchés au sommet d'un pin quelque part au milieu de la petite forêt.

Derdriu O'Corrigan s'arrêta sec lorsqu'elle reconnut le nom de famille de son bien-aimé. Elle fixa de ses grands yeux verts la cime des arbres dont les branches hachuraient le ciel de nuit. Entendre des corbeaux déclamer des paroles humaines ne la surprenait aucunement. Il s'agissait d'une faculté qu'elle possédait depuis sa tendre jeunesse et dont elle avait hérité des ancêtres de son père. Toutefois, le fait de reconnaître le nom de FitzWilliam parmi les énigmatiques prophéties de ces bipèdes la troublait. Leurs oracles n'annonçaient rien de bon. «Qui donc est ce Dalak?» se demanda-t-elle. Vêtue d'une robe kaki au large capuchon qui couvrait son épaisse chevelure noire, Derdriu attendait les prochaines déclamations. Son regard zigzaguait d'une branche à l'autre. Elle demeurait à l'affût du moindre son. Mais les corbeaux s'étaient tus. La jeune femme se ressaisit. Elle savait que, si les corbeaux freux existaient dans le présent en tant que membres de l'espèce animale, leurs esprits vagabondaient à travers les époques et les lieux, se moquant du temps et de l'espace. Conséquemment, ces oiseaux pouvaient tout aussi bien évoquer présent, passé et avenir, ou les trois simultanément, sans la moindre distinction. Leurs âmes circulaient sans effort d'une époque à l'autre en communiquant par télépathie avec leurs lointains descendants, ou leurs lointains ancêtres. Rares étaient les sages en ce monde qui réussissaient à discerner un message précis dans cet assemblage confus de phrases à caractère prophétique.

Derdriu reprit sa marche vers l'est. Le terrain devenait progressivement vallonné et la forêt, de plus en plus clairsemée. Moins d'une heure plus tôt, elle avait quitté le château en catimini afin de se rendre sur le territoire ancestral du clan O'Corrigan. Cathal, son frère aîné, en était le chef. Il refusait tout dialogue avec Garrett, qu'il considérait comme un ennemi au même titre que tous les autres guerriers normands. Mais Derdriu détestait les guerres, les conflits hargneux et les querelles incessantes que les hommes depuis toujours semblaient déterminés à perpétuer. Elle s'était donc mis en tête de négocier avec son fougueux frère afin qu'il renonce aux hostilités.

Depuis un moment, elle avait l'impression d'être suivie. Elle dévala en hâte une pente douce située au milieu d'un terrain parsemé de bouleaux. L'Irlandaise de vingt-six ans savait qu'une fois au bas de cette dénivellation, elle serait sur les terres de sa famille. Continuant d'avancer sur une centaine de mètres, elle atteignit l'orée du bois puis s'engagea sur un vaste terrain couvert de hautes herbes. Après quelques pas, elle s'arrêta. Elle avait atteint le point où son frère devait la rencontrer. La brise avait cessé et l'endroit baignait dans un silence inquiétant.

« Cathal ! Cathal, es-tu là ? » demanda-t-elle en langue irlandaise.

Le silence persista jusqu'à ce qu'elle sente une présence qui approchait par-derrière. Son cœur se mit à palpiter. Soudain, du coin de l'œil, elle crut apercevoir deux ombres se détacher d'un buisson. Elle était piégée. « Pourquoi mon propre frère me réserve-t-il un tel accueil, à moins que ce ne soient des brigands ? » Elle aurait voulu fuir, mais elle savait fort bien qu'il était trop tard. Puis, il lui revint à l'esprit que ce territoire appartenait à sa famille. « Qui ose donc troubler de la sorte la fille de Nial O'Corrigan ? » Elle se retourna brusquement pour faire face à l'individu qui approchait et vit alors un colosse de plus de deux mètres, vêtu de noir, qui fonçait dans sa direction. L'imposant guerrier, d'un geste vif et agile, projeta devant lui une large pièce de tissu qui enveloppa la jeune femme. Derdriu se débattit en criant, puis elle sentit un coup brutal qui l'atteignit à la tête. Elle s'effondra.

6

— Mange tes céréales, Little John! insista Philippe, debout devant la cuisinière à gaz, en train de préparer deux assiettes d'un copieux petit-déjeuner irlandais.

Jet souleva sans conviction la cuillère qui trempait dans son bol et porta à sa bouche une maigre portion de flocons humides. L'esprit hanté par le cri nocturne de la créature, il avait à peine fermé l'œil. Assis devant lui à la table familiale, Harold Fitzwilliam quitta des yeux son journal et posa son regard sur Jet. L'homme de soixante-cinq ans lui fit un clin d'œil amical. Jet répondit par un sourire forcé. Il appréciait son grand-oncle. Ce veuf qui n'avait pas toujours eu la vie heureuse dédramatisait les pires situations par sa simple présence bienveillante.

Nora entra en hâte dans la cuisine de la petite auberge. Une tension palpable envahit la pièce. Elle garda le silence, question de ménager ses énergies afin de pouvoir communiquer un semblant de bonne humeur aux clients. Une fois les assiettes en main, elle retourna aussitôt dans la salle à manger pour servir ses convives. Philippe reprit sa besogne, l'air piteux. L'oncle Harold comprit ce qui se passait. Plus tôt ce matin-là, une altercation avait eu lieu entre Philippe et Nora à propos de la planification du menu du week-end. Les disputes au sujet de tout et de rien étaient fréquentes entre eux ces derniers temps. Le couple avait connu une certaine prospérité à Dublin dans le domaine de l'informatique. Après sept années de surmenage, de frénésie urbaine, de garderie et d'heures supplémentaires, Nora avait réussi à convaincre son mari de changer radicalement de vie. Ils étaient ainsi devenus propriétaires d'une auberge de campagne dans l'ouest de l'Irlande. Ils avaient nommé le gîte «Auberge Fitzwilliam-Talbot». Après cinq années d'espoir et de rénovations, les dettes continuaient de s'accumuler et minaient l'harmonie familiale.

— Louisburgh! s'exclama Harold en regardant Jet.

— Comment?

Jet ne pouvait jamais prédire les propos de son grand-oncle.

— Es-tu déjà allé à Louisburgh?

«Quelle question, bien sûr que oui», pensa Jet.

— Si on allait y faire un tour? Il faut que je fasse changer la courroie de ventilateur chez Joe Flynn.

Jet était assez perspicace pour comprendre qu'Harold usait d'une excuse afin de fuir l'auberge pendant quelques heures. Il jeta un œil vers son père, question d'obtenir un signe d'approbation.

Harold ne donna pas le temps à Philippe de réagir et précipita le départ.

— Viens, champion! dit-il en se levant.

La camionnette d'Harold longeait l'étroite route qui reliait les villages de Delphi et Louisburgh dans un épais brouillard qui effaçait tout le paysage. Jet avait l'impression de traverser un monde ensorcelé où tout pouvait arriver. Compact, robuste et transportant un bric-à-brac constitué d'outils, de boîtes et de sacs de toutes sortes, le véhicule de son grand-oncle s'avérait le moyen de transport tout indiqué pour s'aventurer dans l'inconnu. Harold était l'homme à tout faire de l'auberge. Il travaillait pour Nora, sa nièce, depuis qu'il avait pris sa retraite comme employé dans un journal à

Castlebar. Il effectuait des réparations, s'occupait des emplettes et passait la majeure partie de ses journées à converser avec les clients.

— Ouvre le compartiment à gants.

Jet s'exécuta aussitôt pour découvrir un désordre total.

— Quelque part en dessous, tu devrais trouver un sac.

Après quelques secondes de fouilles laborieuses, Jet dénicha un sac rempli de tablettes de chocolat.

— Celui-là ? lança-t-il avec enthousiasme.

Harold acquiesça.

— Sers-toi, pourvu que tu m'en laisses une.

Jet ne se fit pas prier. D'ordinaire, ses parents hésitaient à le laisser partir avec Harold, car avec lui, tous les interdits alimentaires disparaissaient comme par enchantement.

La camionnette effectua un léger virage vers l'est, puis continua de s'engouffrer dans l'épaisse nappe d'humidité. Soudain, le moteur du véhicule se mit à surchauffer. Harold freina, puis éteignit l'engin.

— La courroie, prononça-t-il à voix basse.

— Ça se répare ? demanda Jet, la bouche pleine.

— Ça se rafistole, répondit l'homme en sortant du véhicule.

Jet sortit à son tour. Il scruta le panorama irréel couvert d'un gris laiteux qui enveloppait la route et tout ce qui se trouvait au-delà. Il savait fort bien où ils étaient : Doo lough.

Harold ouvrit le capot.

À la recommandation de son grand-oncle, Jet s'écarta de la route et l'observa alors qu'il se mettait à l'ouvrage.

« Je sais. Je sais. Tu n'as jamais aimé que je conduise dans le brouillard », disait Harold à mi-voix, en frottant son épaisse barbe grise de ses mains rugueuses.

Il parlait toujours à Alice, sa femme, qui était morte depuis plus de vingt ans. Il le faisait plus par habitude que par réelle conviction qu'elle pouvait l'entendre. Il n'avait jamais réussi à se consoler de son départ, et le simple fait de poursuivre une conversation imaginaire avec elle mettait un baume sur ce deuil inachevé.

Chocolat en main, Jet fit quelques pas dans l'herbe mouillée. Au milieu de ce dense brouillard, la région familière se transformait en territoire inconnu.

— Ne t'éloigne pas trop, champion !

Jet avança, les yeux grands ouverts et les oreilles à l'affût du moindre bruit suspect. Le son de sa respiration et le bruissement de ses pas sur le sol humide semblaient résonner sur des kilomètres. Il arriva devant un monticule qui en temps normal aurait offert un point de vue sur le lac. Regardant derrière lui, il pouvait encore apercevoir la silhouette de son grand-oncle penché sur le moteur. Il grimpa sur la butte, s'arrêta un court moment au sommet, puis s'apprêta à descendre sur le versant opposé. Il s'immobilisa, ayant soudainement l'étrange impression d'être observé. En retenant sa respiration, il entendit alors un souffle profond et régulier qui lui rappelait celui d'un cheval.

— Oncle Harold ? risqua-t-il d'une voix étouffée.

Quelque chose bougeait à quelques mètres de lui. Il voulait déguerpir, mais une voix intérieure l'encourageait à rester immobile. Soudain, une bête énorme émergea de l'épaisse brume. Tel un phoque, une sorte de gigantesque serpent aquatique se déplaçait en se servant de ses nageoires latérales. Ragdanor s'immobilisa à moins de deux mètres de John Émile Talbot. Paralysé par la peur, celui-ci laissa tomber sa friandise. Le monstre se pencha pour l'observer de ses grands yeux clairs. Malgré sa crainte, Jet avait l'inexplicable sentiment de connaître cette entité. Quelque part dans l'abîme de ce regard indescriptible résidait un être qui ne lui était pas étranger. Il s'agissait du jeune monstre lacustre qu'il incarnait dans son rêve. Chaque nuit, il nageait au fond d'un lac obscur dans la peau même de cette créature aquatique. Il se revoyait dans le lac d'Écosse en train d'assister à l'attaque des bêtes voraces contre sa mère. Il revoyait le serpent de mer venant à son secours. Jet n'arrivait pas à comprendre comment tout cela pouvait être possible. Soudain, il prononça un nom étrange qui venait de surgir dans son esprit : « Ragdanor. » Les grands yeux vert pâle du monstre laissèrent paraître une expression de surprise. Il redressa lentement le cou tout en gardant son regard fixé sur son jeune interlocuteur.

Jet reprit alors ses sens et réalisa qu'il se tenait à quelques mètres d'un animal gigantesque. Il se risqua à faire un pas à reculons, puis un deuxième, avant de s'enfuir à toutes jambes.

Ragdanor avait profité de cette matinée brumeuse pour tenter sa première exploration interdite. Il s'était retrouvé face à un humain. Voilà précisément ce que sa mère voulait qu'il évite à tout prix. Il pencha son long cou vers le sol et, d'un coup de mâchoire, happa la tablette de chocolat abandonnée. Il la mastiqua en fermant les yeux. Il fit ensuite demi-tour et regagna la berge pour replonger dans les profondeurs de son royaume aquatique.

Le paysage de Doo lough commençait à se révéler à travers l'épais rideau de brume. Harold avait bricolé une courroie de rechange. Jet et lui purent poursuivre leur chemin. Louisburgh se trouvait à moins d'une quinzaine de minutes du plan d'eau, et la station-service de Joe Flynn était située à peine un kilomètre avant le centre du village. Encore sous le choc de sa rencontre avec la mystérieuse créature, Jet scrutait les alentours.

— Tu es sûr que ce n'était pas une loutre géante ou une sorte de phoque ? demanda Harold.

— J'en suis sûr, je te le jure. Il était plus long que ta camionnette. C'était un monstre de lac. Un vrai.

— Un ours, peut-être ?

— Il n'y a pas d'ours ici, mon oncle !

Harold n'osa rien dire pour un moment. Puis :

— Alice m'a déjà raconté qu'elle avait vu une créature dans le lac.

— Alice. Ton Alice ?

— Elle lui aurait même donné du pain. Ça doit faire plus de vingt ans de ça.

Le regard d'Harold s'assombrit. L'espace d'un instant, il plongea dans de vieux souvenirs douloureux. Il garda le silence pendant de longues minutes.

Le véhicule quitta les abords du lac pour se fondre dans le paysage ouaté. Pendant ce temps, de paisibles moutons broutaient l'herbe humide sur les collines de Sheeffry, qui dominaient la rive est de Doo lough.

Ragdanor émergea de la surface immaculée du lac et, de son regard perçant, entrevit la camionnette qui s'éloignait.

7

IRLANDE
XIIIe SIÈCLE

e ses maigres doigts, Cormac MacNamara pressait anxieusement la croix de bois qui pendait à son cou. Dissimulé derrière un buisson à l'orée du terrain boisé, l'aumônier observait en silence Derdriu qui venait de s'effondrer par terre, recouverte d'une vulgaire toile. Il ferma les yeux tout en murmurant en hâte une prière pour la malheureuse. Le colosse irlandais emporta la jeune femme sur son épaule, tandis que cinq autres individus le suivaient.

D'origine irlandaise, Cormac comprenait tout ce que les guerriers disaient. Éduqué jadis au pays de Galles par un vieux maître normand, ce quadragénaire appartenait maintenant au monde des conquérants et non plus à celui des conquis. Érudit, brillant, vif d'esprit, passionné par l'alchimie et par les phénomènes surnaturels, il trouvait une solution à tout problème en utilisant ses extraordinaires facultés analytiques. Rien au monde ne semblait l'atteindre ni l'ébranler. Sauf Derdriu. Dès la première fois qu'il l'avait vue, alors qu'il célébrait ses fiançailles avec le chevalier Garrett, il avait été bouleversé par sa beauté.

Le prêtre attendit que les ravisseurs aient parcouru une certaine distance, puis se décida à les suivre. Il agissait impulsivement, contre ses propres principes. Il se savait incapable de sauver Derdriu, mais il se refusait à alerter le chevalier Garrett et ses hommes. Il osait croire que le destin lui serait favorable et qu'il pourrait lui venir en aide d'une façon ou d'une autre.

«Garrett!» lança Herbert FitzHerbert d'un ton inquiet, en avançant rapidement.

Garrett ne tint pas compte de l'appel de son camarade. Depuis le sommet d'un monticule, il examinait le sentier que Derdriu avait l'habitude d'emprunter. Son silence trahissait son inquiétude.

«Garrett!» répéta FitzHerbert, qui approchait en haletant.

Celui-ci tourna finalement son attention vers l'imposant guerrier.

— Elle tarde trop à revenir, murmura le chevalier FitzWilliam.

— Je sais. D'ordinaire, elle fait demi-tour une fois rendue au sommet de cette colline, puis elle revient par le sud et longe la ferme pour retourner au château.

— Il s'est passé quelque chose d'inhabituel.

— Je l'avais avertie, avec ta permission bien sûr, de faire preuve de prudence, mais elle m'avait assuré que sa promenade serait de courte durée, ajouta FitzHerbert, qui se sentait un peu responsable d'avoir laissé Derdriu s'aventurer ainsi.

— Rassemble une dizaine d'hommes. Nous irons à pied jusqu'aux terres des O'Corrigan s'il le faut, ordonna Garrett en pressant le pas vers le château.

Assise sur un banc de fortune, Derdriu plissa les yeux. La douleur aiguë à sa tête s'intensifiait alors que Brigide, l'épouse de son frère Cathal, tentait de localiser la plaie à travers son épaisse chevelure.

— Pourquoi n'ai-je pas été accueillie dans votre demeure? demanda Derdriu avec impatience.

— La blessure n'est pas très profonde, répondit Brigide en ignorant la question.

— Et qu'est-ce que cet abri ignoble ? C'est ainsi que ton mari reçoit les visiteurs de sa famille ? poursuivit Derdriu en désignant la tente rudimentaire dans laquelle elle se trouvait.

Brigide garda le silence.

— Croyait-il que j'allais me présenter à la tête d'une armée de guerriers ?

Sa belle-sœur s'empara d'une compresse de laquelle s'échappait un parfum d'herbes médicinales. Elle la posa sur la plaie de Derdriu.

— Presse-la bien. Ta crinière de lionne t'aura encore servi de bouclier.

— Que voulait-il faire au juste ? Me fracasser le crâne et se pavaner avec ma tête accrochée à sa ceinture ? continua Derdriu.

— Tu sais comme moi que je ne peux répondre à tes questions.

Malgré sa colère, Derdriu n'insista pas. Elle savait fort bien que Brigide n'était pour rien dans cette attaque sournoise. C'est pour ses talents de soigneuse que l'on avait fait appel à elle. De plus, Derdriu était incapable d'exprimer pleinement son exaspération à cette jeune femme dont la générosité naturelle versait trop souvent, selon elle, dans le dévouement aveugle. Âgée de vingt-quatre ans, de petite taille et toute en rondeurs, Brigide avait déjà donné six enfants à Cathal, six garçons, six futurs guerriers, se plaisait-il à dire.

— Que penserait mon père s'il nous voyait tous maintenant ? soupira Derdriu, résignée.

— Ton père était un noble chef. Sa présence nous manque. Dieu ait son âme.

Brigide baissa le ton.

— Je ne crois pas que Cathal veuille te garder captive très longtemps. Courage, Derdriu. Je dois maintenant les avertir que tu es prête à t'entretenir avec lui.

« Brogan ! » s'écria-t-elle vers l'ouverture de la tente.

Le colosse entrouvrit la toile et attendit que Brigide lui fasse un signe de tête.

Caché derrière un arbuste à quelques mètres de là, l'aumônier Cormac reconnut le colosse qui s'adressa aux guerriers, dont les silhouettes éclairées par la lune se découpaient dans l'obscurité.

« Cathal ! » cria l'imposant personnage.

Le religieux vit alors Cathal O'Corrigan se diriger d'un pas décidé vers la tente.

Derdriu retira la compresse pour tâter sa blessure. Au même moment, Cathal entra en hâte, accompagné de Brogan.

— Tu portes ton arme à la ceinture pour venir me rencontrer en pleine nuit ! Décidément, on dirait que je te fais peur, lança Derdriu à son frère.

Cathal avait revêtu ses vêtements de guerre. Sous son épaisse cape brunâtre épinglée d'une broche richement décorée, on pouvait distinguer sa courte épée, dont le fourreau ornementé pendait à son ceinturon. Il avait les mêmes yeux que sa sœur, mais sa forte barbe dissimulait partiellement un visage aux traits sévères et déterminés.

— Il pourrait difficilement en être autrement, répondit Cathal. La moitié de mes hommes sont sur un pied d'alerte aux frontières de l'est depuis que le chevalier Prendergast a décidé de pousser son avancée en direction de nos terres. Ce bâtard de Normand appartient à la même race que ton mari. Je ne m'attends qu'à de mauvaises surprises de leur part.

— Garrett ne traite pas avec Henri Prendergast.

— Qu'en sais-tu ?

— Je le sais.

— Tu n'en sais rien !

— Pourquoi me traites-tu de la sorte, moi, ta propre sœur ?

— Tu aurais pu être suivie. Rien ne m'assurait de la nature réelle de tes desseins.

— Absurde ! Et où sommes-nous ?

— Assez près de la limite de notre territoire, mais assez loin pour que l'endroit soit sûr.

— Tu savais fort bien que j'étais venue à ta rencontre en solitaire, pour te parler.

— Me parler de quoi ? De ce pacte que notre père voulait maintenir avec eux ? dit-il en désignant les terres conquises par les FitzWilliam.

— Ce pacte de paix est tout ce qu'il y a de plus honorable, répliqua Derdriu.

— Il le fut peut-être du vivant de notre père. Mais que vaut-il maintenant ? Les Normands foncent de toutes parts depuis plus de trente ans déjà et s'emparent de tout ce qui leur tombe sous la main. Ne te souviens-tu pas, Derdriu, qu'ils ont incendié nos demeures et volé notre bétail ? Ne te souviens-tu pas qu'ils ont pris nos terres par la force, pour faire de nous les serviteurs de leur royaume ?

Derdriu détestait chacune de ces affirmations. Elle les détestait parce qu'elles traduisaient une réalité qu'elle avait toujours voulu ignorer.

— Ces conquérants obligent nos chefs de clan à prêter allégeance à un roi étranger, enchaîna son frère. Ils ont soif de territoire. Ils ne partagent ni nos lois ni nos traditions. Ils ne respectent point nos vieilles croyances ni ne vénèrent nos ancêtres. Ils saccagent nos monastères et défigurent nos collines avec leurs châteaux de pierre.

Ces barbares de Normandie ont jadis conquis l'Angleterre, ils ont pris de force le pays de Galles et ils font maintenant de même avec nos terres d'Irlande. Ils seront pour toujours nos ennemis jurés, Derdriu !

— Tu n'as pas à me dire qui ils sont ! Je le sais mieux que toi.

— J'en doute. Tu as toi-même oublié qui tu es. Tu as oublié que tu appartenais à notre clan, comme moi, comme nos frères, notre défunte mère et notre défunt père.

— C'est notre père qui m'a unie avec Garrett FitzWilliam.

— Pour faire de toi une traîtresse.

— Pour faire de moi une épouse devant Dieu.

Cathal éclata de rire, ce qui eut pour effet d'accentuer la colère de sa cadette.

— Rappelle-toi bien ce que je te dis, jeune sœur : à la première occasion favorable qui se présentera, Garrett FitzWilliam se joindra à un autre chevalier de sa race et envahira tout ce qu'il nous reste de territoire.

— Garrett ne désire pas la guerre, insista-t-elle, tout en contenant son exaspération. Il respecte l'entente des vieux chefs.

— Pauvre Derdriu, ne changeras-tu donc jamais ? Tu es toujours aussi naïve, fit son frère.

Puis, il ajouta sur un ton confidentiel :

— Comment peut-on devenir si aveugle ?

— C'est toi qui ne vois rien, Cathal, mon frère. C'est toi qui refuses de comprendre que Garrett n'est pas l'homme que tu crois.

— Sache que, en ce qui me concerne, conclut-il, Garrett en tant qu'homme n'existe pas. Ton mariage avec cet étranger n'existe pas. Tout ce qui existe, c'est un territoire qui nous sépare de la rivière, occupé par ce chien de Normand qui bafoue l'honneur de nos semblables. C'est par la force que je les ferai tomber, lui, ses hommes de guerre et son château. À toi de choisir ton allégeance.

Derdriu aurait préféré ne jamais entendre de tels propos. Au moment où elle sentit des larmes monter, elle détourna la tête et aperçut Brigide, qui baissa les yeux. Elle rassembla tout son courage.

— Puis-je partir ?

— Je ne te retiens pas. Si tu marches tout droit vers l'ouest, tu atteindras le champ, puis la forêt que tu connais.

Derdriu se leva. D'un pas lent, elle se dirigea vers la sortie.

— Désires-tu que l'on t'escorte jusqu'à la limite de nos terres ? demanda Cathal, qui semblait exprimer une once de regret.

Sans le regarder, elle fit signe que non.

L'aumônier Cormac avait réussi à capter l'essentiel de l'échange entre Derdriu et son frère. Il aperçut la jeune femme quittant la tente sous le regard des guerriers, qui l'observèrent jusqu'à ce que son ombre se fonde dans l'obscurité.

Garrett avançait dans la forêt d'un pas décidé avec FitzHerbert. Son survêtement de laine était serré à la taille par une ceinture. Un fourreau contenant la longue dague qui avait jadis appartenu à son père y pendait. FitzHerbert et les dix hommes qui le suivaient avaient revêtu leurs cottes de mailles de même que leurs heaumes au sommet pointu, couvrant le front et protégeant le nez d'une bande métallique, typiques des guerriers normands. Le crépitement des torches s'agençait au craquement des feuilles mortes sous leurs pas. Ils aperçurent la butte au sommet de laquelle on entrevoyait le territoire du clan irlandais.

« Seigneur Garrett ! » s'écria l'un des archers en désignant le sud.

Garrett s'arrêta, imité par ses hommes. À une trentaine de mètres de distance se profilait un individu courant à toutes jambes en direction du château. L'archer s'apprêta aussitôt à décocher une flèche, mais Garrett leva la main pour lui indiquer d'attendre. Il fit ensuite signe de laisser tomber, alors que le fugitif disparaissait derrière les arbres. FitzHerbert lança un regard inquisiteur à Garrett, tentant de comprendre pourquoi celui-ci n'avait pas donné l'ordre de tirer. Garrett avait jugé que cet homme ne constituait pas une menace.

Ils entendirent soudain des pas qui martelaient le sol du côté opposé de la butte. Sans perdre une seconde, tous les guerriers tirèrent leur épée, faisant résonner le métal dans l'air humide de la nuit.

L'aumônier Cormac interrompit sa course effrénée pour s'appuyer contre un arbre, à bout de souffle. Il regarda derrière lui et entrevit, à travers l'enchevêtrement des branches, les hommes de Garrett, dont les armes reflétaient les lueurs des torches. Il ne put s'empêcher d'observer ce qui allait se passer.

Seul Garrett continua d'avancer le long du sentier. Une silhouette surgit au sommet du monticule et s'arrêta brusquement en apercevant le détachement armé.

« Garrett ? » risqua Derdriu.

Garrett courut vers sa bien-aimée, qui dévalait la pente dans sa direction.

FitzHerbert aurait voulu l'arrêter, de crainte que la dame du château n'ait été utilisée comme appât pour attirer ses guerriers dans un piège nocturne. Mais il était trop tard pour intervenir. Garrett et Derdriu tombèrent dans les bras l'un de l'autre.

Cormac détourna le regard de cette scène dont il aurait préféré ne pas être témoin. Il fit quelques pas à reculons avant de poursuivre sa course de plus belle.

Garrett et Derdriu se serrèrent longtemps, puis se regardèrent dans les yeux. Sans que le chevalier ait à prononcer le moindre mot, la jeune femme comprit qu'il la suppliait de ne plus jamais s'aventurer de la sorte en forêt. Ils s'embrassèrent et continuèrent leur étreinte pendant un moment. Ils ignoraient alors qu'ils seraient destinés à vivre, dans un avenir encore lointain, une interminable succession de séparations trop fréquentes et de retrouvailles trop rares.

8

Le garage de Joe Flynn faisait office de station-service et de magasin général. Ce commerce de campagne offrait une surprenante panoplie de jeux vidéo, de jouets et d'appareils électroniques qui lui procurait un statut particulier dans les environs. Jet ne refusait jamais d'y effectuer une courte visite. Cependant, un passage chez Flynn comportait toujours un danger pour le jeune Talbot : une rencontre avec Molly Flynn. Si Jet se plaisait à fureter à sa guise le long des étagères garnies de nouveautés, il risquait à tout moment de se retrouver nez à nez avec la fille du propriétaire. Entreprenante, omnisciente, débordante d'énergie, Molly fréquentait la même école que Jet et ne manquait jamais une occasion de se rapprocher de lui. Mais Jet n'avait d'intérêt pour les filles que si elles excellaient en informatique, et le caractère bouillonnant de Molly l'intimidait. D'ailleurs, l'attirance que celle-ci éprouvait pour Jet constituait un mystère en soi. Comme elle se pâmait devant le moindre joueur de soccer, il était difficile de comprendre ce qu'elle pouvait bien trouver à ce maigrichon échevelé qui rêvait de créatures lacustres. Le fait de le voir s'endormir en classe tous les jours pour se réveiller en sursaut à l'issue d'un cauchemar la touchait peut-être.

Ce matin-là, en sautant de la camionnette, Jet n'avait pas le cœur aux emplettes. La brume matinale s'était évaporée, mais elle n'avait pas emporté avec elle le souvenir de cette énigmatique rencontre. D'ordinaire, le jeune Talbot se serait dirigé de lui-même vers le magasin, mais exceptionnellement, il décida de suivre son grand-oncle à l'intérieur du garage.

Une élégante Jaguar soulevée par le levier hydraulique surplombait l'aire de réparation. Occupé à changer l'huile à moteur du bolide, Joe Flynn faisait dos à Harold et Jet qui entraient en projetant leurs ombres sur le sol graisseux. Flynn était facile à reconnaître. Grand et large d'épaules, la tête coiffée de minces cheveux roux frisottants, il avait l'allure des guerriers d'autrefois. Ce robuste mécanicien portait toujours les mêmes vêtements crottés, qui laissaient déborder son abdomen bien rempli. On aurait difficilement soupçonné qu'il s'exprimait tout aussi bien avec un tournevis qu'avec un violon.

— Pas encore toi ! s'exclama Joe.

— Si tu ne m'avais pas comme client, tu ferais faillite, répliqua le vieux Fitzwilliam, sourire en coin.

— On salue les gens qui nous rendent visite, lança Joe Flynn à Molly, assise près de la porte.

Jet était stupéfait de ne pas avoir remarqué la présence de la jeune fille, qui en temps normal aurait pris toute la place.

— Bonjour, monsieur Fitzwilliam. Salut, Jet, dit-elle sans conviction.

Jet répliqua par un signe de tête, se demandant si Molly était atteinte d'une maladie incurable.

— Apporte-moi le gros boulon que tu as ramassé, s'il te plaît, demanda Flynn à sa fille.

Les traits tirés, la pauvre Molly se leva et marcha lourdement vers son père comme si elle portait le poids du monde sur son dos. Elle lui remit le boulon en question et retourna s'asseoir, perdue dans ses pensées.

— Excusez-la, elle n'a pas dormi de la nuit, ajouta le garagiste en terminant sa besogne.

— Je me suis fait réveiller par un cri épouvantable. Je jure que c'est vrai. Ce devait être une sorte de monstre ou de fantôme. Ça venait de là, dit Molly en indiquant la direction de Doo lough.

Jet dévisagea la jeune fille. Il ne faisait pas l'ombre d'un doute qu'elle avait elle aussi entendu la lamentation de la créature appelant sa mère dans la nuit. Dans son for intérieur, il savait qu'il devrait tôt ou tard retourner à Doo lough par ses propres moyens afin de revoir ce monstre lacustre.

9

IRLANDE
XIIIe SIÈCLE

 erdriu sortit de la grande salle du château et traversa la cour intérieure qui baignait dans la lumière dorée de septembre. Elle portait une robe couleur d'émeraude dont les bordures ornementées d'entrelacements raffinés laissaient deviner ses origines irlandaises. Le soleil allait atteindre son zénith. D'ordinaire, à pareille heure, elle aurait dû veiller à la préparation du repas du midi avec les autres femmes du domaine, pendant que Garrett écoutait les comptes rendus de ses guerriers et de ses cultivateurs. Mais une fois de plus, son mari brillait par son absence. Elle fut donc obligée de le remplacer en prétextant qu'il était accablé d'une forte fièvre saisonnière. Elle avait évité de justesse les questions indiscrètes en inventant cette excuse. Comment aurait-elle pu expliquer que le souvenir d'un monstre aquatique empoisonnait les nuits de Garrett au point où il devait prier Dieu pour obtenir quelques heures de sommeil paisible ?

Elle ignora les quelques dames qui bavardaient en la regardant du coin de l'œil et gravit les marches qui menaient à la chapelle du château FitzWilliam. Elle y entra doucement.

On trouvait rarement de plafond aussi haut ou de verrières aussi imposantes dans la chapelle d'une demeure fortifiée en cette époque, sauf chez les princes et les rois. Mais les privilèges associés au titre de héros légendaire conféré au vieux FitzWilliam lui avaient permis de faire appel aux meilleurs bâtisseurs du royaume.

Derdriu fit quelques pas sur les pierres froides, puis s'arrêta en apercevant Garrett à l'autre extrémité de la nef. Portant sa tunique pourpre serrée à la taille par une ceinture de cuir, le jeune chevalier priait à genoux, immobile comme une statue, les poings fermés et appuyés contre son front. Derdriu sentit le désespoir de son amoureux la traverser comme une brise glaciale. Elle aurait voulu le rejoindre pour l'enlacer, mais elle n'osa pas bouger.

« Mère ? » fit discrètement une voix d'enfant provenant de l'extérieur.

Derdriu aperçut Nollaig qui l'observait depuis l'embrasure du portail.

— Est-ce que père est là ? dit-il en s'apprêtant à entrer.

— On ne doit pas le déranger, souffla Derdriu à son fils en l'entraînant à l'extérieur. Que lui veux-tu ?

— Moi, rien. Mais tous les hommes le cherchent. On a capturé un rôdeur qui espionnait le château.

— Où cela ?

— Tout près, vers l'est, à l'orée du bois. Tous les chevaliers s'y trouvent et ils insistent pour que ce soit père qui s'occupe de lui.

— Viens. Aujourd'hui, c'est à moi qu'ils devront s'adresser, ajouta-t-elle en traversant la cour d'un pas alerte. Tu dois rester à l'intérieur jusqu'à mon retour.

Sur ce, elle entra avec son fils dans la grande salle du bâtiment principal.

Nollaig grimpa en courant les escaliers intérieurs de la tour située sur le côté est de la façade du château. Dès qu'il atteignit le sommet à ciel ouvert, il se précipita vers le parapet dentelé de pierres et se hissa sur la pointe des pieds pour observer la situation.

William Nollaig FitzWilliam, communément appelé Nollaig, était né le 25 décembre 1208 – Nollaig signifie «Noël» en irlandais. Il allait célébrer ses huit ans quelques mois plus tard. C'était un enfant délicat et de nature plutôt solitaire. Comme son père autrefois, il passait souvent pour maladroit et semblait accuser un retard en comparaison des autres garçons de son âge. Il n'avait pour véritable amie que Catherine, la fille unique d'Herbert FitzHerbert, qui avait déjà douze ans et qui le dépassait d'au moins une tête. Cette singulière amitié ne manquait pas de lui attirer les railleries des enfants du château.

De ses grands yeux bruns soulignés par des cernes prononcés, Nollaig fixa l'attroupement de soldats en bordure de la petite forêt. La nervosité des hommes de guerre contrastait avec le calme du détenu qui attendait, tête basse, que le seigneur du domaine se présente sur les lieux pour décider de son sort. Le jeune garçon aperçut alors sa mère les rejoignant d'un pas décidé. Alors que Derdriu s'approchait d'eux, la plupart des chevaliers se retournèrent pour la regarder. Quand elle fut assez près, ils s'inclinèrent tous discrètement en signe de respect. Derdriu s'arrêta dès que l'intrus souleva la tête pour la regarder. Malgré l'éclat de sa crinière rousse et la jeunesse de ses traits fins, son visage laissait transparaître une sagesse acquise au fil de dures épreuves. Âgé de vingt-quatre ans, il portait des vêtements brunâtres partiellement cachés par une magnifique cape verte, mettant en évidence la noblesse de ses origines. Il ne portait aucune arme à sa ceinture.

— Nous avons surpris cet Irlandais qui rôdait dans les parages, dame Derdriu.

Figée, cachant mal sa stupéfaction, Derdriu ne trouvait pas les mots pour répondre.

— Dame Derdriu ?

— Je connais bien cet homme. Vous pouvez le relâcher, maître FitzHerbert, lança-t-elle sans quitter l'intrus du regard.

— Il est impératif que le chevalier Garrett le questionne d'abord sur ses intentions.

— Je te croyais perdu à jamais, déclara-t-elle au jeune homme en langue irlandaise.

— J'ai eu vent de ta rencontre avec Cathal. Je suis venu te voir en secret dans l'espoir d'obtenir une audience avec ton mari, répliqua-t-il dans sa langue natale.

— Qui est cet homme ? Que dit-il ? demanda nerveusement FitzHerbert.

— C'est moi qui pose les questions ici, répondit-elle. J'ai demandé à ce qu'on le relâche. En l'absence de mon mari, je m'attends à ce qu'on acquiesce à ma demande.

FitzHerbert ravala sa salive. Il n'aimait pas qu'on critique ses façons de procéder.

— Relâchez-le, ordonna-t-il aux deux gardes qui empêchaient l'Irlandais de bouger.

Les hommes de FitzHerbert obéirent à leur chef à regret.

— Cet homme se nomme Padraig O'Corrigan. C'est mon jeune frère. Je dois m'entretenir avec lui.

— Qu'il soit votre frère ou non, il n'est pas sage que vous vous isoliez avec cet intrus, alors que les membres de son clan s'apprêtent à donner l'assaut sur notre territoire, dame Derdriu.

— Vous êtes un fier combattant, maître FitzHerbert, et je ne doute pas de la sincérité de vos intentions. Mais si mon frère s'est rendu jusqu'ici, au péril de sa vie, dans le but de me parler, c'est qu'en son cœur réside peut-être l'espoir d'éviter un conflit sanglant en ces lieux. Je ne vois aucun risque à me laisser seule pendant quelques heures avec cet homme que je connais depuis toujours. Il est vertueux, droit et sincère.

La salle principale du château était rarement déserte. En ce début d'après-midi, un soldat montait la garde à proximité de la porte qui donnait sur la cour intérieure, tandis que deux domestiques finissaient de transporter vers la cuisine les dernières écuelles utilisées pour le repas du midi.

Assis devant le foyer au fond duquel brûlait une énorme bûche, Derdriu et Padraig discutaient à voix basse dans leur langue maternelle, ignorant que Nollaig les épiait.

— Personne ne m'a informée que tu étais revenu d'Écosse.

— Je suis arrivé il y a dix jours à peine, répondit Padraig.

— Nous te croyions mort.

— J'ai vu la mort de proche, en effet. Mais il y a déjà longtemps de cela.

— Par quel miracle as-tu guéri ta jambe mutilée ? Tu n'avais pas l'âge de mon fils quand ce cheval en furie a fait de toi un enfant infirme. Ni les druides ni les guérisseurs de toute l'Irlande n'avaient pu te soigner. Et voilà maintenant que tu te déplaces avec l'aisance d'un jeune cerf. Quel mage a pu réussir un tel prodige ?

Padraig demeura pensif un moment. Il songea à ses terribles souffrances de jeunesse, à cette jambe atrophiée qui l'avait forcé à marcher à l'aide d'un bâton, tel un vieillard.

— Le temps me manque. Il faudra attendre que la paix revienne. Quand les jours seront de nouveau heureux, je te raconterai mes aventures en Écosse. Pour le moment, je dois parler à ton époux.

— Il ne peut te recevoir, du moins pas dans l'immédiat. Qu'as-tu à lui dire ?

— Cathal, notre frère, attaquera votre domaine demain, au plus tard dans deux jours. J'ai tenté de l'en dissuader, mais il ne veut rien entendre.

— Tu le trahis en venant ici.

— Je demeure fidèle au pacte que notre père a conclu avec celui de Garrett.

— Rien de tout cela n'a de signification pour Cathal.

— Qu'importe. Je suis attaché à l'idée de ce territoire protégé, de cette enclave de paix qui fait fi de toute querelle irlandaise ou normande.

— Cathal croit que ce beau rêve appartient à une génération passée.

— Non. Il appartient aux générations futures, ma sœur.

— C'est ce que Garrett croit aussi. Mais depuis ma rencontre avec notre frère aîné, j'ai perdu tout espoir. Notre père et celui de Garrett avaient jadis combattu ensemble à Jérusalem durant la croisade. C'est le fruit de cette amitié et le hasard de leurs retrouvailles inattendues en cette terre, plusieurs années plus tard, qui a permis la création de ce pacte. Mais Cathal et Garrett sont étrangers l'un à l'autre. Et les cousins normands de mon mari attaquent de toutes parts.

— Derdriu, ma sœur, je ne veux pas te voir mourir dans une querelle de territoire. Quitte ce château avec ton fils dès aujourd'hui. Fuyez ce combat. Les hommes de Cathal n'épargneront personne. Au nom de notre père défunt, ne meurs pas sous les glaives de tes frères.

— Garrett non plus ne veut pas la guerre. En fait, il ne demande pas mieux que de respecter le pacte des vieux chefs. Mais il se défendra. Il vaudrait mieux que tu préviennes Cathal. Une attaque sur notre château s'avérerait périlleuse pour lui. Le puissant baron Richard de Burgo, qui règne sur l'ensemble du territoire, a accepté de nous envoyer des renforts.

— Quitteras-tu au moins le château, le temps des hostilités ?

— Je demeurerai auprès de Garrett.

Padraig resta bouche bée, étonné par la promptitude de sa réponse.

— Il t'est devenu précieux, si je comprends bien…

— Plus que tout au monde, mis à part notre fils.

Derdriu se tut un moment. Elle refusait de se laisser emporter par les émotions.

— Oui, Garrett est un Normand, ajouta-t-elle. Il est fils et petit-fils de conquérants, certes, mais son âme n'est pas celle d'un fourbe. Son cœur est noble. Mon amour pour lui ne mourra jamais.

— De qui tient-il ses nobles traits de caractère ?

— Sa mère était galloise. Il parle la langue des hommes de ce pays et a rapidement su comprendre la nôtre, tout comme nos coutumes. Il vénère cette terre et traite généreusement ses sujets, qu'ils soient normands, irlandais ou flamands.

— Pourquoi ne peut-il pas me recevoir ?

Derdriu n'osa pas répondre. Elle détourna le regard un instant et concentra son attention sur les flammes qui dansaient dans l'âtre.

— Son cœur est troublé.

Padraig fronça les sourcils, devinant la profondeur du malaise sans en connaître la nature.

— Pendant plus de neuf années, nous avons vécu une existence bénie. Mais tout a basculé le jour où son père a trouvé la mort.

— La créature du lough Derg ?

— Tu es au courant de cette fin horrible ?

— Tous les gens du territoire la connaissent.

Tapi dans son coin, Nollaig tendit l'oreille davantage. À son âge, il comprenait tout aussi bien le français parlé par son père que la langue irlandaise de sa mère. Il avait entendu quelques bribes de cette histoire de monstre lacustre, mais personne ne lui avait raconté que son grand-père avait réellement péri happé par cette créature aquatique.

— Il la voit partout. Il ne trouve plus le sommeil. Cette bête des profondeurs hante maintenant son esprit encore plus qu'elle ne hante les profondeurs de son lac, dit Derdriu, désespérée.

Padraig se demanda s'il devait se prononcer, puis il risqua un commentaire inattendu.

— Pourtant, c'est à une telle bête que je dois ma guérison.

— Que me racontes-tu là ?

Padraig jeta un coup d'œil en direction du guerrier qui montait la garde. Occupé à frotter son armure, ce dernier ne portait aucunement attention à leur conversation.

— Tu attribues à une créature lacustre la guérison de ta jambe ? ajouta sa sœur.

— C'est une longue histoire. Je ne suis pas parti en Écosse de mon plein gré. Se sentant mourir, notre père m'y avait envoyé. En fait, il m'avait confié la mission de retrouver sa sœur jumelle, exilée quelque part dans ce royaume de montagnes.

— Tu as retrouvé Fianna ?

— Oui, après un interminable voyage.

— Je n'ai entendu parler d'elle que comme un personnage de légende, comme si notre père ne voulait pas composer avec l'existence réelle de cette femme. On disait que sa grande beauté n'avait d'égale que sa sagesse. Cela m'a d'ailleurs toujours un peu surprise. Père n'était pas très beau.

— Elle a fui il y a longtemps le tourment d'un mari cruel pour vivre en paix dans une abbaye située en bordure d'un lac, dans les hautes terres du royaume écossais.

— Comment es-tu parvenu à cet endroit, dans ce vaste pays ?

— Par un hasard qui n'en était pas un, et par une malchance qui s'avéra être une bénédiction. Après une longue et périlleuse errance au péril de ma vie, je fus attaqué par des brigands. Avec ma jambe malade, je n'ai pas réussi à fuir mes assaillants. On m'a roué de coups, fracturé les os, pris le peu que j'avais pour m'abandonner en bordure d'un étroit sentier. Grâce à la Providence, un homme généreux œuvrant pour la communauté monastique à laquelle appartient notre tante me découvrit sur son chemin. J'étais à demi conscient. J'avais perdu le sens du temps. J'avais oublié qui j'étais. Je me souviens vaguement d'un lac entouré de montagnes, d'un étrange remous à la surface, puis d'yeux, deux grands yeux rougeâtres et pénétrants qui me sondaient l'âme. Je me souviens d'une voix grave qui semblait provenir du fond de mon être et qui prononçait des paroles que ma mémoire n'a pas retenues, mais qui m'apportèrent un grand réconfort. Puis il y eut ce souffle chaud, comme si tous les vents d'été de ce monde me traversaient le corps. Quand je m'éveillai, plusieurs jours plus tard m'a-t-on raconté, je me trouvais étendu dans une modeste pièce. Fianna veillait sur moi. Je ne ressentais plus aucun mal. Le lendemain, j'étais debout. Ma jambe atrophiée, mes blessures de voyage, mes profondes cicatrices, en fait toutes mes douleurs du passé semblaient appartenir à un lointain cauchemar.

L'énorme bûche fit éclater quelques tisons qui s'éteignirent en touchant la surface de l'âtre. Le crépitement du feu résonnait sur les murs de pierre. Le cours du temps parut s'interrompre momentanément.

— La créature qui entraîna dans la mort le vieux FitzWilliam n'était sûrement pas de même nature que celle qui t'a sauvé la vie, murmura Derdriu.

— Qui sait ? William FitzWilliam n'avait-il pas jadis mis à mort une bête de lac ? Il se peut que le monstre du lough Derg ait tout simplement vengé un lointain cousin.

— Mais il y a si longtemps de tout cela.

— Ces géants marins ne perçoivent pas le temps comme nous. Et il ne faut surtout pas sous-estimer leur capacité à communiquer entre eux, même d'une île à l'autre.

— Ton savoir sur le sujet semble prodigieux.

— Le peu que je connaisse, je le dois à Fianna.

— Parle-moi d'elle, Padraig. Parle-moi de notre tante.

— Pas maintenant, chère sœur. Je dois retourner sur nos terres.

— Que feras-tu ?

— Pour le moment, je l'ignore. Je crains qu'il ne nous reste que la prière si l'on veut éviter la guerre, dit-il en se levant.

Nollaig observa sa mère et son oncle qui échangèrent des paroles d'adieu, puis se donnèrent une longue accolade. Padraig O'Corrigan se dirigea seul vers la porte principale. Il aperçut alors le jeune garçon qui l'observait. Il esquissa un sourire complice et poursuivit son chemin, traversant en hâte le hall d'entrée pour finalement pousser les grandes portes frontales.

10

— Je cherche Mhorag! s'exclama Korax en volant le long de la falaise escarpée.

Les autres oiseaux perchés sur le promontoire ne bronchèrent pas. Leurs plumages fouettés par le grand vent tremblaient avec une frénésie qui contrastait avec leur immobilité.

— Je cherche le cheval de lac! Cette mer est son chemin! Mhorag a nagé maintes fois par ici!

Korax reçut à peine quelques coups d'œil désintéressés de la part de ses lointains cousins des côtes irlandaises. Ils gardèrent tous un silence de pierre.

Le valeureux crave à bec rouge avait survolé pendant plusieurs heures les eaux houleuses de l'Atlantique Nord, depuis les côtes écossaises jusqu'au littoral de l'Irlande. Après avoir aperçu des avions de ligne qui volaient au-dessus de lui et des navires marchands glissant sur les flots en dessous, il avait finalement atteint la péninsule de Horn. Ce lieu hébergeait de nombreux cormorans huppés, plusieurs couples de macareux, des goélands et quelques rares membres de sa communauté de craves. Déployant ses longues ailes noires dont le plumage retroussait aux extrémités tels des doigts de géant, il se laissait planer en dessinant de larges cercles dans le ciel bleuté. Il espérait bien une réponse, mais les craves sont de nature silencieuse.

— D'où viens-tu? s'exclama soudain un vieux crave perché sur un roc situé plusieurs mètres au-dessous des autres.

— De la Falaise Noire! répondit l'intrépide voyageur.

— Seul celui qui porte le nom de Korax peut prétendre venir de cet endroit !

Korax se posa tout près de son interlocuteur.

— Je suis Korax le quarante-huitième.

— Je t'avais reconnu dès ton arrivée. Tu voles comme ton père. Lui seul avait cette manière d'effectuer des cercles si près des falaises.

Ce commentaire remplit de joie le jeune Korax, qui bomba le torse avec orgueil. Il appartenait en effet à la quarante-huitième génération de craves à bec rouge qui avaient élu domicile à l'intérieur d'une crevasse située sur un flanc de montagne en Écosse. Appelé « Falaise Noire », cet escarpement surplombait un bras de mer ceinturé de sommets abrupts. Hormis la famille de Korax, peu de craves résidaient en ce lieu. Pourtant, ce site d'apparence menaçante avait assuré la protection de ses ancêtres pendant plus de huit siècles.

— Qui es-tu ? demanda Korax au vieux crave.

— Mon véritable nom ne te dirait rien. Il y a longtemps qu'il a disparu de la mémoire de mes semblables. Je suis vieux, plus vieux que tous les oiseaux de la région. Sur cette falaise, on m'appelle Périmé.

— Ton nom ne m'est pas étranger, noble Périmé. Mon père m'a maintes fois parlé de toi et de tes légendaires voyages dans les mers du Sud.

— La dernière fois que j'ai vu ton père, je volais aussi bien que lui. Les mers du Sud ne sont plus qu'un lointain souvenir. Maintenant, mes ailes m'abandonnent. Chaque jour, je perds des plumes. J'ai grand peine à voler. Seuls mes yeux me sont restés fidèles et ils n'ont pas aperçu celle que tu cherches. Il y a sept ans déjà qu'elle s'est engagée dans la mer pour atteindre le nord de la Grande Île, pour ensuite repasser après quelques semaines afin de regagner sa demeure.

— Je ne l'ai vue qu'une seule fois et de très loin, ajouta Korax, perdu dans ses pensées. Elle se dirigeait vers la Grande Île. J'étais encore petit. C'est mon père qui m'a parlé d'elle.

Il demeura silencieux un court instant.

— S'il fallait que j'échoue, je déshonorerais le nom de mes ancêtres.

— C'est ta première mission ?

Korax acquiesça d'un hochement de tête.

— Allez, va ! Contente-toi de porter le poids de ta jeune graisse de crave et laisse tomber celui de tes ancêtres. Si ça se trouve, ils sont dans l'au-delà en train de festoyer avec leurs vieux ennemis et ils se moquent bien de ta première mission.

— Je dois trouver Mhorag, lança Korax avec obstination.

— Je sais, une mission est une mission et on n'y peut rien. C'est ton destin et je suis certain que tu réussiras, jeune Korax. Mhorag n'a jamais manqué à l'appel du voyage. Mais en attendant, il vaut mieux que tu ne t'attardes pas ici.

Korax balaya du regard le littoral venteux et remarqua que les innombrables oiseaux semblaient agités. Certains d'entre eux le regardaient avec appréhension.

— La nourriture se fait de plus en plus rare, et surtout de moins en moins bonne ces derniers temps. Les mollusques ne sont plus ce qu'ils étaient. Les insectes n'ont plus le même goût. Cette falaise n'est plus le sanctuaire d'autrefois. Des conflits éclatent presque chaque jour.

Sur ce, un groupe de macareux, d'ordinaire pacifiques, commencèrent à se chamailler pour les restes d'un hareng déchiqueté.

— Poursuis ta route vers l'ouest, jeune Korax, et tu rencontreras Mhorag. Ne t'attarde pas en ce lieu.

Korax n'osa pas contrarier le vieux sage. Il le salua respectueusement et prit son envol.

— Que dois-je lui dire si je la vois ? s'écria Périmé.

— Qu'elle doit faire demi-tour, car un danger la guette ! répondit Korax en battant des ailes.

Périmé observa le crave à bec rouge qui s'éloignait en longeant le bord de mer. Son plumage noir d'ébène se fondait dans le ciel de l'ouest qui couvrait l'horizon d'un sombre manteau de nuages.

Korax avait survolé la côte sur plusieurs kilomètres, à l'affût des ombres qui glissaient sous la surface agitée de l'océan. Après avoir traversé l'immense baie de Donegal sans apercevoir le moindre signe de la présence de Mhorag, il poursuivit inlassablement ses recherches le long des escarpements situés au nord-ouest du comté de Mayo. Depuis qu'il avait quitté le vieux Périmé, le ciel continuait de s'assombrir. On aurait cru cependant que la masse de nuages se contentait d'encercler l'ouest de l'Irlande tout en épargnant le littoral. Toutefois, quelques minutes avant le coucher du soleil, des gouttelettes de pluie martelèrent le bec du jeune crave, et la brise marine se transforma rapidement en tempête. Korax lutta contre le vent d'ouest de toutes ses forces. Battant des ailes avec acharnement, il avait la désagréable impression de demeurer sur place, comme si les nuages noirs le retenaient prisonnier. Il savait fort bien qu'il n'aurait jamais dû continuer à voler par un temps pareil. Mais il devait trouver Mhorag. Il devait lui parler.

Fouetté par la pluie glaciale, Korax s'efforça de garder les yeux fixés sur la mer en furie. À mesure que la nuit tombait, il perdait l'espoir d'apercevoir l'imposante silhouette du monstre aquatique. C'est alors qu'il fit l'erreur de s'approcher davantage de la falaise. Les parois rocheuses accentuaient l'effet du vent et provoquaient des rafales sournoises et brutales. Korax tenta de maintenir le cap, mais une bourrasque le propulsa dans la direction opposée. Aspiré vers les hauteurs, il perdit la maîtrise de ses ailes et sentit que la tempête disposait de lui comme d'un jouet sans valeur. Après avoir effectué de nombreuses pirouettes erratiques, le pauvre oiseau comprit qu'il fonçait droit sur l'escarpement. Son cœur cessa de battre quand il constata qu'il allait s'écraser sur un terrain rocailleux parsemé d'herbe mouillée.

II

Il allait de soi que Jet n'avait pas la permission d'utiliser l'ordinateur familial au beau milieu de la nuit et encore moins de naviguer sur Internet. Il aurait facilement pu utiliser l'appareil après le repas du soir, mais Philippe, son père, s'y était installé avant lui et avait gardé les yeux rivés à l'écran toute la soirée.

Il en était ainsi chaque fois que Philippe poursuivait ses recherches généalogiques. Cet ancien programmeur informatique de quarante-deux ans perdait facilement le concept de temps une fois assis devant un écran. Maintenant qu'il tenait une auberge de campagne avec sa tendre moitié, les longues heures passées à programmer des logiciels de jeux vidéo lui manquaient de temps à autre. Sa nouvelle vie le forçait à sortir de sa coquille pour composer directement avec le public. De plus, comme il était sujet à l'embonpoint, il avait espéré que ses nouvelles activités lui permettraient de perdre un peu de poids. Mais sa passion pour la cuisine avait au contraire eu pour résultat de faire augmenter son tour de taille. Ce grand sensible exprimait difficilement son désarroi par rapport aux montagnes de problèmes qui accablaient le nouveau commerce et il avait tendance à fuir dans son monde intérieur. Malgré le fait que Jet était un enfant adopté, il semblait avoir hérité de ce trait de caractère.

Quinze ans plus tôt, avant même qu'il fasse de l'Irlande son pays d'adoption, Philippe avait réussi à dresser la longue liste de ses ancêtres irlandais, qui remontait jusqu'au xivᵉ siècle. La généalogie constituait pour lui le moyen d'évasion idéal. Il se considérait comme un véritable détective du passé. Il avait ainsi reproduit avec minutie l'arbre généalogique de ses aïeux. Il pouvait, avec quasi-certitude, établir un lien de parenté entre ceux-ci et plusieurs membres de l'illustre famille Talbot qui avait jadis résidé dans le château de Malahide, situé au nord de Dublin. Henry Talbot, un de leurs descendants, s'était établi à Montréal en 1818. Philippe en était l'arrière-arrière-arrière-petit-fils. Depuis quelques années déjà, il avait jeté son dévolu sur les racines ancestrales de Nora, son épouse. Il s'était rendu à Dublin à quelques reprises pour y effectuer des recherches et compiler des données. Le nom de Fitzwilliam n'était certes pas aussi glorieux que celui des Talbot, mais cette vieille famille irlandaise d'origine normande avait le mérite de compter parmi les siens des ancêtres au passé mythique. Ainsi, après plusieurs heures de lecture et de recherche, Philippe découvrit qu'il planait une sorte de mystère sur le destin tragique d'un certain Garrett FitzWilliam, mort au xiiiᵉ siècle. À l'époque, on écrivait le nom avec un W majuscule. Il apprit d'ailleurs que le domaine familial de ces guerriers du Moyen Âge était situé dans le sud du comté de Mayo, à proximité de l'auberge.

De grosses gouttes de pluie martelaient les fenêtres du bureau de Philippe et le vent faisait craquer le toit. Jet s'y était introduit au milieu de la nuit. Il avait réactivé l'ordinateur de son père et examinait le dernier document, qui traitait de guerriers normands dans l'Irlande du xiiiᵉ siècle. Le curseur était immobilisé sur l'article «Château FitzWilliam», qui figurait parmi une liste de domaines dont l'emplacement exact avait été oublié. Jet ne manqua pas d'être intrigué, surtout après avoir entendu des corbeaux déclamer des poèmes insolites en mentionnant le patronyme de sa mère. Conscient qu'il ne devait pas s'attarder, il entama sa recherche. Après quelques minutes, il n'avait rien trouvé sur le nom de Ragdanor, mais son attention fut attirée par un article qui mentionnait celui de Mhorag. Ce monstre, disait-on, hantait les eaux du loch Morar, situé dans les hautes terres d'Écosse. «Mhorag?» s'interrogea-t-il. Ce nom lui était étrangement familier. On faisait même état d'une attaque du monstre sur deux pêcheurs qui naviguaient sur le loch en 1969. «Mhorag du loch Morar», songea Jet. Sans savoir pourquoi, chaque fois qu'il s'éveillait de son cauchemar habituel, il avait la conviction que le fameux lac dont il rêvait se trouvait quelque part en Écosse. «Et si Mhorag était la mère de la créature de Doo lough? Mais comment aurait-elle pu voyager de la lointaine Écosse jusqu'en Irlande?» se demandait-il en silence.

Il entendit soudain du bruit provenant de la chambre de ses parents. Il ferma immédiatement le dossier et mit l'ordinateur en mode veille, puis resta immobile un long moment. Sa mère traversa le corridor pour aller à la salle de bain. «Je suis cuit», se dit-il. Il attendit quelques instants. Le gargouillement de la chasse d'eau perça le grondement de la tempête qui sévissait à l'extérieur. À moitié endormie, Nora retourna vers sa chambre sans le voir. Jet l'avait échappé belle.

12

IRLANDE
XIIIe SIÈCLE

arrett jonglait avec l'idée de fuir ses terres pour toujours. Le regard sur la cour intérieure du château, il s'imaginait en train de naviguer sur les eaux houleuses de l'Atlantique pour atteindre le mystérieux continent perdu, jadis exploré par saint Brendan, selon les légendes irlandaises qu'on lui avait racontées.

Cormac MacNamara s'approcha discrètement du chevalier.

— Ne vous laissez pas abattre par le désespoir, chevalier Garrett.

Celui-ci se retourna brusquement.

— Je ne vous savais pas derrière moi, père Cormac.

— Je suis toujours près de vous, maître Garrett. Particulièrement ces jours-ci, alors que votre âme me paraît fort troublée.

— Vos prières tardent à faire effet, mon père.

— Les prières ont parfois besoin de renforts. Dans de tels cas, il n'y a que l'action qui puisse être salutaire.

— Et quelle action me conseillez-vous ?

— Une action toute spéciale que vous devez toutefois bien comprendre.

— Parlez, père Cormac.

— Seigneur Garrett, il vous faut considérer ces visions nocturnes qui ne cessent de vous assaillir comme un appel insistant de la Providence divine.

— La Providence divine ? Ce monstre hideux qui baigne dans le sang de mon père ?

— Les voix célestes choisissent parfois des moyens bien singuliers pour nous rappeler notre destinée.

— Est-ce là votre conseil ? Les chemins de ma destinée me semblent perdus dans un brouillard qui ne se dissipera jamais. Je suis épuisé. Il eût mieux valu que la créature m'emporte avec elle dans les profondeurs de son lac, plutôt que de me tuer à petit feu en empoisonnant mes nuits par ces épouvantables songes. Je ne suis plus qu'une pâle copie de l'homme que j'étais avant la mort de mon père. Seule la présence de Derdriu et de mon fils m'apporte soulagement et espoir. Et voilà maintenant que l'ennemi s'apprête à attaquer. Cathal O'Corrigan a bien choisi son moment.

— Votre ennemi véritable n'appartient pas à la race des hommes. Il dort dans son antre du lough Derg. Je crois profondément que les rêves que ce monstre provoque en vous vous permettront enfin de trouver votre voie.

— Qu'entendez-vous par tout cela, aumônier ?

— Suivez-moi.

Garrett emboîta le pas à l'aumônier MacNamara, qui grimpa l'escalier abrupt reliant la chapelle à son cabinet de travail.

Un modeste bureau sur lequel du matériel d'écriture était disposé avec soin trônait au milieu d'un océan chaotique de livres, de parchemins et de cartes géographiques. Cormac retira une lourde pile de documents accumulée sur un vieux coffre en bois ceinturé de fer, puis s'empara d'une clé et ouvrit le couvercle. Il en sortit avec délicatesse un gros caillou enveloppé dans un linge terni par les âges. Sous le regard intrigué du chevalier, Cormac dévoila alors un cristal de la grosseur d'une pomme de terre, qui ressemblait à une sorte de diamant géant. Les multiples facettes de cette pierre translucide ne laissaient paraître aucune marque. L'aumônier mira le cristal dans la lumière du jour. Aussitôt se projetèrent des rayons multicolores sur le mur, le plafond et le plancher. Les reflets transformèrent le cabinet en un refuge irréel. Du cristal émana un léger bourdonnement qui semblait provenir des confins de la Terre.

— Vous ne trouverez nulle part dans le vaste monde pareil trésor, sieur Garrett!

Ébloui, Garrett observait le phénomène de ses grands yeux gris. Cormac déposa délicatement l'objet sur sa table et le recouvrit aussitôt.

— Qu'est-ce que cette pierre étrange?

— *Anguinam.*

Cormac fixa son regard de rongeur sur Garrett un court moment avant de reprendre la parole.

— *Anguinam* est le nom latin que bon nombre de mes prédécesseurs ont attribué à ce cristal aux pouvoirs insolites. «Œuf de druides» m'apparaît comme la traduction la plus exacte. Il m'a été donné par un ami de votre père, l'ecclésiastique Giraud de Cambrie. Maître Giraud m'avait pris sous sa protection il y a plusieurs années de cela. Il eut la grande générosité de me transmettre, entre autres, son savoir des sciences secrètes telles qu'elles furent jadis enseignées par les druides d'Irlande et du pays de Galles.

— Quel usage les druides faisaient-ils de ce cristal?

— Certains païens d'autrefois lui prêtaient des vertus protectrices qui les préservaient de la mort durant les batailles, tandis que d'autres croyaient qu'ils pouvaient s'en servir pour prédire le futur.

— Est-ce là votre intention, père Cormac?

— Non. Ce cristal n'a rien en commun avec les amulettes des druides. Celui-ci est unique.

D'un geste discret, Cormac invita Garrett à s'asseoir sur un modeste banc de bois. Le chevalier s'exécuta alors que le prêtre tirait un épais rideau qui obstruait l'unique fenêtre. Il alluma une bougie et prit place aux côtés du chevalier.

— Après ses nombreuses années de recherche, Giraud de Cambrie trouva ce cristal parmi les restes d'un monastère incendié à plusieurs lieues d'ici, dans le sud de l'île. Il se rappela alors la description que lui avait faite avant de mourir un vieux druide irlandais. Pour Giraud, cet objet était bel et bien la pierre du lough Gill.

— La pierre du lough Gill? J'ai entendu parler de ce lac situé au nord de l'île, mais j'ignorais que l'on pouvait y trouver de tels minéraux.

— Ces minéraux sont enfouis quelque part dans les profondeurs du sol, et nul ne peut y accéder. Mes propres recherches m'ont mené aux quatre coins du royaume d'Irlande, sieur Garrett. Pendant plus de onze années, j'y ai récolté toutes les légendes et consulté tous les documents relatifs aux créatures lacustres. Il n'est pas un monastère, un prieuré, un haut lieu irlandais que je n'ai pas scruté à la loupe. Parmi les innombrables écrits que j'ai pu décoder, plusieurs faisaient référence à un curieux événement survenu dans un passé très lointain. Des hommes téméraires, des guerriers établis dans le nord de l'île, auraient découvert une gigantesque grotte souterraine dont les parois étaient recouvertes de ce cristal. Nombreux sont les poèmes ou les légendes qui évoquent une chambre de lumière ou encore un temple aux pierres scintillantes. Au centre de cette grotte se trouvait un étang très profond permettant au monstre du lough Gill ainsi qu'à d'autres bêtes de la même espèce d'accéder à ce lieu énigmatique.

— Que faisaient ces bêtes en cet endroit?

— Je l'ignore. Que je sache, personne jusqu'ici n'est parvenu à résoudre ce mystère.

— Et les hommes auraient détaché ce morceau de cristal d'une des parois ?

— Fort probablement. Fascinés par sa beauté ou désireux de s'en servir pour confectionner des armes, ils auraient réussi, à force de persévérance, à en extraire cet infime échantillon.

— Je n'arrive pas encore à comprendre comment ce cristal venu du fond des âges pourrait m'être utile.

Cormac se leva et arpenta son cabinet, effleurant des mains les nombreux livres qu'il avait accumulés durant ses années d'apprentissage et de recherche.

— Les monstres lacustres sont rusés et belliqueux. On dit que certains d'entre eux parlent le langage des hommes. Ils s'introduisent dans nos rêves, empoisonnent l'existence de nobles seigneurs tels que vous ou même terrifient de jeunes enfants sans défense. Ils communiquent entre eux. Ils sont sournois et leur domaine s'étend jusque dans les océans où règnent les serpents de mer, leurs perfides cousins qui terrassent les navires.

Cormac reprit alors le cristal enveloppé. Il découvrit de nouveau l'objet, qui refléta les pâles lueurs de la bougie.

— Mais en dépit de toute leur perspicacité, lorsque l'on plonge ce cristal dans les eaux d'un lac après l'avoir exposé quelques instants à la lumière du jour, les créatures lacustres sont inexorablement attirées par ses lueurs. Obnubilées, elles foncent sans réfléchir vers cette source de lumière, insista Cormac.

— Un appât, murmura Garrett.

— Le plus efficace qui soit. Giraud de Cambrie, mon maître, l'a utilisé pour attirer la cruelle bête du lac Llangorse, que votre noble père tua au bout d'un duel sans merci.

Cormac emballa le cristal et le tendit au chevalier.

— Cette pierre ancestrale croise aujourd'hui votre destin, chevalier Garrett. Partez ! Partez en chasse et vengez l'honneur de votre père et celui de David, votre frère qui a péri avec lui. Utilisez le cristal, attirez ce monstre, attirez-les tous. Débarrassez le royaume de ces bêtes démoniaques qui torturent votre âme. Avec la carapace de ces créatures, nous confectionnerons ici même des survêtements qui protégeront vos hommes de toute blessure pour des générations à venir. Souvenez-vous que votre père portait cette armure fabriquée avec les fruits de sa chasse légendaire et qu'il ne fut jamais blessé, même durant les terribles combats devant les portes de Jérusalem.

— J'ai hérité de cette veste aux pouvoirs prodigieux. Mais je n'ai jamais osé la porter.

— Osez maintenant. Entourez-vous de guerriers valeureux. Tressez des filets. Affilez votre lance et aiguisez votre dague. Votre libération se gagnera en exterminant le mal qui circule dans les entrailles de notre terre. La paix et la prospérité rêvées par votre père et celui de votre ennemi en seront rétablies au centuple.

13

La tempête fit rage toute la nuit. Poussés par des bourrasques de vent, les épais rideaux de pluie ondulaient au-dessus de l'océan avant de se fracasser sur les falaises du nord de l'Irlande. En pleine mer, à environ quatre-vingts mètres des côtes du comté de Mayo, se dressait un large pilier de roc. Jadis rattachée au reste de l'île, cette colonne naturelle inaccessible aux humains abritait de nombreuses espèces d'oiseaux. Mais en cette nuit de tourmente, l'imposante colonne de pierre demeurait déserte. Pas l'ombre d'une bête à plumes n'osait s'accrocher aux parois rocheuses pour écouter le fracas des vagues et le sifflement du vent.

Mhorag sortit la tête de l'eau pour respirer. Étirant le cou pour maintenir son museau au-dessus de la surface, elle projeta de ses puissantes narines l'air accumulé dans ses poumons depuis plusieurs heures. Comme tous les monstres de lac, elle avait la capacité de survivre en eau salée, mais elle trouvait toujours l'expérience désagréable. Elle se sentait déjà fatiguée. Pourtant, elle n'avait parcouru qu'un dixième de la distance pour arriver à sa destination. Ses yeux rougis par le liquide salin scrutèrent l'horizon, cherchant la silhouette d'un repère connu. Dans l'obscurité de cette nuit hantée par le vent, les vagues et la pluie torrentielle, il était difficile d'apercevoir quoi que ce soit. Au milieu de cette vaste mer, sa tête chevaline qui flottait au gré du remous paraissait toute petite. Rien ne laissait croire que cette créature faisait presque quinze mètres de longueur de la tête à la queue. Soudain, une lueur d'espoir illumina son regard. Elle venait de distinguer un pilier de roc à moins d'une centaine de mètres d'elle. Malgré la tempête, elle ne s'était pas égarée. Il lui fallait maintenant nager jusqu'à la falaise qui se dressait en face de la colonne rocailleuse, pour atteindre un promontoire à la base duquel se trouvait une sorte de grotte naturelle creusée par l'érosion. Elle pourrait s'y reposer en paix pendant quelques heures. Elle plongea assez profondément pour éviter le ballottement des hautes vagues et nagea à toute vitesse vers son refuge.

Un soleil voilé projetait sa lumière jaunâtre sur les lourdes portes qui s'ouvraient. Elle avait l'impression de glisser à l'intérieur d'un édifice de pierre grise pour y découvrir une multitude de chandelles qui faisaient scintiller leurs flammes dans l'obscurité. Des silhouettes humaines se profilaient de part et d'autre de l'allée centrale alors qu'elle s'approchait lentement d'un personnage grand et svelte. Les portes de chêne se refermèrent derrière elle.

Mhorag ouvrit les yeux. Elle flottait au milieu de la grotte. Il ne se passait pas une année sans qu'elle fasse ce rêve étrange qui surgissait des profondeurs de son âme. Elle en connaissait fort bien la source, mais préférait chasser ces images de son esprit. Ballottée par les petites vagues dont le clapotis résonnait contre les parois rocailleuses, elle observait la tourmente. « Devrais-je faire demi-tour ? » se demanda-t-elle, découragée à l'idée d'affronter de nouveau cette mer en furie. L'étroite grotte d'une cinquantaine de mètres de longueur et ouverte à chaque extrémité ne constituait pas une protection à toute épreuve, mais elle avait le mérite d'offrir un peu de tranquillité, surtout quand les éléments se déchaînaient.

Soudain, il lui sembla que l'eau, pourtant déjà froide, était traversée par un courant glacial qui éveilla son inquiétude. Elle crut apercevoir à l'extérieur une forme sombre de grande taille glisser rapidement sous la surface à moins de dix mètres de l'ouverture nord de la caverne. Ses moustaches n'arrivaient pas à capter adéquatement les vibrations lorsque le vent soufflait avec autant d'intensité. Elle balaya du regard l'intérieur de son refuge. Rien. Pourtant, sa forte intuition ne cessait de lui crier que quelque chose d'anormal se tramait sous les flots déchaînés.

Elle nagea rapidement vers la sortie sud. C'est alors qu'un autre monstre lacustre surgit des profondeurs pour se trouver à l'intérieur de la grotte, à moins d'un mètre devant elle. Cette façon brutale de s'introduire dans l'espace d'une autre créature aquatique ne laissait aucun doute quant aux intentions de cet animal : l'attaque.

Ce mâle imposant à la crinière clairsemée l'examinait en jetant de rapides coups d'œil de part et d'autre de la grotte pour s'assurer que sa proie était bel et bien isolée. « Vangor ! » cria Mhorag. Leurs regards se croisèrent brièvement, puis l'intrus lui sauta au cou pour la happer de sa puissante mâchoire. Elle réussit de justesse à esquiver cette morsure et tenta d'intimider son agresseur en fonçant tête première sur son flanc. Il recula de plusieurs mètres pour bondir de nouveau sur elle. Un affrontement désordonné s'ensuivit, produisant des remous d'une violence inouïe. Vangor lui asséna un coup de tête dans le ventre. Mhorag se tordit de douleur, mais au moment où le funeste monstre s'apprêtait à la happer de nouveau, elle saisit dans sa mâchoire le maxillaire inférieur de son adversaire. Rassemblant toutes ses forces, elle réussit à maintenir cette prise pendant de longues secondes. En s'agitant frénétiquement, Vangor parvint à projeter Mhorag à quelques mètres de lui, se libérant de son emprise. Cette dernière se précipita aussitôt hors de la grotte et s'immergea dans l'obscurité de l'océan agité.

Mhorag nagea sous l'eau à toute vitesse, convaincue que le malvenu la poursuivait sans relâche. Elle risqua tout de même un coup d'œil derrière elle. Comme elle le craignait, le perfide assaillant l'avait prise en chasse, mais il s'arrêta après un court moment pour refaire surface, comme s'il abandonnait sa course. Mhorag fit de même. Balancée par le vent et les vagues et aspergée par la pluie, elle observa à distance ce monstre lacustre au crâne dégarni qui la fixait d'un regard victorieux. Mhorag éprouva une fois de plus la sensation que l'eau de mer refroidissait. Elle se sentit descendre brusquement vers les profondeurs. Se débattant avec vigueur, elle vit un nuage de sang provenant de ses nageoires arrière. Une force inexplicable la tirait par coups saccadés vers le fond tel un vulgaire appât. Le désespoir l'envahit lorsqu'elle aperçut la bouche dentelée d'un énorme tylosaure qui la tenaillait pour la dévorer. Ses ailerons postérieurs la faisaient souffrir atrocement, mais elle se souvint tout à coup de la seule chose qu'elle pouvait faire pour espérer s'en sortir : rien. Elle fit donc la morte et se laissa tirer sans résister pendant un long moment. Le reptilien constata alors qu'elle avait cessé de se débattre et que le jeu de la chasse était terminé. Il rouvrit toute grande sa gueule aux mille dents afin de raffermir sa prise sur l'arrière-train de Mhorag. Celle-ci profita de cette fraction de seconde pour se tordre sur elle-même et s'élancer dans une série de mouvements irréguliers à haute vitesse afin d'échapper à la mort. Le tylosaure tenta de la rattraper de nouveau avec ses mâchoires, mais l'imprévisible ballet aquatique de Mhorag le confondit. Elle effectua une dernière manœuvre lui permettant de nager sous le ventre du tylosaure, puis s'empressa de gagner la surface pour respirer. Elle n'avait jamais affronté une telle bête auparavant.

Ces crocodiles marins munis de quatre nageoires et faisant près de vingt mètres de longueur s'aventuraient rarement dans les mers du Nord. Cependant, depuis quelques années, certains d'entre eux avaient établi des liens avec de perfides monstres lacustres qui leur servaient de guides dans les tunnels sous-marins. Les tylosaures appartenaient à une catégorie de reptiles géants que les humains croyaient disparue depuis la fin de l'époque préhistorique appelée le Crétacé. Une petite communauté de ces prédateurs voraces avait traversé les âges.

S'efforçant d'ignorer la douleur qu'elle ressentait à sa nageoire postérieure, Mhorag fit le plein d'oxygène et replongea aussitôt. Trop rapide pour elle, le tylosaure n'allait pas tarder à la rejoindre.

Elle réussit tout de même à se défiler avec adresse afin d'éviter une seconde série de morsures et fit de nouveau surface, imitée par le reptile, qui était sur le point de porter le coup fatal. C'est alors qu'elle entendit une voix qui provenait des airs.

— Va-t'en d'ici, malotru !

« Périmé », marmonna Mhorag.

Le vieux crave volait péniblement dans la tempête et tentait de distraire l'impitoyable reptile, qui n'y prêtait aucune attention. Mhorag se décida et fit demi-tour pour affronter la mort en face. Au même moment, Périmé se posa sur l'œil gauche du tylosaure et le martela de son long bec rouge feu.

— Prends ça ! Et ça ! cria-t-il en l'attaquant avec l'énergie du désespoir.

Le reptile fut forcé de secouer la tête pour se débarrasser de l'oiseau, mais celui-ci plantait à répétition son bec dans l'œil du géant en réussissant à s'agripper au cuir rugueux de sa peau.

— Sauve-toi, Mhorag ! Sauve-toi !

Mhorag plongea à toute vitesse, sans se soucier de la direction dans laquelle elle nageait. Qu'importe, elle devait à tout prix fuir le monstre. Mais la tentation de connaître le sort du courageux crave fut plus forte qu'elle. Elle refit brièvement surface et aperçut au loin le tylosaure qui agitait entre ses dents le corps inanimé du pauvre volatile. Des plumes mouillées se détachaient de ses ailes ensanglantées et tombaient çà et là dans les vagues. Son cou se balançait tel un chiffon. Ainsi mourait le noble Tharvorax, mieux connu sous le nom de Périmé, valeureux crave à bec rouge, grand explorateur des mers du Sud et gardien de la péninsule de Horn. Il n'avait pas de descendance.

Mhorag aurait voulu hurler pour exprimer à la fois sa tristesse, sa rage et sa peur. Plus jamais elle ne reverrait ce noble bipède, cet ami des monstres lacustres qui, du haut de sa falaise, veillait fièrement sur les voyageurs.

Le monstre reptilien termina d'avaler sa proie. Son regard malicieux transperça l'opacité de la tempête et croisa celui de Mhorag. Ses yeux d'un bleu glacial la paralysèrent de frayeur. À ce moment précis, elle pensa à Ragdanor, seul dans les eaux de Doo lough. Qu'adviendrait-il de lui si elle ne revenait jamais de son périple? La poursuite s'engagea de nouveau. Mhorag avait peut-être gagné un peu de distance sur ses assaillants, mais elle savait trop bien que Vangor et le tylosaure la rattraperaient bientôt. Tout en avançant le plus rapidement possible, l'idée de s'arrêter, de faire volte-face et de combattre ses ennemis jusqu'à ce qu'elle soit dévorée lui traversa l'esprit. «À quoi bon fuir?» se demanda-t-elle. Mais la Providence en avait décidé autrement. Une profonde vibration qui faisait fi de la tempête chatouilla ses moustaches. Surgissant de la pénombre, un gigantesque navire commercial fonçait vers l'est en fendant les flots. Mhorag n'hésita pas un instant. Elle replongea et nagea sous le bâtiment marin. S'adossant fermement à la coque, elle se laissa entraîner par le géant de métal. Vangor et son comparse reptilien tentèrent de la suivre, mais ils la perdirent de vue dans le bouillonnement d'écume et de houle produit par cet immense cargo maculé de rouille.

Le féroce tylosaure fixa son regard glacé sur le jeune monstre lacustre et s'approcha de lui à toute vitesse.

Cette image effroyable précipita la fin du cauchemar de Ragdanor, qui s'éveilla en sursaut dans les profondeurs de son lac. Il faisait encore nuit et la pluie martelait avec acharnement la surface paisible du lough irlandais. Ragdanor demeura immobile pendant de longues secondes. Ses grands yeux verts fixaient avec appréhension les moindres recoins de son royaume sous-marin. Il comprit enfin que ce reptile géant ne s'était pas introduit dans son plan d'eau et que ce rêve ne lui appartenait pas. Il s'agissait d'une vision télépathique bien involontaire qu'il avait captée. Mhorag était en danger. Il le savait. Cela ne faisait aucun doute dans son esprit. Pire encore, il savait qu'il ne pouvait rien y faire. Il remonta vers la surface pour respirer. Il ferma les yeux avant d'émerger des profondeurs et laissa lentement sa tête sortir de l'eau. Espérant apercevoir la silhouette bienveillante de sa mère flottant non loin du rivage, il ouvrit les paupières. Rien. Seul l'épais rideau de pluie marbrait de gris foncé le paysage nocturne.

14

— Tu me parles de ses yeux, des yeux bleus, c'est ça ? demanda le docteur Skreb avec un accent prononcé.

Jet hocha la tête en signe d'approbation.

— Des yeux bleus, bleus et effrayants ? continua-t-il.

Jet approuva de nouveau.

— Qu'est-ce que ça signifie pour toi, des yeux effrayants ? Qu'est-ce qui rendait ces yeux-là si effrayants ?

— C'étaient des yeux de reptile, de dinosaure. Des yeux en long, des yeux comme froids avec la pupille en forme… en forme d'œuf, mais comme un œuf mince…

— De forme ovale.

— Oui. Des yeux qui… qui disent… qui veulent m'attaquer.

— Bien. Très bien. Alors, John Émile, dis-moi, à quoi ça te fait penser, des yeux qui veulent t'attaquer ?

Certains disaient que le docteur Vlado Skreb était capable d'accomplir des miracles. Des enfants et des adolescents aux prises avec de terribles traumatismes avaient trouvé la voie de la guérison grâce à ses consultations. Il s'agissait du quatrième spécialiste que Jet rencontrait en moins d'un an. Nora l'avait accompagné lors d'une première séance quelques jours plus tôt. Elle s'était d'abord entretenue seule avec la sommité. Elle avait tenté de dresser un portrait fidèle de son fils, lui racontant que Jet avait été adopté à l'âge de trois ans et que, à l'époque, il accusait un sérieux retard de développement, mais il avait rattrapé le temps perdu à une vitesse remarquable. C'était même un écolier doué. Skreb était resté silencieux. Nora n'avait pas tellement aimé ce nouveau médecin, mais elle avait conclu que ses espoirs étaient trop grands et qu'il fallait lui donner sa chance.

Jet demeura sans réponse pendant un moment. Peu importait la compétence de l'analyste, tout ce processus l'ennuyait. Il s'était réveillé en sueur au milieu de la nuit précédente, bouleversé par un autre rêve de monstre. Un reptile géant avait fixé sur lui son regard bleu glacial. La bête s'apprêtait à l'attaquer en pleine nuit au milieu d'un océan en furie. Mais depuis sa brève rencontre avec la créature de Doo lough, Jet savait qu'il n'était ni fou ni malade. Un lien mystérieux qu'il ne pouvait expliquer l'unissait à cette entité aquatique. Il soupçonnait que le monstre aperçu dans son rêve constituait une forme de menace pour la créature de Doo lough.

Son regard se promena un moment pour s'arrêter sur les diplômes qui couvraient un des murs du cabinet. Rédigés en croate ou en allemand, la plupart des certificats lui étaient incompréhensibles.

— John Émile ? dit le docteur afin de regagner l'attention de son jeune patient.

Jet fit un effort pour se concentrer sur la question du thérapeute.

— Est-ce que ça pourrait être une connaissance ? Un ami, un confrère ou une consœur de classe, un professeur, un parent ?

— C'était une sorte de dinosaure ou de crocodile marin, précisa Jet.

— Oui, je comprends, tu me l'as bien dit, mais je serais curieux de savoir à qui il pourrait te faire penser, ce serpent.

Jet réfléchit un instant, mais il haussa les épaules.

— Il n'y a vraiment rien ni personne qui te vienne à l'esprit ? demanda le médecin. Tu sais, on peut parfois être effrayé par des gens qui ne sont pas méchants du tout. À ton âge, je me serais enfui par la fenêtre de ma classe chaque fois que mon professeur d'allemand m'adressait la parole. Il me terrifiait. J'en ai fait des cauchemars épouvantables.

— Mais mes rêves ne sont pas comme ceux que je faisais quand j'étais petit. C'est comme si j'étais là. C'était plus vrai que vrai, insista Jet.

Le docteur Skreb ne broncha pas. Il était normal qu'un enfant s'obstine dans la croyance en son monde intérieur. Nora l'avait prévenu que les rêves de son fils persistaient depuis des mois et que toute tentative pour en diminuer la fréquence avait échoué.

— Dis-moi, John Émile, oublions à qui ton monstre te fait penser. Parle-moi des gens que tu connais qui ont les yeux bleus.

Qu'ils soient tes amis ou non. Qu'ils te fassent peur ou qu'ils soient des petits enfants inoffensifs... Ça n'a pas d'importance. On fait le jeu. Qui a les yeux bleus dans la vie de John Émile Talbot ?

— Vous, répondit Jet sans hésiter.

Le docteur Skreb ne s'attendait pas à être nommé aussi rapidement.

— Très bien. Très bon sens de l'observation. Qui d'autre ?

Jet fit semblant d'y réfléchir. Il préférait jouer le jeu plutôt que de dévoiler ce qu'il avait vu, bien éveillé, en bordure du lac sombre. Il ne voulait surtout pas que sa perception de la réalité soit remise en question. Après tout, Molly Flynn avait elle aussi entendu le cri de la bête. Il se doutait fort bien que s'il évoquait l'existence du monstre, on essaierait de le convaincre qu'il avait tout imaginé.

— Ma mère a les yeux bleus, dit-il pour poursuivre dans le sens que souhaitait le docteur Skreb.

— Ta mère. Très bien. Quelqu'un d'autre ?

— Mon père aussi, déclara-t-il, conscient qu'il mentait. Son père avait les yeux bruns.

— Très bien. On progresse.

— Ils veulent se tuer, ajouta Jet.

— Tes parents ?

Jet fit signe que oui.

— Tes parents se disputent ?

— Ils s'engueulent tous les jours, dit le garçon à voix basse.

Cette fois, Jet tentait un double jeu. D'une part, en abordant un sujet d'une telle importance avec un psychologue, il évitait de révéler le secret du lac en gagnant du temps. D'autre part, il exprimait une réelle préoccupation qui prenait tellement d'ampleur au quotidien qu'elle devenait presque insoutenable.

— T'est-il déjà arrivé de faire des rêves de monstres après qu'ils se sont querellés ?

— Oui, souvent.

Après cet autre mensonge, Jet se sentait pris dans un engrenage qu'il avait lui-même créé. Il continua tout de même sur sa lancée.

— Tu es bien certain ? demanda Skreb, tout en maintenant une attitude impassible.

Jet hocha de la tête affirmativement.

— Bien. On avance. Mais je veux tout de même que tu cherches à te souvenir de personnes que tu connais qui ont les yeux bleus. Qu'en dis-tu ?

Jet était d'accord. Il n'avait pas vraiment le choix. Le fait que le docteur Vlado Skreb persistait à poursuivre son exercice initial éveillait un soupçon chez le jeune patient. Le psychologue avait-il deviné qu'il n'existait pas de lien entre la discorde de ses parents et ses rêves de monstres ? « Trop tard pour reculer », pensa Jet.

15

Appréhendant la douleur, Korax plissa les yeux alors qu'il s'efforçait pour une seconde fois de remuer son aile droite. « Aïe ! » s'écria-t-il après avoir à peine commencé à déplier le membre atrophié. Il souffrait d'une fracture à l'humérus.

« Ah bravo, se dit-il sur un ton ironique. Beau travail ! Mission accomplie avec brio, digne de la lignée des Korax de la Falaise Noire ! Mes ancêtres seraient fiers de moi. "Trouve Mhorag", m'a dit Ranevoness. "Trouve le cheval de lac qui voyage par-delà les mers, de l'Île Verte jusqu'à la Grande Île, pour atteindre ce loch qu'on appelle le Grand Lac Profond. Avertis la noble créature du danger mortel qui la guette. Elle doit faire demi-tour sans tarder. Trouve Mhorag!" Facile à dire, "trouve Mhorag". J'ai l'aile droite fracturée, je ne peux plus voler, je suis épuisé et je n'ai pas vu l'ombre d'un cheval de lac depuis que j'ai quitté mon nid. Je n'ai manifestement pas hérité du talent de mes pères. Ranevoness aurait mieux fait d'envoyer un rat, une poule ou une truite pour avertir Mhorag.»

Il examina le sommet de la falaise où il s'était écrasé la veille. Le soleil se levait sur la côte irlandaise. Les brins d'herbe dansaient au gré d'un vent léger qui soufflait sur un sol rocailleux et sec. Le paysage ne semblait avoir gardé aucun souvenir de la terrible tempête de la nuit précédente. D'instinct, le jeune crave se mit à marcher d'un pas lent et incertain. Conscient qu'il allait tôt ou tard se faire traquer par des prédateurs, il tentait de trouver un abri avant la tombée de la nuit. Pour la suite, il n'avait pas la moindre idée des gestes qu'il devait poser. Il ne s'était jamais blessé auparavant. Titubant parmi les pierres parsemées de plantes sauvages, il réalisa qu'il avait faim. Rien de mieux qu'un copieux repas pour conjurer le sort de cette journée qui n'avait pas très bien commencé. Il se mit à chercher les quelques succulents insectes et vers de terre qui lui redonneraient la vivacité dont il avait tant besoin. «Vraiment pas beaucoup d'insectes dans le secteur, pensa-t-il. Pas d'invertébrés non plus. C'est à croire qu'ils ont tous été emportés par le vent d'hier.» Korax essaya alors de déraciner un brin d'herbe. La racine était solide et il tira sur sa proie végétale jusqu'à ce qu'elle cède. Il entreprit de mastiquer son brin, mais le rejeta aussitôt. «Pouah! Bon pour les vaches.»

— C'est très mauvais, manger de l'herbe!

Surpris, Korax chercha la provenance de cette voix. Il aperçut derrière lui une pie bavarde au plumage noir et blanc qui avançait dans sa direction.

— Tu as faim, c'est ça?

Sa façon d'avancer, la tête basse, le cou légèrement tordu et le regard torve, inquiéta Korax.

— Affamé, c'est ça? Très désagréable, d'être affamé. Tu as l'air fatigué. C'est parce que tu as faim. On peut mourir d'avoir faim, tu sais? Très désagréable, d'avoir faim. Tu es nouveau dans le secteur, toi? Il faudrait que tu voles un peu vers le sud avec moi, je pourrais te montrer d'excellents repaires d'insectes et de larves. Tu sais voler, tout de même?

À peine un centimètre séparait maintenant Korax de cette visiteuse envahissante.

— Je ne peux pas, répliqua Korax, l'air piteux.

— Tu ne peux pas?

Korax hocha la tête. La pie approcha son bec de l'aile blessée du jeune crave, puis happa le membre atrophié pour le secouer vigoureusement. Korax hurla de douleur.

— Mal en point, ton aile.

— Ce n'est pas en la secouant comme un insecte poussiéreux que tu vas la guérir!

— Guérira pas, cette aile-là, si tu veux mon avis. Désagréable, une aile cassée. Tu es un crave, c'est ça?

Korax acquiesça.

— Pas beaucoup de craves dans le coin. Comment tu t'appelles?

— Korax! Korax le quarante-huitième.

— Le quarante-huitième quoi?

— Le quarante-huitième de ma lignée.

— Ta lignée? Tous les craves sont obsédés par leur lignée. Jamais rien compris à ça. Je m'appelle Mandrigane. Suis-moi.

Korax suivit Mandrigane, qui se dirigea en hâte vers le sud. Comme il ne pouvait replier son aile complètement, la marche s'avéra un exercice douloureux pour le crave. La moindre perte d'équilibre sur ce terrain accidenté le forçait à contracter un des muscles reliés à son aile blessée. Il poussait constamment des cris de douleur auxquels Mandrigane ne semblait prêter aucune attention. Celle-ci finit par s'arrêter pour lui donner une chance de la rejoindre.

— Qu'est-ce qui t'amène ici, Crovax?

— Korax!

— C'est ce que je disais, Carvox.

— Je suis en mission.

— En mission? Quelle sorte de mission?

— Je dois trouver un cheval de lac qui voyage de par les mers pour atteindre la Grande Île.

— Un cheval de lac qui voyage en mer. Es-tu certain que tu ne cherches pas un serpent de mer?

— J'en suis certain. C'est un cheval de lac.

— Dans ce cas, j'en connais beaucoup! Je leur parle souvent. Presque tous les lacs de la région sont habités par une grande créature.

— Connais-tu Mhorag?

— Qui?

— Mhorag!

— Ah oui! Bien entendu que je la connais. Qui ne connaît pas Mourag?

— Mhorag!

— Oui, oui, Murag. C'est elle que tu cherches?

Korax fit signe que oui.

— Tu pourrais me conduire à son lac? demanda-t-il avec un léger regain d'espoir.

— Avec joie, mais d'abord, tu dois manger et dormir. Manger et dormir. Très agréable. Tu verras. Allez! Ne tarde pas, dit la pie en reprenant la marche.

Le panorama de pierres fit place à une faune plus abondante constituée d'arbustes et de quelques prunelliers. Mandrigane et Korax empruntèrent un chemin étroit et sinueux qui traversait ce paysage de ramifications tordues. Craignant de heurter son aile sur une des multiples branchettes qui s'entrelaçaient de part et d'autre du sentier, Korax dut ralentir. À son grand soulagement, Mandrigane s'arrêta soudain et observa les alentours avant de rebrousser chemin pour s'adresser à lui à mi-voix.

— Nous y sommes presque. À moins de vingt pas d'ici, nous aboutirons en bordure d'un grand sentier d'humains. Tu connais ces grands sentiers, n'est-ce pas ?

Korax fit signe que oui. Il n'osait pas avouer son ignorance.

— Une fois devant le sentier, je traverserai de l'autre côté et toi tu attendras mon signal. Tu vas voir. Ce sera très agréable.

Korax acquiesça. Il était tellement épuisé et affamé qu'il n'avait plus le courage de poser la moindre question. Les deux oiseaux effectuèrent les derniers pas pour aboutir devant une large route d'asphalte.

— Tu m'as bien comprise, Karpox ? Tu ne bouges pas jusqu'à mon retour.

Korax acquiesça. Mandrigane traversa la route à toute vitesse et disparut derrière les arbrisseaux situés de l'autre côté.

Korax ne se fit pas prier pour rester immobile. Les minutes passèrent. Il tentait de rassembler ses idées. Il passa en revue les événements des derniers jours. La mission de Ranevoness, la noble créature aquatique du loch Ness, le long voyage depuis le littoral écossais, sa rencontre avec le vieux Périmé et sa traversée de la tempête. Il ne savait trop que penser de cette Mandrigane. Il entendit soudain un bruit sourd qui lui était inconnu. D'abord lointain, cet étrange son semblait s'approcher. Il provenait de la route. Korax fit un pas en arrière. Une voiture sport défila à toute vitesse devant lui. Il ferma les yeux alors que son plumage se retroussait sous l'effet du vent. Le calme revint. Il n'avait jamais cru que les monstres de métal créés par les humains pouvaient causer un tel tintamarre. Il n'osait surtout pas imaginer l'impact qu'un tel bolide pourrait avoir sur un petit être comme lui.

Mandrigane émergea des broussailles.

— Kropax! Viens! J'ai ramassé des vivres pour toi, mais il faut que tu traverses pour les manger. Viens!

Korax s'assura qu'aucun véhicule n'approchait, puis il traversa la route en hâte.

— Entre dans les buissons. Vite. J'ai trouvé quelques larves et des moustiques. Je les ai déposés au sol à quelques pas d'ici. Mange tout pendant que je monte la garde.

Korax hésita un moment.

— Allez, Krazov! Va et mange!

Le jeune crave s'introduisit seul dans le petit sentier parmi les arbustes et fit quelques pas comme convenu.

— Je ne trouve rien!

— Mais tout est là! Cherche!

Korax chercha partout. Soudain, son cœur cessa presque de battre lorsqu'il posa son regard droit devant lui. Au travers des branches, il aperçut les grands yeux rougeâtres d'un renard roux prêt à bondir. Toute cette comédie n'était donc qu'un vulgaire piège. Il recula. Les énormes yeux approchèrent lentement. Korax prit une grande respiration. Il savait que la douleur serait horrible, mais il refusait l'idée que le quarante-huitième descendant de la noble lignée de la Falaise Noire termine ses jours dans l'estomac d'un renard. Ignorant sa blessure, il poussa un cri de mort et déploya ses ailes pour s'envoler. Au même moment, le renard bondit et retint Korax par une patte. Le jeune crave se débattit dans les cris et la douleur pendant que Mandrigane observait la scène. Puis, le grondement d'un véhicule se fit entendre. D'instinct, le renard fit marche arrière, abandonnant temporairement sa prise.

— Ne laisse pas tomber ta proie! lui cria Mandrigane.

Korax savait qu'il n'en avait pas pour longtemps. Dans un élan désespéré, il fonça droit sur la route et se précipita devant le véhicule motorisé qui approchait à vive allure.

Joe Flynn freina brusquement. La camionnette s'immobilisa à un centimètre du bec de Korax. Le crave aperçut sa réflexion dans l'énorme pare-chocs. Molly bondit hors du véhicule et courut vers l'oiseau. Mandrigane, pendant ce temps, avait disparu derrière les arbrisseaux, et le renard était déjà loin.

Joe possédait une résidence d'été située à proximité de la côte, près de la petite ville de Ballycastle. Il la louait à prix d'or aux nombreux touristes attirés par les contrées sauvages de l'ouest de l'Irlande. Il s'y rendait deux ou trois fois par semaine avec Molly, question de s'assurer que sa clientèle appréciait le séjour. En ce matin de juin, Joe et Molly avaient quitté Louisburgh plus tôt que d'habitude. Ils voulaient effectuer l'aller-retour avant l'heure du midi. En roulant sur la petite route, Molly observait toujours le paysage dans l'espoir d'y apercevoir une bête sauvage. Elle avait poussé un cri de frayeur en voyant ce gros oiseau noir qui s'était rué devant eux.

Flynn rejoignit sa fille et se pencha à son tour sur le pauvre volatile. Il ne faisait pas de doute qu'il souffrait d'une blessure à l'aile droite. Implorant son père des yeux, Molly paraissait accablée de toute la tristesse du monde. Elle ne faisait pas dans la subtilité et pouvait passer de la joie exubérante au chagrin le plus insondable.

— Non, Molly, on ne peut pas… dit Joe Flynn, sachant fort bien qu'il était inutile de la raisonner.

16

Mhorag ferma les paupières. L'eau saline mêlée aux lueurs du soleil matinal irritait ses yeux. Seule sa tête émergeait à la surface. Épuisée, elle refusait de nager davantage et préférait se laisser bercer par les flots de l'Atlantique. Elle avait abandonné la coque du navire commercial qui lui avait sauvé la vie plusieurs heures plus tôt. Dans le feu de l'action, elle avait oublié sa blessure aux nageoires postérieures. Cependant, depuis qu'elle s'était arrêtée pour reprendre des forces, la morsure du tylosaure la faisait souffrir de nouveau. Par bonheur, ses moustaches ne percevaient aucune vibration de ses poursuivants. Il s'agissait là de son seul réconfort. Elle n'en pouvait plus de se sentir traquée. Désorientée et fatiguée, elle demeura les yeux fermés un long moment. Le ballottement léger de la houle eut pour effet de la plonger dans un état second.

Elle revit alors un paysage subaquatique qui lui était familier. Elle reconnut le vaste agencement de troncs d'arbres et de branches dont les principaux piliers supportaient un ensemble complexe qui s'étendait en spirales au-dessus du tapis de vase. Les timides rayons du soleil coloraient de vert le sommet de ces billots engloutis depuis des siècles. Au milieu de la structure dormait paisiblement un colossal serpent de mer à la peau grise marbrée de bleu foncé. Quelques mèches de sa courte crinière blanchâtre flottaient au-dessus de son dos orné d'une série d'ailerons qui allaient de la tête au bout de la queue. « Zarak », pensa-t-elle. Mhorag ouvrit les yeux. « Zarak est de retour. » Cette constatation lui procura un regain d'énergie.

Elle dirigea son regard vers l'est et aperçut la plage derrière laquelle se profilait une chaîne de montagnes aux reliefs connus. Mhorag contempla ainsi une partie des côtes nordiques de la

Grande Île où se trouvait une vaste contrée que les humains appelaient l'Écosse. Se sachant près du but, elle activa légèrement ses nageoires blessées. La douleur persistait. Elle rassembla alors ses forces et plongea de nouveau, en se propulsant autant que possible avec ses membres latéraux, afin d'atteindre le fond de l'océan.

Mhorag sut rapidement se repérer et se mit à nager dans la direction opposée au littoral écossais. À cette distance des côtes, les fonds marins suivaient une inclinaison graduelle vers le large. Elle aperçut soudain une forte dénivellation qui affectait l'ensemble du sol subaquatique. Elle longea cette paroi qui descendait sur une quinzaine de mètres et atteignit le pied de l'escarpement. Mhorag avança le long de la base de cette muraille de roc, où de nombreuses grottes plus ou moins profondes se trouvaient alignées. Elle plissa ses yeux irrités par le sel afin de ne pas manquer la marque qu'elle cherchait avidement. La faible lumière du jour lui apporta une aide précieuse. Elle vit alors le signe gravé dans la falaise sous-marine :

À peine deux mètres sous cet énigmatique symbole était située une ouverture assez large pour accueillir un énorme serpent de mer. Mhorag s'assura qu'aucune créature ne l'avait suivie avant de pénétrer à l'intérieur de la brèche.

Cet étroit et ténébreux tunnel faisait presque dix-huit kilomètres de longueur. Il parcourait le sous-sol subaquatique en ligne droite vers la Grande Île. Un passage d'une telle étendue pouvait sembler infranchissable, mais celui à l'intérieur duquel nageait Mhorag était en réalité un des plus courts parmi les innombrables tunnels du vaste réseau du nord de l'Europe. Après plusieurs longues minutes passées dans une obscurité partielle, ses yeux commençaient à percevoir de façon plus précise le chemin qui se dessinait devant elle. Elle avançait avec empressement, reconnaissant dans les moindres détails les irrégularités des parois rocheuses. Ce passage de forme tubulaire s'élargissait progressivement pour atteindre un diamètre d'environ huit mètres. Le tunnel prit une orientation légèrement inclinée vers le haut. La salinité de l'eau diminua et les yeux de Mhorag s'en trouvèrent soulagés. À ce stade, elle savait qu'elle venait d'atteindre le continent et qu'elle approchait de son but.

Elle ralentit son rythme. Dans sa hâte, elle avait utilisé ses nageoires postérieures, qui la faisaient maintenant souffrir plus que jamais. Elle s'immobilisa pour jeter un œil derrière et constata qu'une traînée de son sang marquait son passage. S'apprêtant à reprendre son chemin, elle se sentit faiblir de nouveau quand, tout à coup, ses moustaches perçurent une présence qui venait dans sa direction. Mhorag fixa le tunnel en apparence vide. Elle aurait aimé que ce fût Zarak, mais son intuition ne lui indiquait rien de la sorte. Elle refusait de croire que Vangor et le tylosaure l'avaient devancée pour l'attaquer si près du but. Une silhouette se profila dans la pénombre. Après quelques interminables secondes, elle put discerner le cou allongé et l'abdomen massif d'un imposant monstre lacustre. Mhorag n'osa pas émettre le moindre signal télépathique. Au beau milieu de cet étroit tunnel, elle préférait attendre que l'inconnu se manifeste avant d'entreprendre quoi que ce soit. Dans les circonstances, s'il fallait qu'un combat s'engage, elle n'aurait aucune chance de sauver sa peau. Le monstre augmenta soudain sa cadence et se précipita vers Mhorag pour s'arrêter à quelques mètres de son museau. Son front protubérant, sa longue barbiche, sa crinière hérissée de même que ses puissantes nageoires ne laissaient planer aucun doute sur ses origines : il s'agissait d'un Mentor.

Ainsi nommait-on ces monstres lacustres vagabonds qui arpen-
taient le labyrinthe de tunnels sous-marins reliant les innombrables lacs de l'hémisphère Nord. Ces créatures étaient dotées
de certaines caractéristiques physiques qui leur étaient propres et
qui avaient évolué au cours des siècles. Entre autres, leur vision
dans l'obscurité était de loin supérieure à la moyenne. Puisque
les Mentors parcouraient de longues distances par les tunnels
et qu'ils s'aventuraient couramment en eau salée, leurs nageoires
étaient plus longues et plus robustes. Ayant eux-mêmes creusé la
majeure partie des tunnels de l'hémisphère, ils avaient développé
au fil des générations de puissantes mâchoires, et leur protubé-
rance frontale s'avérait plus prononcée et plus résistante que celle
des autres monstres lacustres.

— Mhorag! lança le Mentor par télépathie, en baissant la tête
en signe de respect.

— Nochlomyr, répondit-elle de la même façon, en produisant
quelques bulles de soulagement.

— Nous te pensions morte.

— Il s'en est fallu de peu que je le sois, répondit-elle
avec un clignement prolongé des yeux qui trahissait son état
d'épuisement.

— Tu as perdu beaucoup de sang. Je vais t'aider à avancer. Il
te reste moins du quart du tunnel à parcourir.

Nochlomyr se plaça sous le flanc gauche de Mhorag et l'incita à poser sa nageoire latérale sur son dos. Il la souleva et se
mit à nager le long du passage obscur. Elle perdit connaissance.
Lorsqu'elle reprit ses sens, elle eut le sentiment que plusieurs
heures s'étaient écoulées. Pourtant, à peine quelques minutes la
séparaient du moment où elle avait fermé les yeux. Elle aperçut
soudain un autre monstre lacustre qui s'approchait d'eux. Cette
femelle Mentore, qu'elle eut du mal à reconnaître, la salua en

abaissant la tête. Mhorag tomba une fois de plus dans un état comateux. Elle se réveilla de nouveau et constata alors que les parois du tunnel défilaient de plus en plus vite. Elle réalisa que Nochlomyr et la Mentore la transportaient ensemble, la soutenant sous chacun de ses flancs. Mhorag continuait d'osciller entre l'éveil et le demi-sommeil quand elle sentit la surface rocailleuse du plafond s'approcher de sa tête. Elle réussit à garder les yeux ouverts et reconnut l'endroit où le tunnel s'orientait radicalement vers le haut pour une cinquantaine de mètres. Ce court moment de vertige et d'euphorie eut pour effet d'interrompre son état léthargique. Une fois le sommet atteint, le tunnel redevenait aussitôt horizontal. Mhorag eut juste le temps de remarquer deux autres symboles, plus petits et gravés l'un à côté de l'autre sur la paroi rocheuse :

Il s'agissait de sa marque personnelle et de celle de Zarak, son partenaire de vie.

Les trois créatures atteignirent ensuite les profondeurs d'un vaste plan d'eau.

Ainsi, après sept longues années d'absence, Mhorag effectuait son retour cyclique au loch Morar, communément appelé le Grand Lac Profond chez les bêtes aquatiques.

17

IRLANDE
XIIIe SIÈCLE

e soleil n'était pas encore levé et le fort irlandais bouil-
lonnait déjà d'activité. Cathal O'Corrigan s'époumonait
à donner des ordres à ses principaux guerriers pendant
que femmes et enfants se réfugiaient dans les abris souterrains
ou se préparaient à évacuer. Ses éclaireurs l'avaient prévenu d'une
attaque-surprise de la part du Normand Prendergast. Plus de trois
cents hommes avaient été aperçus progressant à un rythme rapide
vers le territoire du clan. Cathal comptait assaillir le château
FitzWilliam le soir même. Il s'était résigné à sacrifier la vie de sa
propre sœur si nécessaire. Selon lui, Garrett le Normand devait
abandonner son domaine ou mourir. Mais le fougueux guerrier
irlandais ne s'attendait pas à ce qu'un autre chevalier normand le
prenne ainsi au dépourvu en cette fin de nuit.

Les rides du visage d'Henri Prendergast accentuaient l'apparence
sévère de ce vieux guerrier normand. Son regard perçant trahissait
une humeur colérique à la limite de la cruauté. Son imposante carrure et sa haute taille inspiraient la crainte et le respect. Malgré le
fait qu'il approchait de la soixantaine, sa vigueur proverbiale n'avait
aucunement diminué. Au contraire, au lieu de s'atténuer avec l'âge,
sa fougue combative ne cessait d'augmenter. On aurait dit que les
riches terres d'Irlande décuplaient son désir de conquête.

L'astre solaire commençait à s'élever au-dessus de l'horizon.
Immobilisés sur le sommet d'une colline, Prendergast et ses

hommes observaient le déploiement des guerriers irlandais se postant à une centaine de mètres devant eux. Au loin, derrière, on apercevait les palissades de bois qui entouraient le hameau du clan O'Corrigan.

Le Normand, sur son cheval noir, attendait le moment opportun pour lancer son attaque sur les hommes de Cathal. Les bêtes trépignaient, respirant avec intensité l'air froid du petit matin. Épées, lances et haches en main, les guerriers attendaient le signal de leur seigneur. À la droite de celui-ci, une dizaine de soldats tentaient de contenir un troupeau de jeunes bœufs. D'un signe de tête, Prendergast fit le geste tant attendu. Des guerriers se mirent à fouetter le bétail. Dans une course effrénée, les bêtes foncèrent droit sur les Irlandais. Cette ingénieuse et cruelle technique de combat permettait aux Normands de semer la confusion chez l'ennemi, qui était alors forcé de composer avec une horde en furie.

Les agresseurs passèrent ainsi à l'attaque. Le vacarme des sabots fit trembler le sol. Les Irlandais réagirent en poussant à l'unisson des cris de guerre. Le fracas des armes résonna. Malgré la supériorité technique des Normands, protégés par leurs cottes de mailles et leurs heaumes métalliques, les hommes de Cathal offrirent une farouche résistance. Avec le colosse Brogan O'Flynn à ses côtés, Cathal inspirait ses hommes, leur donnait courage et servait d'exemple aux novices encore effrayés par la puissante armée qui chargeait sur eux. Mais la rage guerrière de Prendergast pouvait provoquer l'effroi chez le plus hardi des combattants. Il fonçait à cheval sur ses futures victimes en les surprenant souvent par-derrière. De sa longue épée, il leur tranchait la tête ou leur lacérait le dos. En fin de combat, il lui arrivait parfois de sauter à bas de sa monture pour mettre en pièces ses opposants avec une fougue déconcertante, les achevant avec acharnement en hurlant de sa forte voix. Il prolongeait sa boucherie pendant de longues secondes même si ses rivaux ensanglantés gisaient sans vie. Cathal aperçut au loin le chevalier et s'apprêta à lui faire face. Mais un déploiement d'archers provoqua une pluie de flèches qui s'abattit sur les Irlandais. O'Corrigan et ses frères d'armes comprirent vite que leurs adversaires dominaient la situation. Le sang des Irlandais commençait à ruisseler sur le sol humide. Cathal se rendit à l'évidence qu'il valait mieux se retirer pour pouvoir planifier une éventuelle reconquête du territoire.

Lorsque l'Irlandais fit irruption dans la grande salle du château FitzWilliam, tous les guerriers alors réunis en conseil d'urgence tirèrent leurs épées afin de défendre le seigneur du domaine.

— Padraig? s'écria Derdriu en reconnaissant son frère.

Assise aux côtés de Garrett, qui occupait l'imposante chaise du vieux William FitzWilliam, Derdriu se précipita sur son frère sans que quiconque n'ait le temps de la retenir. Les vêtements de ce dernier étaient maculés de taches rouges. Des mèches de cheveux imprégnées de sueur et de sang traçaient des lignes sinueuses sur son visage décoloré.

— Chevalier Garrett! dit Padraig O'Corrigan en langue irlandaise d'une voix éteinte. Nos terres sont tombées entre les mains de l'ennemi.

Il s'affaissa à genoux puis s'effondra dans les bras de sa sœur.

L'assemblée demeura silencieuse un moment. Mis à part Derdriu et Garrett, personne n'avait compris un seul mot de cette déclaration. Tous les guerriers normands du domaine étaient réunis pour discuter de la délicate situation territoriale que représentait l'invasion du chevalier Prendergast sur les territoires

O'Corrigan. Les éclaireurs de Garrett avaient été témoins de cette attaque sur leurs voisins irlandais. En temps normal, une telle conquête aurait été perçue comme une occasion de réjouissance. Or, étant marié à la sœur du chef de ce clan régional, Garrett préférait perpétuer le pacte de paix élaboré par son père plutôt que de composer avec de nouvelles hostilités.

— Faites-le transporter dans mes quartiers, ordonna Garrett.

Depuis le début de la matinée, une pluie forte martelait les murs de pierre de l'imposante tour de Garrett située à l'extrémité sud du château. Étendu sur un grabat dans une pièce attenante à la salle de garde, Padraig peinait à avaler les gorgées d'eau que lui servait Derdriu. Malgré le fait que ses blessures à la tête, aux bras et aux côtes avaient été nettoyées et pansées, le choc du combat l'avait épuisé. Le cadet de la famille O'Corrigan ne possédait pas le caractère volcanique de son frère aîné. Il savait se défendre sur un champ de bataille, mais il ne s'y était jamais distingué. Durant son enfance, sa jambe atrophiée l'avait habitué à se tenir à l'écart de l'action. Avant sa miraculeuse guérison en Écosse, il avait réussi à surmonter ce handicap en se déplaçant à l'aide d'un long bâton. Il s'en servait d'ailleurs fort bien comme moyen de défense.

Garrett observait Derdriu qui prodiguait des soins au blessé avec l'aide de Catherine FitzHerbert, la fille d'Herbert FitzHerbert. La jeune demoiselle faisait montre d'une grande sérénité pour ses douze ans. FitzHerbert lui-même se tenait à l'écart, l'air sérieux, assurant avec zèle la défense du seigneur FitzWilliam comme s'il craignait qu'à tout moment Padraig bondisse de sa civière pour l'attaquer.

Dissimulé dans l'ombre de l'étroite cage d'escalier, Nollaig observait la situation. Son regard finissait toujours par se poser sur Catherine, qu'il considérait comme la plus gracieuse créature de l'univers.

Après avoir avalé une gorgée d'eau, Padraig releva la tête, alors que Garrett se penchait vers lui.

— Je sais trop bien que Cathal, votre frère, souhaiterait voir ma tête au bout d'un piquet.

Padraig acquiesça, incapable de le contredire.

— Qu'est-ce qui vous a motivé à quérir mon aide ?

Padraig hésita un moment, puis s'exprima dans un français tout à fait convenable.

— Vous avez noble cœur, seigneur Garrett. Si vous venez en aide à Cathal, il saura reconnaître votre valeur.

— Pourquoi irait-on porter renfort à cet Irlandais qui veut notre mort à tous ? s'écria FitzHerbert, incapable de se contenir.

— Prendergast désire peut-être la même chose, lui répliqua Padraig.

— Fumisterie ! Prendergast n'oserait pas toucher à un cheveu de Garrett. Et notre chevalier Garrett ne gagnerait rien à combattre ses cousins normands ! Il serait considéré comme un traître !

— Un traître à la volonté de son père, répondit Padraig avec difficulté.

— Mensonge !

D'un geste de la main, Garrett mit fin à cet échange futile. Padraig avait touché juste. Personne au monde ne vénérait la mémoire du vieux FitzWilliam davantage qu'Herbert FitzHerbert.

— Savez-vous où se cachent votre frère et ses hommes ? demanda Garrett.

Padraig fit signe que oui.

— Il ne pourra pas tenir longtemps contre les assauts de Prendergast, ajouta le chevalier.

— Je sais.

Garrett posa ses yeux gris pâle sur Derdriu, qui était demeurée avare de paroles depuis l'annonce de l'invasion des territoires O'Corrigan. Elle était assaillie par un tourbillon d'émotions contradictoires : l'amour pour son mari, l'inquiétude de le sentir tourmenté par des cauchemars, la tendresse à l'égard de son jeune frère, la tristesse de perdre le territoire familial aux mains d'un Normand impitoyable et le malaise d'apprendre le sort de son frère aîné, forcé de se cacher comme un vulgaire brigand. De plus, elle savait que Garrett avait récemment pris conseil de l'aumônier Cormac. Or, celui-ci ne lui inspirait aucune confiance. Depuis quelques jours, elle décelait chez son mari une énergie nouvelle dont il lui était impossible de saisir la source, mais qui l'inquiétait au plus haut point.

Garrett devinait qu'une tempête de préoccupations se déchaînait dans l'esprit de sa bien-aimée. Il garda le silence et reporta son attention vers FitzHerbert, qui n'osait pas lui prodiguer de conseils en présence de l'ennemi.

« Me suivra-t-il cette fois ? » se demanda Garrett en fixant du regard son vieil ami.

18

Le bruissement des feuillages extirpa du sommeil l'imposant monstre lacustre. Camouflée sous un enchevêtrement d'arbustes riverains, Mhorag flottait près de la berge d'une des petites îles qui occupaient le centre du plan d'eau. L'astre du jour venait d'atteindre son zénith. Une chaleur exceptionnelle régnait sur ce lac des Highlands d'Écosse. Mhorag n'avait pas encore totalement recouvré ses esprits. Elle secoua la tête, cherchant à se rappeler les événements des derniers jours. Seul le vif souvenir de sa blessure lui revint de façon précise. D'instinct, elle activa ses nageoires postérieures, mais elle ne ressentit aucune douleur. Elle plongea la tête dans l'eau et courba son long cou afin d'examiner sa plaie. Plus rien n'y paraissait. On distinguait à peine une cicatrice. Elle ressortit la tête de l'eau, soulagée de se savoir guérie, mais préoccupée par sa mémoire chancelante. De lointaines réminiscences lui revenaient plus aisément. Elle se rappelait que Ragdanor s'était souvent réfugié dans cet abri de feuillages. «Il était si jeune», pensa-t-elle. Presque deux siècles s'étaient écoulés depuis. Brusquement, des images de sa guérison lui revinrent à l'esprit. Mhorag se revoyait au fond du lac, les yeux renversés, la bouche mi-ouverte, alors qu'un vieux monstre lacustre soufflait ardemment sur sa blessure profonde, la bombardant de grosses bulles qui enveloppaient ses nageoires. Elle reconnut alors Narkhal, un des plus anciens membres de la communauté des Mentors. Soudain, comme une déflagration qui ébranla son esprit, un nom résonna en elle : «Zarak! Zarak!

Comment as-tu pu sortir de mes pensées ?» se demanda-t-elle. Mhorag plongea aussitôt dans les profondeurs du loch.

Lorsqu'ils se déplacent sous l'eau, le cou allongé et les nageoires en mouvement, les monstres de lac étonnent par leur rapidité et leur aisance à contourner les obstacles. Mhorag ne faisait pas exception à cette règle. Elle atteignit en peu de temps l'immense structure de troncs d'arbres située dans les abîmes de la partie ouest du lac, le plus profond des îles britanniques. Elle fit halte à l'endroit où elle avait aperçu en songe l'image du serpent de mer qui dormait. Rien. Silencieuse et immobile, Mhorag percevait à peine le faible écho des dernières vibrations de son partenaire, qu'elle savait maintenant déjà loin.

— Il nous a quittés il y a trois jours, prononça par télépathie une voix grave et apaisante.

Mhorag fit volte-face. Narkhal, le vieux Mentor, nageait vers elle. La mine triste, elle salua son interlocuteur en fermant les yeux, consciente qu'elle lui était redevable de sa guérison. Il la salua à son tour.

— Combien de temps ai-je dormi ?

— À peine quelques heures.

— À peine quelques heures ? Mais je l'ai vu en songe, aujourd'hui même. Il dormait ici paisiblement.

— Tu as capté ses derniers moments de repos avant son départ.

— Que s'est-il passé ?

— La Doyenne de Ness craignait pour la vie de Zarak. Elle nous a sommés d'atteindre le Grand Lac Profond il y a moins de dix jours. En approchant par le tunnel de l'est, nous avons perçu les vibrations d'un terrible combat. Nous fîmes irruption dans le lac. Zarak y luttait pour sa survie. Vangor, le monstre lacustre, et Shoruk, le reptilien, l'assaillaient sans merci.

— Shoruk ?

Mhorag apprenait ainsi le nom de cet impitoyable tylosaure qui l'avait mordue avant de dévorer le vieux Périmé.

— Oui, Shoruk. C'est un terrible reptile du Sud capable de vivre en eau de mer comme en eau douce. Avec Vangor le funeste, ils parcourent mers et lacs depuis quelques années déjà et se comportent comme des conquérants sans pitié. N'eût été la vigoureuse intervention de Nochlomyr et de Narvelle, le noble Zarak aurait péri. Vangor et Shoruk prirent la fuite par le tunnel de l'ouest pour regagner la mer. Nous ne t'attendions pas. Selon la Doyenne de Ness, un valeureux crave à bec rouge du nom de Korax avait été dépêché pour t'avertir du danger.

— La tempête s'est sûrement interposée entre nous. Mais il m'aurait prévenue en vain, car je me serais rendue ici quand même.

— Au risque de ta vie ? Même Zarak n'aurait pas approuvé.

— Pourquoi ne m'a-t-il pas attendue ? insista-t-elle. Pourquoi ?

— Ses blessures étaient graves. Mon souffle guérisseur lui a apporté un rétablissement partiel, mais la profondeur de ses morsures dépassait les limites de mes pouvoirs. Il n'aurait pas survécu à une autre attaque.

Sur ces paroles, Mhorag ne put se contenir. Elle se propulsa vers les hauteurs et atteignit la surface. Faisant fi du danger d'être vue, elle poussa une interminable lamentation. Narkhal émergea de l'eau. Mhorag s'adressa à lui dans le langage des créatures lacustres plutôt que de faire appel à ses pouvoirs télépathiques.

— S'il m'avait attendue, j'aurais pu aussi user de mon souffle guérisseur pour le soulager de ses plaies.

— Tu sais aussi bien que moi que ta propre blessure t'aurait empêchée d'avoir recours à tes facultés de guérison. Ce lieu n'est plus sûr. Il valait mieux pour lui qu'il parte.

— Pour voyager au péril de sa vie dans l'océan ?

— Il s'est dit que la fuite était préférable à une mort certaine ici. Il a quitté le lac par le tunnel de l'est.

— Le tunnel de l'est! s'exclama Mhorag.

Le tunnel situé à l'extrémité est du loch Morar rejoignait le complexe réseau de passages sous-marins reliant les nombreux lacs d'Écosse, d'Angleterre et du pays de Galles.

— C'est moi qui lui ai conseillé d'emprunter les tunnels de la Grande Île. Il pourra ainsi atteindre la mer par les passages du nord et distancer ses ennemis.

— Mais il lui faudra traverser les profondeurs du lac Maudit. Avec toutes ces plaies mortelles, il n'aura aucune chance de se défendre contre les anguilles géantes. Même les plus vigoureux d'entre nous n'osent pas s'y aventurer.

— Zarak connaît les chemins secrets qui lui permettront d'éviter le danger.

— Pourquoi ne l'avez-vous pas suivi? demanda Mhorag sur un ton de reproche.

— Nous nous sommes offerts pour l'escorter, mais il a refusé malgré notre insistance. Il se doutait que tu ne tiendrais pas compte des avertissements et que tu te présenterais au rendez-vous. Zarak voulait que l'on t'accueille ici, dans les eaux du Grand Lac Profond, et que l'on te raccompagne par la suite jusqu'à l'Île Verte, là où se trouve ta demeure.

Mhorag baissa la tête. Elle aurait voulu partir dans le dédale des tunnels afin de retrouver son partenaire de vie d'autrefois, mais elle savait que son fils Ragdanor l'attendait, loin dans la direction opposée.

— Ce lac était jadis notre royaume. Trop souvent, Zarak dut s'en exiler pour ne pas attirer ses ennemis. Mais il me revenait toujours. Puis, il y a de cela cent soixante-huit ans, notre havre de paix fut attaqué par le père de Vangor, le vieux Gordhal, que l'on appelle le Borgne. Zarak s'était porté à mon secours et avait infligé de graves blessures à Gordhal, qui voulait notre mort et qui la désire toujours.

Mhorag omit consciemment de mentionner Ragdanor. Elle ne pouvait se résoudre à révéler son existence.

— Vous avez abandonné votre royaume par la suite ?

— Nous n'avions plus le choix. Avec l'aide de la Doyenne de Ness, je trouvai refuge dans un lac de l'Île Verte, tandis que Zarak poursuivit son errance par-delà les mers. Depuis plus d'un siècle, tous les sept ans, je quitte ma demeure pour le rejoindre ici en secret et lui apporter réconfort ou le guérir. Il a plusieurs fois manqué au rendez-vous. Mais en dépit des mondes qui nous séparent, je me risque à traverser les hautes mers à intervalles réguliers pour atteindre ce sanctuaire de notre passé. Quarante-neuf années se sont écoulées depuis la dernière fois que Zarak et moi avons séjourné en paix pendant quelques jours ici.

— J'ignorais tout cela, noble Mhorag. Zarak et toi payez cher le prix d'appartenir à la lignée de Neldoch l'ancien.

— Nous n'appartenons pas à cette lignée.

— Comment cela est-il possible ? Vous avez tous deux les traits prononcés de cette descendance.

Zarak le serpent de mer et Mhorag la créature de lac avaient en effet les yeux situés sur le devant du visage, comme c'était le cas pour tous les descendants de Neldoch – illustre Mentor d'autrefois – et non sur les côtés, comme la plupart des autres créatures de leur espèce.

— Nous appartenons à un autre lignage. Je ne peux en dire plus.

Narkhal n'insista pas. Il se doutait bien que cette descendance inconnue devait avoir un lien avec le terrible destin de Zarak. Mais Mhorag ne semblait aucunement disposée à discuter de ce sujet.

— Zarak saura trouver un lieu où panser ses plaies, j'en suis certain, ajouta Narkhal. Ne perds pas espoir.

Sur ces paroles, il replongea. Mhorag scruta ce lieu qui fut naguère son refuge, puis plongea à son tour. En atteignant le fond du loch, elle retrouva les Mentors. Leur présence lui apporta réconfort. Elle savait que le vieux Narkhal de même que les robustes Nochlomyr et Narvelle parcouraient ensemble les tunnels et les lacs d'Irlande, d'Écosse et d'Islande depuis quelques siècles déjà.

Narkhal prit les devants. Narvelle rejoignit Mhorag et nagea à sa droite, tandis que Nochlomyr assura l'arrière-garde. Ils atteignirent l'entrée du tunnel de l'ouest, qui les conduirait vers l'océan, mais s'arrêtèrent un moment avant de s'y introduire. Mhorag contempla une dernière fois ce paysage subaquatique qu'elle connaissait si bien. Elle pouvait distinguer au loin son palais de troncs d'arbres, autour duquel vagabondaient quelques poissons. Elle ne put s'empêcher de se demander quel monstre lacustre allait un jour en prendre possession. Accablée par la tristesse, elle se retourna, tête basse. Il valait mieux partir. Mhorag et les trois Mentors plongèrent ensemble à l'intérieur du passage obscur.

19

IRLANDE
XIIIe SIÈCLE

ccoudé à un pupitre trop haut pour lui, Nollaig reco-
piait laborieusement les quelques psaumes en latin
du Nouveau Testament que l'aumônier Cormac lui
avait assignés. La pluie avait cessé et les rayons du soleil de cette
fin de journée inondaient la fenêtre. Les doigts tachés d'encre,
ébloui par la lumière éclatante, le jeune garçon n'arrivait plus à
se concentrer. Il régnait dans les murs du château FitzWilliam une
atmosphère fébrile, où se mêlaient inquiétude et espoir. Soudain,
des bruits de pas résonnèrent sur les marches de l'escalier en
colimaçon. Reconnaissant la cadence du prêtre, Nollaig se remit
aussitôt à la tâche. Essoufflé, Cormac s'arrêta dans l'embrasure
de la porte.

— Ils sont de retour !

Nollaig braqua ses yeux sur l'aumônier qui, d'un geste, lui
permit de quitter le lieu. Le jeune garçon bondit de sa chaise et
se précipita dans l'escalier.

Après avoir traversé en trombe le rez-de-chaussée et la cour
intérieure, puis franchi la porte arrière du bâtiment principal, Nollaig pensait filer dans la grande salle vide pour assister au retour
des guerriers devant la forteresse. Mais il mit brusquement fin à
sa galopade dès qu'il pénétra dans l'imposante pièce.

La salle était tout sauf déserte. Pendant que des femmes accou-
raient vers leur bien-aimé pour se jeter dans ses bras, on transportait des blessés grimaçants de douleur afin de les allonger sur des

grabats parmi d'autres éclopés. Un saisissant mélange d'odeurs de transpiration, de sang et de vapeurs d'herbes médicinales prit d'assaut les narines de Nollaig. À l'extrémité opposée de cette infirmerie improvisée, il aperçut à travers les grandes portes entrouvertes des guerriers normands qui se félicitaient et se donnaient l'accolade dans une cacophonie de rires, de cris et de chants désordonnés. Au milieu du chaos, il reconnut sa mère et son oncle Padraig. Ce dernier semblait être remis de ses blessures et ne montrait aucun signe de fatigue. Installés près du foyer, ils étaient en train de soigner un blessé dont Nollaig ne pouvait distinguer le visage. Debout derrière Derdriu, une écuelle d'eau entre les mains, se tenait la jeune Catherine, toute droite et dévouée. Soudain, un hurlement fit trembler les chandeliers. Avec l'aide de Derdriu, Padraig tentait de retirer la longue flèche qui se trouvait bien enfoncée dans l'épaule du colosse. Incapable de supporter le supplice du chevalier, Catherine fit volte-face et courut vers Nollaig, les poings contre ses oreilles. Elle s'immobilisa à quelques centimètres du garçon et attendit que les lamentations prennent fin. Nollaig aurait voulu qu'elle reste près de lui pour toujours. La jeune fille retira finalement ses poings, mais les cris reprirent de plus belle. Manifestement, la flèche n'était pas encore extraite. Nollaig reconnut alors la victime : FitzHerbert, le père de Catherine. Cette dernière se précipita à l'extérieur, suivie de Nollaig qui ne demandait pas mieux que de quitter ce lieu.

Recroquevillée sur les marches de la chapelle, Catherine fixait le sol tapissé de feuilles mortes. Elle posa finalement son regard sur le pauvre Nollaig qui ne savait plus où se réfugier.

— Il survivra. Il a toujours survécu, dit-elle.

Le garçon esquissa un sourire maladroit.

— Ils sont victorieux, paraît-il. C'est mon père qui me l'a dit, ajouta la jeune fille.

— Est-ce que tu as vu le mien ?

Elle fit signe que non.

Le cri de douleur d'Herbert FitzHerbert résonna de nouveau. Tel un animal traqué, Catherine braqua son regard en direction de la grande salle avant de se boucher les oreilles de nouveau. Elle s'élança ensuite à toute allure à l'intérieur de la tour de pierre, laissant derrière elle Nollaig, qui commençait à regretter ses travaux de latin.

Après de longues minutes d'attente, Nollaig vit Catherine surgir de la tour d'un pas décidé, les bras raidis le long du corps, trahissant une angoisse certaine que seule sa détermination de fer savait dominer. Après avoir traversé la cour intérieure, elle franchit la porte de la grande salle afin de poursuivre sa besogne.

Nollaig trotta derrière elle pour se retrouver une fois de plus au milieu du chaos. Cherchant sa mère du regard, il l'aperçut avec Padraig et quelques-unes des femmes du château, s'affairant maintenant à soigner d'autres blessés. Le chevalier FitzHerbert se tenait près du feu, épongeant de sa manche les gouttes de sueur qui ruisselaient sur son front.

Malgré toute la bonne volonté qui habitait Derdriu, sa capacité de concentration commençait à flancher. La fatigue y était sûrement pour quelque chose, mais c'est l'inquiétude qui constituait la principale source de son désarroi. D'ordinaire, Garrett serait venu la rejoindre afin de la rassurer sur son état et de lui faire part des hauts faits du combat. Mais il brillait par son absence. Elle craignait le pire. Elle avait demandé à maintes reprises des nouvelles aux guerriers, mais elle n'avait reçu que de vagues réponses.

Catherine et Nollaig s'approchèrent d'Herbert FitzHerbert. Assis sur un banc de bois, le visage pâle comme neige, le corpulent guerrier fixait le sol et revivait en pensées les événements de cette dure journée. Il posa finalement les yeux sur sa fille. Catherine était inquiète, mais tout de même heureuse de voir son père vivant. Nollaig, pour sa part, n'avait d'yeux que pour le pansement imbibé de sang qui enveloppait l'épaule du chevalier.

— Approche, fils de Garrett, dit Herbert FitzHerbert.

Nollaig s'avança timidement.

— Tu vois ça ? déclara le chevalier, en lui montrant le projectile de bois ensanglanté qu'on venait de lui retirer. C'est pour ton satané de père que je me suis retrouvé avec cette sale flèche dans l'épaule. Jamais, jamais une flèche ne m'avait atteint auparavant. Jamais !

Il lança la flèche et cracha dessus, puis poussa un cri de douleur. Nollaig se demandait combien de temps il allait devoir l'écouter.

— Garrett nous a ordonné de nous battre contre nos cousins normands pour défendre l'Irlandais, poursuivit-il. Nous l'avons fait ! Nous avons foncé sur cette pourriture de Prendergast et sur ses hommes, et nous les avons battus. Ce fut un combat terrible. Crois-le ou non, ces porcs d'Irlandais ont combattu avec nous, comme s'ils étaient nos amis d'enfance, ajouta-t-il en baissant la voix, de peur d'être entendu par Derdriu. Et je dois t'avouer qu'ils avaient du cœur au ventre.

Nollaig prêtait difficilement attention aux propos de FitzHerbert. Son regard oscillait entre son pansement sanglant et les visages assombris des blessés qui bénéficiaient des soins de sa mère et de son oncle.

— Je veux que tu saches, petit, je veux que tu comprennes que toute ma vie j'ai obéi à ton père et à ton grand-père, William. Ils m'auraient demandé de me jeter dans les eaux glacées de la mer du Nord, je l'aurais fait. Ils m'auraient ordonné de combattre mille chevaliers tout seul, je l'aurais fait. Ils m'auraient demandé de démolir ce château et de le reconstruire de mes mains nues et je l'aurais fait. Et tu sais quoi, Nollaig ? Je ne le regrette pas. Je ne regrette rien, parce que Garrett est le plus brave, le plus vaillant et le plus têtu de tous les seigneurs d'Irlande, du pays de Galles et de Normandie réunis. Va me chercher de l'eau, Catherine, ordonna-t-il à sa fille.

Catherine s'exécuta en courant.

FitzHerbert prit Nollaig par l'épaule et l'approcha de lui afin de lui révéler une information importante.

— Je veux que ce soit moi qui te raconte ce qui s'est passé, Nollaig. J'étais là et j'ai tout vu. Je veux que tu saches la vérité. Parce que tu es son fils et que, d'ici deux ou trois jours, tous les gens du château auront déjà complètement tordu les faits. Les hommes de Prendergast avaient l'avantage du nombre. Ils allaient nous écraser comme de vulgaires pucerons. Au début, ces pauvres bâtards croyaient que nous venions leur prêter main-forte, mais quand ils ont compris que nous défendions le cochon de Cathal, ils ont lancé leurs archers sur nous. C'est à ce moment qu'une flèche m'a atteint. Prendergast était devenu fou de rage. Il tuait tout ce qui bougeait. L'as-tu déjà vu en personne, le Prendergast ?

Nollaig fit signe que non.

— Un grand gaillard, fort comme dix, capable de trancher un homme en deux avec son épée. Il a foncé sur ton père et l'a frappé dans le dos. Garrett s'est effondré au sol. Nous le pensions tous mort.

Nollaig l'écoutait, bouche bée.

— Prendergast s'est retourné et il m'a aperçu. J'étais appuyé contre un arbre avec cette flèche qui sortait de mon épaule. Je saignais. Il m'a regardé et il m'a souri. Un sourire qui disait : « J'ai tué FitzWilliam et je t'achèverai. » Puis soudain, ton père s'est relevé. Il était frais comme un bambin après une nuit de sommeil.

Il n'avait rien. Rien, tu m'entends ? Pas une goutte de sang, pas une égratignure dans le dos. Il portait cette fichue veste en peau de créature des lacs qui avait appartenu au vieux William. Je l'ai toujours dit, ce vêtement, c'est de la pure sorcellerie. Mais de la sorcellerie à notre service. Plus personne ne bougeait. Tous avaient les yeux rivés sur Garrett et le vieil Henri. J'en ai vu qui faisaient des signes de croix. L'invincible Prendergast a cessé de sourire, crois-moi. Garrett a repris sa lance. Il s'est approché de la vipère et lui a dit quelques mots. Puis le vieux a bondi sur lui, mais cette fois, Garrett s'est défendu. Il a tenu tête à ce guerrier de l'enfer et le combat a duré moins d'une minute. Prendergast a omis de se protéger et l'arme de Garrett l'a traversé au niveau du ventre. Il s'est effondré. Tu aurais dû voir la tête de Cathal l'Irlandais. Sauvé par son ennemi ! Le pauvre n'y comprenait plus rien. Moi non plus, d'ailleurs.

— Où est mon père ?

— Garrett a redonné courage à ses hommes et nous avons vaincu, nous avons vaincu.

— Où est mon père ?

FitzHerbert resta silencieux. Il n'avait plus la force de répondre.

20

Les mains agrippées au guidon de sa bicyclette, Jet traversait le paysage champêtre en pédalant debout pour gagner de la vitesse. Le domicile des Fitzwilliam-Talbot, adjacent à l'auberge, était situé en bordure d'une petite rivière appréciée des pêcheurs. Si l'on remontait la route qui longeait ce cours d'eau en se dirigeant vers le nord, on atteignait Doo lough après avoir parcouru moins de trois kilomètres. Jet connaissait bien ce chemin, mais il ne s'y aventurait que rarement et jamais durant les heures précédant le crépuscule. Ses parents lui interdisaient de s'y rendre seul en raison du lac imposant qui s'y trouvait et qui pourrait stimuler davantage ses rêves de monstres lacustres, mais aussi et surtout à cause de l'absence totale de lampadaires. Cette campagne était plongée dans l'obscurité la plus complète une fois la nuit tombée.

Tout en pédalant, Jet concentrait son regard sur les hautes herbes alignées en bordure de l'étroit chemin qui s'agitaient en donnant l'impression de saluer le passage d'un chevalier.

Cette escapade interdite lui procurait un sentiment de fébrilité. Il se percevait comme un explorateur de l'insolite sur le point de faire une découverte mémorable. Tout à coup, l'image de sa mère en train de sécher ses larmes lui revint à l'esprit. L'intrépide aventurier se trouva soudainement hanté par des préoccupations bien terrestres. Il avait souvent surpris Nora en colère ces derniers temps, mais n'était pas habitué à la voir aussi désespérée.

125

Quelques heures plus tôt, durant le retour à la maison avec sa mère, Jet s'appliquait à lui donner l'impression d'avoir apprécié sa consultation du matin avec le docteur Skreb, même si, au fond, il savait que tout ce processus risquait d'être long et inutile. Il trouvait Nora plus silencieuse qu'à l'accoutumée. À vrai dire, elle ne parlait pas du tout. Lorsque la voiture s'immobilisa devant l'auberge, le regard inquiet de l'oncle Harold qui les accueillit laissait présumer une mauvaise nouvelle. Dès que Jet mit le nez à l'extérieur du véhicule, il sentit une odeur nauséabonde. La puanteur détonnait avec le cadre enchanteur de cette propriété qui mettait en valeur un gîte aux couleurs vives, toujours orné de fleurs.

— La fosse septique, lança Harold d'un air déconcerté.

— Comment, la fosse septique ? répondit Nora. On l'a fait inspecter à l'automne !

— Les racines. Ce sont les racines qui l'ont fait craquer.

Jet aperçut son père aidant un couple de clients à transporter leurs bagages dans le coffre d'une voiture de location. Tout ça n'augurait rien de bon.

Quand les touristes furent partis, Nora, Philippe et Harold tinrent un conseil d'urgence en arpentant le terrain. Jet perçut des bribes de leur conversation. Il était question de faire venir «l'homme» dès le lendemain, d'assurances et de coûts exorbitants. Jet s'attendait à ce que le ton monte, mais ses parents n'avaient plus le cœur à la confrontation. Il observa l'oncle Harold, qui se dirigea tête basse vers sa camionnette. Nora et Philippe firent quelques pas vers la maison. C'est à ce moment que sa mère fondit en sanglots dans les bras de son père. Jet ne sut que faire. Il se surprenait à éprouver des sentiments contradictoires. D'une part, voir sa mère verser des larmes le bouleversait. Il se doutait que la réparation du système d'évacuation allait s'avérer coûteuse. Même si ses parents s'efforçaient de le tenir à l'écart de leurs embarras financiers, il comprenait que cet imprévu s'ajoutait à un fardeau déjà lourd à porter. Mais, d'autre part, il se réjouissait de voir Nora chercher réconfort chez Philippe. Il ne les avait pas vus si proches depuis des lunes. Tant mieux si les choses évoluaient de la sorte, mais il lui faudrait maintenant inventer une autre histoire pour distraire le docteur Skreb.

Jet s'approcha alors de la camionnette de son grand-oncle et le surprit en train de parler à sa bien-aimée dans l'au-delà, tout en grillant une cigarette : «Dis-moi juste où je pourrais trouver de l'argent. Assez pour les aider. Juste assez pour les remettre à flot. J'te promets que je ne fumerai plus jamais.» Une idée vint alors à l'esprit du garçon : la présence d'un monstre lacustre dans les eaux de Doo lough pourrait lui rapporter des tonnes d'argent, plus qu'il n'en fallait pour régler les problèmes de ses parents. Il s'imaginait déjà comme le seul guide officiel de la région capable d'attirer la créature pour la montrer aux milliers de touristes.

— Oncle Harold ?

— Qu'est-ce qu'il y a, mon grand ?

— Il te reste du chocolat ?

— Tu en veux maintenant ?

Jet haussa les épaules.

— Prends ce que tu veux. Tu sais où elles sont.

Jet s'empara de toutes les tablettes dans la boîte à gants et les entassa dans son sac à dos. Il salua à peine son oncle, courut vers son vélo et l'enfourcha pour quitter en hâte le domaine familial.

Les problèmes domestiques s'évanouirent de l'esprit de Jet lorsqu'il aperçut la surface miroitante de Doo lough. Il décida alors de ralentir et pédala sur la petite route, tentant de se faire le plus discret possible. Qui sait, la créature errait peut-être non loin de la berge ? Il immobilisa son vélo devant l'aire de stationnement utilisée par les pêcheurs. À cet endroit, la chaussée surélevée d'environ deux mètres frisait la bordure du plan d'eau. Il en descendit les marches qui donnaient sur un quai de pierres, où étaient attachées quelques vieilles chaloupes. Le regard rivé sur le lac, absorbé par l'idée de voir surgir la bête des profondeurs, il ouvrit son sac et en sortit une tablette de chocolat. Jet réalisa soudain qu'il avait omis de vérifier s'il était bien seul. Il vit alors, à quelques mètres du quai, une jeune femme dans la trentaine qui profitait de la tombée du jour pour photographier le lac. Sa petite voiture de location était garée tout près. Il se voyait mal en train d'éparpiller à gauche et à droite des tablettes de chocolat dans le but d'attirer un monstre lacustre. « Une autre touriste », pensa-t-il. La session de photos n'en finissait plus. « D'accord, il est beau, le lac… mais elle ne va tout de même pas prendre cinq mille photos ! » songea-t-il en commençant à perdre patience. La jeune femme déposa alors son appareil, consulta une carte géographique et prit quelques notes dans un gros calepin. Il y avait quelque chose de différent chez elle. Son visage aux traits fins affichait un air sérieux qui ne cadrait pas avec l'image habituelle du touriste. Elle reprit son appareil et se dirigea enfin vers son véhicule. Soulagé, Jet fit quelques pas vers le bord de l'eau tout en gardant les yeux fixés sur cette belle inconnue. Un vent léger de fin de journée commençait à souffler. La jeune femme prit le temps d'attacher ses longs cheveux noirs avant d'ouvrir le coffre arrière de sa voiture. Au lieu de ranger son équipement, elle s'empara plutôt d'un trépied. « Elle ne va tout de même pas passer la nuit ici », se dit le garçon. Elle retourna ensuite vers le rivage. En apercevant Jet, la jeune femme esquissa un sourire timide, mais chaleureux. Jet tenta d'en faire autant, mais ne produisit qu'un rictus. Il se sentit rougir.

— Tu vis par ici ? demanda-t-elle avec un léger accent francophone qu'il reconnut aussitôt.

Il fit signe que oui. Cela lui semblait évident. Un garçon de onze ans à vélo ne pouvait pas venir de très loin. D'ailleurs, l'idée lui traversa l'esprit de répondre «non, je suis un homme d'affaires de New York en vacances dans le coin», mais il n'osait pas user de sarcasme. De plus, il était sous le charme de l'énigmatique aventurière.

— Magnifique lac, ajouta-t-elle en installant son trépied.

— Vous êtes photographe?

— Je suis zoologiste.

— Zoologiste?

— Je travaille sur un projet de recherche.

— Ici?

— Ici. Dans les comtés du nord aussi et même en Écosse.

Il y eut un moment de silence. «Quelle recherche peut-elle bien faire dans le coin?» s'interrogea Jet.

— Finlough, c'est bien dans cette direction-là? demanda-t-elle en désignant le sud.

— Cinq minutes d'ici en auto.

— Merci.

Jet réalisa soudain que le temps filait. De toute évidence, la zoologiste ne s'apprêtait pas à partir dans les prochaines minutes. Il lui fallait donc bouger au plus vite s'il voulait rentrer à la maison avant l'obscurité.

— Au revoir, dit-il en la saluant un peu maladroitement.

— Comment t'appelles-tu?

— Jet.

— Jet?

Il fit signe que oui. Il aurait aimé dire quelque chose d'intelligent, mais il ne trouva pas les mots.

— Moi, c'est Viviane. On va peut-être se revoir dans les environs.

Jet acquiesça puis remonta les escaliers vers son vélo. Il pédala à toute vitesse sur la petite route, direction nord. Il s'arrêta au bout d'un moment et jeta un œil par-dessus son épaule. Il pouvait encore apercevoir au loin la silhouette de Viviane qui continuait sa besogne. «Dommage qu'il y ait un problème de fosse septique, elle aurait pu séjourner à l'auberge», pensa-t-il. Soudain, un nuage de corbeaux se posa sur les herbages en bordure du lough. Jet se demanda s'ils allaient de nouveau prononcer d'étranges paroles, mais ils ne produisirent que leurs croassements usuels. Il poursuivit alors sa course et atteignit une section de la berge sur laquelle poussaient de hautes herbes. Le lieu lui semblait tout désigné pour cacher ses appâts. Cette fois, il n'y avait plus de temps à perdre. Il laissa tomber sa bicyclette et courut de part et d'autre du champ en éparpillant ses tablettes de chocolat. Il s'assura que certaines d'entre elles pouvaient être visibles depuis le lac. Quand il eut terminé, il s'arrêta pour contempler le lac, espérant que la créature se montre. La surface de Doo lough, tantôt immaculée, était maintenant couverte d'un tapis d'ondulations causées par le vent doux.

Ragdanor ressentit une présence qui se manifestait à proximité de son lac. Il ne pouvait identifier clairement la nature de ce visiteur, mais il voulait le voir. Il activa sa nageoire arrière et remonta vers la surface. Seuls son front et ses grands yeux verts émergèrent de l'eau. Il aperçut au loin la silhouette du jeune humain qu'il avait rencontré par accident. Très conscient qu'il ne devait absolument pas répéter son erreur de la veille, il s'approcha du rivage en nageant avec grande précaution.

«Tant pis si le soleil se couche, je veux revoir la créature», se dit Jet, tout en s'efforçant de distinguer la moindre forme suspecte pouvant surgir des profondeurs. Soudain, il remarqua au loin, au beau milieu du lac, une légère tache sombre. Il constata alors que la chose bougeait dans sa direction. Ses yeux s'illuminèrent. Pas de doute, le monstre lacustre se présentait de nouveau. Au même moment, une volée de corbeaux touchèrent le sol à moins de dix mètres de lui. Jet entendit encore une fois leurs mystérieuses déclamations : « Mhorag ! » firent certains membres du groupe, à quelques pas du jeune garçon. « Mhorag ! » répétèrent d'autres, qui se posaient plus loin en bordure de la route. Jet n'en crut pas ses oreilles. « Mhorag » était bel et bien le nom attribué à ce célèbre monstre lacustre des Highlands d'Écosse, tel qu'il l'avait lu sur l'ordinateur. Un premier groupe d'oiseaux entama alors une phrase que compléta un second dans un lyrisme troublant : « Mhorag ne trouve plus son bien-aimé ! » disaient les uns. « Reverra-t-elle un jour Zarak l'infortuné ? » continuaient les autres. « Séparés par la malédiction… », ajoutaient-ils, « il n'y a d'espoir que pour leur rejeton », leur répondait-on.

En apercevant les oiseaux qui se posaient non loin de Jet, Ragdanor s'immobilisa. Au même moment, il sentit les vibrations d'un motorisé qui approchait sur la route en provenance du sud. Il replongea aussitôt.

Lorsqu'ils entendirent le klaxon du véhicule, les corbeaux mirent fin à leur tirade et prirent leur envol tel un nuage de fumée noire.

— Tu sais aussi bien que moi que ta mère t'a interdit de partir seul à vélo en fin de journée et qu'elle t'a surtout défendu de te rendre jusqu'ici, affirma Philippe.

— Je ne serais pas rentré tard.

— Ce n'est pas la question. Tu nous avais promis de ne pas t'aventurer à proximité du lac. En plus, s'il fallait qu'il t'arrive un malheur, un accident, une crevaison, je ne sais pas, moi, un embêtement… en pleine obscurité. Tu te retrouverais tout seul, perdu dans le champ. Tu ferais quoi?

Il y eut un moment de silence. Alors que la voiture de Philippe passait devant l'aire de stationnement située en bordure du lac, Jet aperçut Viviane en train de ranger son équipement dans le coffre arrière de son véhicule.

— Little John, promets-moi que tu ne recommenceras plus, insista Philippe.

— Il y a un monstre dans le lac, p'pa.

Jet ignorait pourquoi il se décidait à trahir ainsi son secret. Il espérait d'une certaine façon que son père, cet homme curieux, un peu bonasse et passionné d'histoire, l'encouragerait dans sa quête du monstre. Leurs deux univers se rejoindraient peut-être enfin. Pour sa part, Philippe aurait préféré de loin que son fils continue de bouder plutôt que de faire déraper la conversation dans son monde fantasmagorique, monde avec lequel il ne savait trop comment composer. L'interminable chasse au «psychologue idéal» était une initiative de Nora. En ce qui le concernait, Philippe avait tendance à croire que, plus on accordait de l'importance aux cauchemars de Jet, plus il continuerait à en faire. Cependant, à la lumière de ce que son fils venait de lui dire, il se devait de réagir.

— Je pense qu'il serait préférable que tu ne reviennes pas à Doo lough… pour un bout de temps, du moins. Tu pourrais raconter tout ça au docteur Streg…

— Skreb.

— Skreb… puis on verra ce qu'il va dire. Mais il faut que tu fasses un effort. Ta mère est à bout.

— Mais p'pa, je te le jure. Je l'ai vu. Il s'approchait de la rive juste avant que tu arrives.

— Il n'y avait absolument rien sur le lac, John Émile...

— Tu n'as pas regardé.

— Je l'aurais vu.

— Le bruit de l'auto lui a fait peur, il a replongé.

Philippe choisit de se taire.

— Demande à Molly Flynn. Demande-lui! Elle a aussi entendu le cri du monstre l'autre nuit.

— Je ne demanderai rien à Molly Flynn. La nuit, on entend toutes sortes de choses. C'était probablement un hibou ou un aigle.

— Il n'y a pas d'aigles dans le coin. En plus, ça ne crie pas fort, un aigle.

— Elle a l'imagination trop développée, ta Molly.

— Ce n'est pas ma Molly.

— Tu n'imaginerais peut-être pas autant de monstres si tu dormais la nuit au lieu de passer du temps sur mon ordinateur, John Émile Talbot.

Jet resta muet.

21

IRLANDE
XIIIe SIÈCLE

— ollaig ! s'écria Derdriu. Elle avait aperçu son fils dans la grande salle moins d'une heure auparavant, alors qu'elle soignait les blessés avec son frère. Il suivait la jeune Catherine, comme il avait l'habitude de le faire. Même si rien ne semblait anormal, son intuition l'incita à interrompre son travail auprès des guerriers.

Après avoir exploré en hâte ses appartements situés au sommet de la structure de pierre, elle était redescendue dans la cour intérieure pour ensuite traverser la chapelle et ressortir dans la partie murée du domaine, où de nombreux soldats avaient improvisé un modeste festin de victoire. Aucune trace de Nollaig. Faisant quelques pas sur le terrain, elle s'arrêta à proximité du jeune if irlandais, dont les multiples branches poussaient dans tous les sens. Elle promena son regard parmi les soldats ivres et exaltés à la recherche de son fils, tout en espérant apercevoir son mari qui n'avait pas encore donné signe de vie.

Depuis la fenêtre de son cabinet, le père Cormac MacNamara suivait des yeux la belle dame du château. Le religieux se demandait lui aussi où pouvait bien se trouver le seigneur Garrett. En l'absence prolongée, voire définitive du maître, il serait obligé de prendre davantage de place dans la vie de Derdriu. Cette idée le séduisait. Mais rien de tout cela ne correspondait de façon concrète à ses plans. Il avait communiqué à Garrett l'urgence d'une nouvelle quête. Une quête qui allait occuper entièrement l'esprit du chevalier FitzWilliam. Au moment où Derdriu leva la tête dans sa direction, Cormac se retira dans la pénombre de son atelier.

D'un geste décidé, Catherine indiqua droit devant pour signaler que quelque chose bougeait au loin. Nollaig concentra son attention par-delà les innombrables branches d'arbres et découvrit à une centaine de mètres deux silhouettes d'hommes qui s'éloignaient dans la forêt. Il ne faisait pas de doute que l'un d'eux était son père.

Une heure plus tôt, n'ayant pas obtenu de réponse de la part du chevalier FitzHerbert, il s'était résolu à s'aventurer seul dans le bois en direction des terres O'Corrigan. Catherine avait insisté pour l'accompagner. Connaissant mieux le territoire, elle avait pris les rênes de l'expédition et s'était risquée à emprunter le tortueux sentier les conduisant vers la partie nord de la région.

Nollaig et Catherine entreprirent donc de suivre les deux hommes, tout en maintenant une distance prudente.

Garrett FitzWilliam et Cathal O'Corrigan marchaient côte à côte depuis près d'une heure. Cette terrible journée de combat avait obligé l'Irlandais à se rendre à l'évidence : sa vie, celle de Brigide, sa femme, et celles de ses enfants avaient été sauvées par son ennemi juré, par Garrett et ses hommes de guerre. Après avoir longuement discuté du partage de leur territoire et du pacte de paix conclu jadis par leurs pères, les deux chefs avaient décidé de sceller une nouvelle entente au sommet d'une des collines environnantes. Désireux d'atteindre le point culminant avant la tombée du jour, ils avançaient à un rythme soutenu.

Tels des félins, Nollaig et Catherine se tapirent au sol derrière un buisson, à moins de quinze mètres de Garrett et de Cathal, qui venaient d'atteindre le haut de la petite montagne. Les deux hommes contemplèrent le majestueux lac endormi qui s'étendait au pied de l'élévation.

Situé à la limite nord-ouest du territoire jadis conquis par William FitzWilliam, ce plan d'eau entouré de montagnes allait un jour être connu sous le nom de Doo lough. Mais pour le moment, il constituait un simple havre de paix pour les truites et les saumons. Des siècles devaient passer avant que Mhorag s'y installe avec Ragdanor.

Garrett se mit alors à converser avec Cathal en irlandais. Incapable de comprendre la moindre parole, Catherine fronça les sourcils en regardant Nollaig.

— Que dit-il ? chuchota-t-elle nerveusement.

— Il parle de son père et du lough Derg.

— Il raconte l'attaque du monstre ?

Nollaig regarda Catherine, l'air dépassé.

— Il n'y a personne au monde qui ignore cette histoire, lança-t-elle, toujours en murmurant.

— C'est là, le lough Derg ? demanda-t-il en indiquant le lac au bas de la butte.

— Pas du tout. C'est loin, très loin au nord de l'île. Mais que disent-ils ? Ça semble important.

Nollaig continua d'écouter. Il apprit ainsi que William FitzWilliam avait été sauvagement attaqué par le monstre du fameux lough et que l'esprit de la bête hantait Garrett depuis. Il devint alors conscient de l'impact inouï de cette tragédie sur son père, de même que de l'intensité de l'horreur qu'elle produisait chez ce dernier. Il découvrit par le fait même cet homme tel qu'il ne l'avait jamais vu auparavant, décelant dans son regard une détermination à la limite de l'obsession.

— Mon père dit admirer l'Irlandais pour sa ténacité et croit avoir besoin d'hommes tels que lui, chuchota Nollaig.

— Je les croyais ennemis.

L'oreille tendue, le jeune garçon continua de prêter attention à chacune des paroles des deux guerriers.

— Il veut s'engager dans un grand combat pour se débarrasser des bêtes maléfiques qui hantent les lacs et les mers d'Irlande.

Les grands yeux de Nollaig s'ouvrirent alors davantage pour se poser sur Catherine.

— Que dit-il maintenant ? s'enquit celle-ci.

— Il invite l'Irlandais à se rendre au lough Derg pour venger la mort du vieux William et celle de son frère David, ajouta-t-il en oubliant de baisser le ton.

Alertés par cette petite voix provenant des buissons, Garrett et Cathal firent volte-face. Nollaig et Catherine cessèrent de respirer. Cathal sortit son épée, tandis que Garrett s'empara de sa lance. Ils se mirent à avancer vers la cachette des jeunes espions. Au même moment, Nollaig entraîna la jeune fille dans une fuite désespérée. Ils dévalèrent alors à toutes jambes les pentes qui dominaient le lac sombre. Ils ne purent s'empêcher de pousser quelques rires nerveux causés à la fois par l'excitation d'avoir commis un geste interdit et par la peur de se faire prendre.

22

La jeep écarlate quittait Doo lough et roulait à vive allure sur la route sinueuse, alors que le soleil couchant teintait de rose un ciel magnifique.

— Je ne l'ai pas encore dit à ta mère, pour l'ordinateur, précisa Philippe.

Jet n'avait plus le cœur à la discussion.

— L'ordinateur garde toutes les recherches en mémoire. Tu aurais dû y penser.

— Le monstre de mes rêves vient d'Écosse. Je le savais. J'avais tout deviné, poursuivit Jet sans tenir compte du commentaire de son père.

— John Émile, si tu te lèves la nuit pour lire des histoires de monstres marins sur Internet, pas étonnant que tu en rêves par la suite.

Jet regrettait d'avoir parlé de la créature du lac. Au fond, il aurait d'abord souhaité établir un contact secret avec son monstre pour ensuite révéler son existence à ses parents en tant que solution miracle à tous leurs problèmes. À partir de maintenant, il avait la certitude que parents, psychologues et professeurs allaient redoubler de vigilance et lui rendre la vie impossible.

— Little John, ça va me prendre une vraie promesse de ta part. Tu le sais mieux que moi, si ta mère vient à savoir que tu t'es levé en pleine nuit pour consulter Internet, tu vas être puni.

— Je promets.

— Tu promets quoi?

— Je promets de ne plus utiliser Internet sans supervision…

— … surtout la nuit.

— Surtout la nuit.

— Bon. Ça devrait aller pour l'instant.

— J'ai une question.

— Vas-y.

— C'est où, le château FitzWilliam?

Philippe ne put s'empêcher de sourire. Il était bien conscient que Jet avait aperçu ce nom sur l'écran de son ordinateur.

— Tu es un champion pour changer de sujet, toi.

— Ça nous appartient?

Philippe hésita un moment. Il était plutôt rare que l'on manifeste de l'intérêt pour ses recherches historiques. Le fait que cet intérêt vienne de son fils le touchait.

— Tu veux vraiment le savoir?

Jet acquiesça.

— Très bien.

D'un geste volontaire, Philippe fit tourner le volant et réengagea son véhicule sur l'étroit chemin.

Philippe et Jet roulèrent le long de la route qui suivait l'étroite rivière dans laquelle se déversaient les eaux de Doo lough. À moins d'un kilomètre après l'entrée de l'auberge Fitzwilliam-Talbot, le cours d'eau se jetait dans un autre lac, beaucoup plus petit, connu sous le nom de Finlough. Philippe effectua alors un virage et emprunta un chemin de terre à peine assez large pour accueillir une voiture compacte. Ils avancèrent à vitesse réduite dans ce sentier qui semblait les mener nulle part. Après un autre tournant, ils se retrouvèrent entourés de pâturages au milieu desquels broutaient quelques moutons. Ils poursuivirent leur chemin pendant près d'un kilomètre jusqu'à ce que le trajet prenne fin devant une vieille clôture de fer rouillé. Par-delà cette frontière métallique, à une trentaine de mètres devant eux, se trouvaient les ruines d'un château médiéval. Ce bâtiment de trois étages présentait sa façade de pierre grise dont les deux tours rondes et massives paraissaient vouloir s'étirer pour retenir les dernières lueurs du jour. Jet fut alors intrigué par son père qui cherchait un objet dissimulé sous sa banquette. Philippe extirpa finalement une vieille bouteille d'eau à moitié vide. L'air satisfait, il ouvrit la portière et sortit de son véhicule. Jet l'imita sans trop comprendre la nécessité d'emporter une provision d'eau sur ce terrain humide, le lendemain d'une pluie torrentielle. Ils se dirigèrent alors vers la clôture.

— Je suis déjà venu ici. C'était avec toi, dit Jet.

— Je sais.

— Mais ce n'est pas le château FitzWilliam, c'est le château O'Malley !

— Exact, répondit Philippe en s'appuyant contre la clôture. Les gens du coin l'appellent O'Malley parce que les puissants O'Malley de la région en ont pris possession au xvᵉ siècle. Ça ne veut pas dire que ce sont eux qui l'ont construit deux cents ans plus tôt. D'après mes recherches, on croyait que le château des FitzWilliam était situé sur le même terrain, mais en bordure de la rivière. Jusqu'ici par contre, personne ne s'entend pour en déterminer l'emplacement exact.

— Pourquoi ?

— Parce que le seul endroit où le fameux château FitzWilliam aurait pu se trouver, c'est justement là, annonça Philippe en désignant le vieux bâtiment.

— Mais peut-être que le château FitzWilliam n'a jamais existé.

Philippe esquissa un sourire.

— Suis-moi.

Ils grimpèrent par-dessus la clôture et traversèrent le terrain verdoyant en direction des ruines.

Il n'était pas rare en Irlande de trouver une construction du Moyen Âge abandonnée sur un terrain privé. De tels sites s'avéraient parfois difficiles d'accès, mais les propriétaires laissaient couramment les intrus s'aventurer sur leurs terres sans en faire de cas. Philippe et Jet se dirigèrent vers l'ouverture située entre les deux tours qui constituait l'entrée principale du château. Les yeux rivés sur cette structure d'autrefois, Jet cessa de marcher, laissant son père le devancer quelque peu. Il remarqua les herbes sauvages qui poussaient entre les pierres puis porta son attention sur les châssis de certaines fenêtres qui s'étaient désagrégés à cause des intempéries et transformés en cavités informes. Il commençait alors à réaliser que la construction de ce lieu devait remonter à une époque lointaine.

— L'édifice principal a probablement été construit au XIIe ou au XIIIe siècle, Little John ! s'exclama Philippe.

Jet fronça les sourcils, tentant d'évaluer l'âge des ruines.

— Ça fait plus de huit cents ans, ajouta-t-il.

Philippe s'arrêta devant l'ouverture où se trouvait jadis la grande porte. Le cadre de pierre au sommet arrondi était demeuré intact. Il fit signe à Jet de le suivre. Ils s'introduisirent ensemble dans l'ancienne demeure. Après avoir franchi le seuil, ils se retrouvèrent dans une petite salle d'accueil éclairée par la lumière du crépuscule, qui s'infiltrait par les sommets ébréchés des deux tours rondes. De part et d'autre, on pouvait distinguer les escaliers de pierre qui y donnaient accès. Même Jet n'osa pas s'y aventurer tellement leur état de décrépitude était avancé. Soudain, une brise vint caresser les cheveux du jeune Talbot. Il tourna la tête et jeta un coup d'œil vers l'extérieur. Il n'y distingua pourtant rien qui indiquait qu'un vent était en train de se lever. La brise cessa aussitôt.

Philippe et Jet pénétrèrent plus loin à l'intérieur du bâtiment pour aboutir dans une grande pièce qui avait dû servir de salle principale. Il devenait de plus en plus difficile d'imaginer l'apparence originale de ce haut lieu. Les planchers supérieurs s'étaient effondrés depuis quelques siècles, et il ne restait plus la moindre trace du plafond. De chaque côté de la grande salle, on devinait la présence de petites pièces parallèles situées entre les épaisses parois de pierre. Néanmoins, d'importantes sections de ces murs s'étaient affaissées, et des arbustes avaient poussé çà et là parmi les débris. Jet et Philippe avancèrent prudemment sur le sol accidenté. Au bout de la salle se dressaient les vestiges d'un autre mur au milieu duquel se trouvait une embrasure qui donnait sur une cour intérieure. À cette section du château se rattachait une imposante tour carrée à moitié effondrée, qui surplombait la partie sud de l'édifice.

Bouteille d'eau en main, Philippe se dirigea vers un buisson d'aubépine qui étalait ses branches touffues le long du mur situé à leur gauche. Il prit soin de repousser quelques rameaux sans se piquer et dégagea une cavité profonde surmontée d'une large bordure. Il s'agissait du grand foyer qui devait jadis servir à réchauffer la pièce et à faire rôtir le gibier. En s'approchant à son tour, Jet discerna un symbole gravé qui dominait l'âtre. Le schéma avait la forme d'un bouclier sur lequel on devinait la présence d'un dessin complexe et incompréhensible. Le temps avait presque totalement effacé les nombreuses lignes qui s'entrecroisaient sur la surface triangulaire.

— Tu reconnais ça ? demanda Philippe.

Jet tenta d'y déchiffrer quelque chose, mais il n'y arrivait pas.

— Regarde bien.

Philippe aspergea d'eau le dessin du bouclier. Une fois trempée, la pierre prit une teinte plus foncée, ce qui eut pour effet d'augmenter le contraste du schéma qui s'y trouvait.

— On dirait des X.

— Observe bien.

Jet constata alors que l'ensemble des traits formait un motif en losanges.

— Oh! Oui! Je vois maintenant! C'est comme chez nous, dans la salle à manger de l'auberge. C'est... c'est...

— Les armoiries de la famille FitzWilliam, proclama fièrement Philippe. Construit par les FitzWilliam et conquis par les O'Malley, ajouta-t-il en contemplant les fondations chancelantes de la demeure.

— Ça veut dire qu'on peut réclamer le château... même s'il est complètement désintégré?

— Ça veut simplement dire, Little John, que peut-être, et je dis bien peut-être, ta mère est une descendante de la lignée des chevaliers FitzWilliam.

— Des chevaliers?

— Des guerriers normands, comme les anciens Talbot d'ailleurs.

— Les envahisseurs de l'Irlande!

— À l'époque, oui. Mais ça fait huit siècles que les anciens Normands et les Irlandais se marient entre eux. On est tous irlandais maintenant.

Philippe continua d'observer les restes de cette vieille forteresse comme si c'était la première fois qu'il s'y introduisait. Il avait pourtant visité ce château à plusieurs reprises avec l'étrange conviction que ses structures vétustes conservaient de sombres secrets. Après des mois de lectures, de fouilles, de consultations et de nuits blanches devant l'écran de son ordinateur, il avait réussi l'impossible : identifier les ancêtres de Nora en remontant trente-six générations. Elle serait la lointaine descendante d'un certain Nollaig FitzWilliam, né le jour de Noël 1208, et qui fut jadis seigneur du château FitzWilliam.

Jet et Philippe s'approchèrent des vestiges de la cour intérieure, qui débordaient d'arbrisseaux de toutes sortes. L'entrée de l'imposante tour carrée qui s'y rattachait était obstruée par d'énormes pierres. Ils rebroussèrent chemin et sortirent de l'enceinte par une brèche située à quelques mètres du foyer. Ils s'éloignèrent des ruines et décidèrent d'arpenter le pré, profitant ainsi des dernières lueurs du soleil d'été. Ils contemplèrent alors la demeure fortifiée d'un autre angle et remarquèrent à l'extrémité sud du château une série d'embrasures qui avaient dû accueillir de hautes fenêtres aux sommets en pointe.

— Tu vois les quatre fenêtres au bout du bâtiment ?

Jet fit signe que oui.

— C'était la chapelle du château. C'est là que le chevalier allait prier avant de se rendre au combat.

— Il y avait beaucoup de combats ici ?

— Sûrement. Les disputes de territoire étaient terribles à l'époque. C'est pour cette raison qu'on construisait des tours de garde. Pour voir l'ennemi approcher.

Jet balaya du regard le terrain et tenta d'imaginer les hordes de guerriers du XIIIe siècle, vêtus de leurs lourdes armures de métal maculées de boue, combattant jusqu'à la mort dans un fracas infernal. Le paisible chant des oiseaux eut tôt fait d'interrompre ce fantasme chevaleresque. Ses yeux s'arrêtèrent sur le majestueux if irlandais qui trônait au milieu du domaine. Son large tronc supportait d'innombrables branches qui poussaient depuis des siècles dans toutes les directions.

Philippe et Jet atteignirent l'extrémité sud-est du domaine. Devant eux, le terrain s'abaissait jusqu'aux abords de la petite rivière, leur permettant de bénéficier d'un point de vue sur les environs.

— Regarde ! Un autre château en ruines. Il appartenait peut-être aux Talbot, dit Jet en désignant du doigt un vieux bâtiment de pierre à moitié démoli, situé en bordure de la rivière à cinq cents mètres au sud du château.

— Non, ça, c'est un ancien monastère. Si ma mémoire est bonne, il était dédié à saint Cuthbert.

Philippe se rappela soudain qu'il devait ramener Jet au plus vite à la maison.

— Viens, ta mère doit mourir d'inquiétude.

Il prit les devants alors que Jet contempla les structures en décrépitude pendant quelques secondes, tentant d'imaginer le château dans toute sa gloire d'antan. Le soleil disparaissait derrière les collines et la pénombre recouvrait maintenant les murs fatigués de cet édifice d'une autre époque. Nul ne savait si les vieilles pierres avaient préservé la mémoire de ces jours lointains où des personnes vaquaient à leurs occupations dans cette demeure froide et austère.

— Little John!

Jet suivit son père d'un pas décidé, mais son intuition le poussa à s'arrêter de nouveau au bout d'un moment. Il jeta un coup d'œil en direction de la forteresse. Au sommet d'une des tours rondes, il crut apercevoir une silhouette portant un vêtement sombre tombant jusqu'au sol et surmonté d'un capuchon. «Comment peut-il se tenir debout, il n'y a plus de plancher?» songea Jet. L'espace d'un instant, l'insolite présence sembla fixer son regard sur le jeune garçon avant de se fondre avec les pierres obscures.

— Little John! insista Philippe.

Jet rejoignit son père en courant. La brise légère du soir accentua l'effet des sueurs froides qui coulaient dans son dos.

La jeep s'immobilisa devant l'auberge. L'éclairage tamisé provenant de la grande salle à manger colorait d'une lumière chaude la façade du gîte.

Se dirigeant vers la maison avec son père, Jet ne réussissait pas à chasser de son esprit la vision surnaturelle. Un fantôme hanterait le château des FitzWilliam. Il n'osait pas en parler. Ses rêves de monstres lacustres inquiétaient suffisamment ses parents. D'ailleurs, l'image de ce spectre était si troublante qu'il avait oublié que sa mère devait l'attendre pour le bombarder de questions sur son escapade interdite. À sa grande surprise, il n'y avait personne pour l'accueillir. Nora était occupée avec une touriste. «Enfin de la clientèle», songea Philippe qui grimpa en hâte vers l'étage supérieur. Jet perçut quelques bribes de la conversation. Curieux, il s'approcha du bureau d'accueil et reconnut la voix de la zoologiste.

— Toute ma famille est de Montréal, et en plus, nos ancêtres étaient irlandais. Ils s'appelaient Burke avant que le nom soit francisé pour devenir Bourke.

— Oh, des Burke, vous allez en trouver des tonnes en Irlande. Mon mari est comme vous. Montréalais d'origine et obsédé par l'Irlande. Il peut vous entretenir de généalogie pendant des heures interminables. Au fait, il va y avoir interruption d'eau pour une partie de la journée de demain, mais une fois la fosse septique réparée, tout va revenir à la normale.

— Ça me va.

— Et vos collègues ne sont pas avec vous?

— Non, ils préfèrent séjourner dans un gros hôtel de luxe.

— Ah! S'ils peuvent se le payer, c'est bien, répondit Nora tout en se disant que c'était la tendance ces jours-ci. On délaissait les auberges pittoresques pour les complexes avec piscine et sauna.

Viviane aperçut alors Jet qui l'observait depuis le cadre de la porte située derrière le comptoir.

— Jet! C'est bien ça? lança-t-elle en lui faisant un clin d'œil.

Se sentant rougir, Jet fit signe que oui. Il avait l'étrange sentiment qu'en présence de cette radieuse zoologiste, les fantômes n'auraient guère de prise sur lui en cette nuit de pleine lune.

— Vous vous connaissez?

— On s'est rencontrés un peu plus tôt sur les rives de Doo lough.

— Très intéressant, fit Nora en posant un regard sévère sur Jet. Il esquissa un sourire mal à l'aise.

— Au fait, si vous n'avez pas d'objection, il est probable que des membres de mon équipe viennent me chercher en hélicoptère, indiqua Viviane à Nora en quittant le bureau. Ils pourraient se poser en bordure de la rivière. Ça va faire un peu de vacarme.

— C'est tout un projet de biologie que vous entreprenez là!

— Oh, vous savez, je suis une simple consultante.

— Consultante?

— Pour le tournage d'un documentaire.

— Sur les oiseaux, les moutons?

— Les mammifères marins, conclut la zoologiste en sortant.

Les dernières lueurs du crépuscule découpaient le sommet des collines assombries qui surplombaient la rive ouest de Doo lough. Des corbeaux traversèrent le ciel pour se poser quelque part de l'autre côté des montagnes pendant que la pleine lune attendait l'obscurité pour éclaircir la voûte céleste. Ragdanor ne trouvait pas le sommeil. Il flottait au milieu de son lough, fixant du regard les noirs escarpements. L'idée de grimper ces pentes abruptes et d'explorer le sol lui était irrésistible. L'échec de sa première expédition terrestre l'incitait à entreprendre une escapade nocturne. Il se mit à nager doucement en direction de la berge.

Jet ne réussissait pas à s'endormir. Il ne pouvait s'empêcher de penser à ce fantôme qui hantait les ruines du château FitzWilliam. «Suis-je en train de devenir fou?» Les événements des derniers jours avaient de quoi troubler le plus audacieux des aventuriers: rêves de créatures en Écosse, monstre lacustre dans la brume, corbeaux parlant, spectre sinistre. «Je devrais peut-être en parler au docteur Skreb», songea le garçon.

Malgré l'interdit qui pesait sur toute utilisation nocturne de l'ordinateur familial, la tentation d'y retourner ne cessait de croître. La perspective d'y découvrir un récit d'autrefois racontant quelque crime horrible ayant eu lieu dans les murs du château FitzWilliam renforcerait sa conviction d'avoir été témoin de la présence réelle d'un fantôme. Après tout, on ne comptait plus les châteaux d'Irlande et d'Écosse qui – selon la croyance populaire – hébergeaient plusieurs formes d'esprits errants, de morts-vivants et autres revenants en tout genre.

Il s'assit sur le bord du lit, à l'écoute des moindres bruits de la maison. Il perçut alors le cliquetis léger et nerveux des touches du clavier de l'ordinateur et comprit que son père devait être en train de communiquer avec un autre passionné de généalogie à l'autre bout de la planète. Jet s'étendit de nouveau, les yeux fixés au plafond, se demandant à qui il pourrait bien se confier au sujet de ce phénomène paranormal sans faire rire de lui. Molly Flynn lui vint alors à l'esprit. Jet se souvint d'avoir entendu cette dernière raconter à toute la classe que plusieurs châteaux de l'ouest de l'Irlande étaient considérés comme hantés. Selon la jeune fille, même son brave et robuste père n'osait pas s'aventurer dans ces ruines tant il craignait la présence d'esprits errants.

Qu'elle soit envahissante ou non, Jet savait maintenant qu'il devrait tôt ou tard parler à Molly. Il ferma les yeux dans l'espoir de trouver le sommeil, sachant trop bien que c'était peine perdue.

23

IRLANDE
XIIIe SIÈCLE

ollaig et Catherine étaient captivés par le foisonnement d'activités devant le château. Des guerriers irlandais et normands fourmillaient de tous côtés. Pendant que des hommes pliaient d'énormes filets de pêche, d'autres empilaient des lances de bois dans des chariots tirés par de robustes chevaux. On s'époumonait à donner des ordres en français et en irlandais dans une cacophonie de cris, de rires, de bruits de sabots et d'aiguisage d'armes. Jamais on n'avait été témoin d'une telle animation sur les terres du château Fitz-William. Jamais on n'avait assisté à une telle collaboration entre les deux peuples. De toute évidence, cette chasse au monstre avait le mérite de faire oublier les conflits du passé.

Au milieu de cette affluence, l'aumônier Cormac MacNamara courait d'un attroupement à l'autre, supervisant dans le moindre détail chaque composante de l'expédition. Il maîtrisait à la perfection les deux langues et bénéficiait avec raison de la réputation d'expert en créatures lacustres. En effet, en plus des nombreuses années de recherche qu'il avait consacrées au sujet, Cormac était le seul homme en Irlande pouvant se vanter d'avoir participé à une chasse au monstre de lac. Vingt-neuf ans plus tôt, alors qu'il accompagnait son vieux maître Giraud de Cambrie dans le pays de Galles, il avait assisté à la mise à mort de l'imposante bête du lac Llangorse. En ce jour de septembre 1188, William FitzWilliam avait eu le courage et l'honneur de trancher la tête de l'animal, ce qui lui valut une notoriété qui l'avait suivi jusqu'à sa mort.

Durant les derniers mois, Cormac avait passé de longues heures à partager ses connaissances avec Garrett. Celui-ci emportait avec lui le fameux cristal capable d'attirer les monstres lacustres. Pour sa part, en tant qu'aumônier du château, Cormac avait décidé de ne pas se joindre à l'expédition afin de poursuivre ses occupations quotidiennes, dont l'instruction du jeune Nollaig. En réalité, son âme trépignait secrètement à l'idée qu'il allait se retrouver seul avec Derdriu.

Sur sa monture blanche, Cathal faisait tournoyer sa courte épée avant de la remettre dans son fourreau. Suivi de près par Brogan, le colosse qui veillait à sa protection, le fougueux Irlandais respirait à fond l'air humide de ce matin du mois de mars 1217. Depuis qu'il avait fait le serment à Garrett de participer à cette chasse mythique, Cathal ne tenait plus en place. Quelques jours plus tôt, il avait confié la gouvernance de son territoire à son frère Rory. Deuxième fils de Nial O'Corrigan, Rory était celui qui ressemblait le plus à leur père. Cathal lui faisait pleinement confiance. De plus, il savait que Padraig, le cadet de la famille reconnu pour sa sagesse, saurait le conseiller. Cathal avait promis à Brigide, son épouse, qu'il ne s'absenterait que pour quelques semaines. Pourtant, plus d'un an allait s'écouler avant qu'il revienne sur ses terres.

Un épais brouillard voilait le soleil du matin. D'énormes silhouettes de branches tordues laissaient deviner la présence de la forêt environnante tout en donnant au domaine une allure fantomatique.

— Un départ dans la brume n'annonce que des malheurs, murmura Herbert FitzHerbert.

Ni Nollaig ni Catherine n'avaient remarqué l'imposant guerrier qui s'était arrêté près d'eux pour observer le va-et-vient.

— Des malheurs. Quels malheurs, père ? demanda Catherine, l'air inquiet.

Vêtu de sa cotte de mailles qui descendait jusqu'aux genoux, FitzHerbert poussa le fourreau de sa longue épée pour s'accroupir.

— À vrai dire, je n'en sais rien, mon cœur. La brume m'est toujours apparue comme un mauvais présage, surtout à la veille d'un combat. Mais ce sont des hommes que j'ai combattus par le passé. Des hommes de toutes sortes : grands, petits, redoutables, perfides, lâches, courageux ou crapuleux. Je n'ai jamais chassé de monstres.

— J'ignorais qu'il fallait tant de monde pour en tuer un, ajouta Nollaig.

— Je l'ignorais aussi. Mais ton père en connaît plus que moi sur ces bêtes. Il n'a pas hésité. « Cent hommes, m'a-t-il dit. Il me faut cent hommes et les plus forts parmi les Normands et les Irlandais. » Regarde, il doit y avoir plus de vingt chariots pour transporter ces lances et ces filets. Et puis, chaque guerrier se déplace avec ses propres effets : hache, épée, armure. Si ça continue, la créature va nous entendre venir à mille lieues de distance et se réfugiera dans le fond de son lac pour les cinq prochains siècles, conclut-il en poussant un rire puissant qui fit tourner quelques têtes.

— Tu n'as pas peur du monstre, père ?

— Je n'ai peur de rien ni de personne, princesse.

— Tu promets que tu seras de retour pour la Saint-Alban ?

— Je serai de retour pour l'été, crois-moi. Mais il te faut obéir à dame Derdriu maintenant. N'oublie pas que tu fais partie de sa suite.

Catherine n'avait jamais connu sa mère, qui était morte en lui donnant naissance. Derdriu O'Corrigan l'avait intégrée au sein de son escorte. Sa présence était toujours appréciée des gens du château. Elle était calme, serviable, silencieuse. On lui aurait presque demandé conseil tellement elle était raisonnable pour son âge. Pourtant, en compagnie de Nollaig, elle retrouvait son caractère d'enfant.

— Et tu veilleras sur Nollaig aussi, ajouta FitzHerbert en passant sa lourde main dans les cheveux du garçon.

Catherine acquiesça tout en esquissant un sourire en coin, sachant trop bien que son ami n'aimait pas qu'on le traite comme un bambin.

FitzHerbert avait rejoint son détachement. L'heure du grand départ approchait. Il ne manquait plus que le chevalier Garrett.

Catherine avait été convoquée par les femmes du domaine, qui requéraient ses services.

Nollaig se retrouva seul à déambuler parmi les guerriers. Personne ne lui prêtait attention. Il n'osa pas trop s'éloigner. En dépit de toute l'animation qui régnait, il se sentit attiré par la forêt, qui baignait toujours dans l'épais brouillard. Quelque chose d'insolite et d'effrayant à la fois l'incita à avancer jusqu'à l'orée du bois. Il se risqua à faire quelques pas dans le sentier que les guerriers allaient emprunter sous peu pour se diriger vers le nord, vers le lough Derg et l'antre du monstre. Après avoir marché environ cinq mètres, il fit halte et constata que le tumulte avait déjà considérablement diminué. Ouatée de brouillard, la forêt l'enveloppa de son mystère. Son regard se perdit dans les enchevêtrements de branches. Le vacarme des hommes devint presque inaudible. Il crut apercevoir quelque chose qui bougeait, au loin, à travers les couches d'humidité. Il plissa les yeux. C'est alors qu'il eut une vision. Des silhouettes se déplaçaient au milieu du petit chemin, à plusieurs mètres de distance. L'espace d'un court instant, il crut reconnaître sa mère qui avançait d'un pas décidé. Elle avait vieilli. Ses cheveux grisonnants étaient courts et elle portait des vêtements de guerrier qui lui donnaient l'allure d'un homme. Son regard de feu le sidéra. À côté d'elle avançait un jeune homme grand et robuste qui tenait une longue épée scintillante. Nollaig sut qu'il était ce chevalier. Il avait la certitude de se voir dans un avenir indéterminé avec sa mère, marchant à la tête d'un détachement irlandais vers le château FitzWilliam.

— Nollaig!

La vision se dissipa aussitôt.

Nollaig fit volte-face et remarqua Catherine en bordure du terrain boisé.

— Tu viens? Ils vont partir bientôt!

Il la suivit sans hésiter. Ce faisant, il jeta un œil derrière lui. Tout paraissait normal.

Appuyé au parapet de la tour de garde, Garrett observait son fils qui courait avec Catherine vers la grande porte.

— Il me rappelle le garçon que j'étais, dit-il, songeur. Mon frère ne manquait jamais une occasion de se moquer de moi. Il m'appelait le «puceron muet». J'étais petit et je parlais peu. J'aurais voulu le frapper. Pourtant, il me sauva la vie à deux reprises. J'avais quatorze ans, la première fois. J'étais frêle et maladroit. Il en avait seize. Il était déjà fort comme un bœuf. Des insurgés avaient attaqué notre fort dans le sud de l'île. Je me suis retrouvé seul contre trois guerriers enragés. Je tremblais de peur. Ils riaient tous de moi. Moins de trente secondes plus tard, ils gisaient morts dans leur sang. David avait bondi je ne sais d'où et les avait mis en pièces avec sa hache.

Derdriu l'écoutait avec un sourire triste. Elle avait déjà entendu cette anecdote plusieurs fois. Son esprit était assiégé par un maelström de pensées. Elle s'était résignée à l'idée que Garrett s'engage dans cette folle aventure. Il croyait fermement que la mise à mort du monstre qui avait broyé le corps de son père et provoqué la noyade de son frère allait éliminer ses cauchemars. «Peut-être s'agit-il là de la seule façon de conjurer le mauvais sort», se disait-elle. Mais elle composait mal avec tout ce projet de marchandage de la peau du monstre lacustre qui allait, disait-on, remplir les coffres du château et rendre les guerriers pratiquement invincibles.

— C'est l'heure, dit-elle doucement.

— Je sais.

Ils se regardèrent un long moment. Ils auraient voulu arrêter le temps, revenir quelques années en arrière, alors que les tourments de la vie pesaient moins lourd. Garrett chercha un mot pour réconforter sa bien-aimée.

— Les paroles de Padraig te tourmentent encore ?

C'est tout ce qu'il trouva à dire. Il le regretta un peu.

Derdriu fit non de la tête, pour signifier qu'il ne servait plus à rien d'en parler. Mais il était vrai que les propos de son jeune frère avaient influencé sa perception des choses. Il avait ainsi refusé de participer à cette boucherie qu'il croyait inutile, sous prétexte que les géants des lacs comme ceux des mers étaient des créatures exceptionnelles. Mais Padraig avait eu le rare privilège de bénéficier du souffle guérisseur lors de son périple en Écosse, tandis que Garrett n'avait connu que le côté sombre des bêtes lacustres.

Ils s'étreignirent, puis s'embrassèrent. Derdriu aurait voulu retenir ses larmes, afin de paraître forte alors qu'elle s'apprêtait à gouverner seule le domaine. Mais cela lui était impossible.

— Reviens-nous avant l'été.

Son mari acquiesça.

— Tout redeviendra comme avant. Tu verras.

Le pauvre, il ignorait à quel point il se trompait.

Derdriu et Nollaig se tenaient tout près de Garrett, accompagnés des membres de leur entourage immédiat, dont la jeune Catherine. Les adieux avaient été faits. Les chevaux trépignaient d'impatience.

Garrett enfourcha son coursier noir. Sa longue dague dans son fourreau, sa cotte de mailles recouverte du gilet brunâtre en peau de monstre lacustre, le cristal bien caché dans une bougette, un petit sac de cuir attaché à sa ceinture, le seigneur du château FitzWilliam était paré pour son départ dans le nord de l'Irlande. L'aumônier Cormac prononça la bénédiction d'usage. Tous les membres de l'expédition se signèrent. Garrett regarda FitzHerbert, puis Cathal. D'un hochement de tête, les deux hommes lui signifièrent qu'ils étaient prêts. Garrett donna enfin le signal du départ et l'impressionnant cortège s'engagea dans la forêt nappée de brume.

Juste avant de s'enfoncer dans le bois, il se retourna et caressa sa femme du regard. Les grands yeux verts de Derdriu peinaient à refouler leurs larmes. Puis, au dernier moment, Garrett jeta un œil sur le château FitzWilliam. Il pénétra ensuite dans la forêt sans se douter qu'il ne le reverrait jamais.

24

À l'aide de ses nageoires latérales, Ragdanor gravissait la colline escarpée. Son corps allongé ondulait à un rythme régulier et chaque contorsion forçait un brusque mouvement de tête de haut en bas.

Cédant à la tentation, il s'était aventuré sur la terre ferme dès que la pleine lune était apparue derrière la cime des montagnes. Situées sur la rive est de Doo lough, les collines de Sheeffry s'aplanissaient vers l'extrémité nord du lac. Ragdanor avait donc choisi ce secteur comme point de départ pour son exploration. Après de longues minutes à grimper une pente douce, il s'était entêté à gravir une véritable montagne. Il avait alors mis le cap vers le sud afin d'amorcer une laborieuse ascension.

« Le sommet ! Je dois atteindre le sommet », se répétait-il, plus déterminé que jamais. En accédant à un point culminant, il pourrait enfin admirer le paysage nocturne du vaste monde extérieur. Pour un monstre de lac, cette escalade constituait toutefois une prouesse exténuante. Au bout d'un moment, le terrain incliné eut raison de son endurance et il fut forcé de s'arrêter pour reprendre son souffle. Ragdanor raidit ses nageoires latérales afin de stabiliser son corps et contracta son long cou tout en baissant la tête vers le sol. Ses narines produisaient de chaudes et puissantes respirations saccadées. Immobilisée à une vingtaine de mètres du sommet, la jeune créature regarda sur sa droite. Ragdanor découvrit au pied de la petite montagne une vaste étendue encore plus obscure que le reste du paysage. Il reconnaissait son lac aux Sombres Collines, sa demeure, son royaume. Cent soixante-huit années déjà s'étaient écoulées depuis qu'il y avait élu domicile avec sa mère. En observant bien l'extrémité nord, il aperçut l'embouchure de la petite rivière qui reliait son lac à un autre plan d'eau, plus petit. Si ce cours d'eau évoquait la tranquillité, celui situé à l'extrémité sud représentait par contre la porte vers toutes les aventures du monde aquatique, le passage interdit par lequel sa mère s'était esquivée. « Reviendra-t-elle bientôt ? Espérons que ce ne sera pas cette nuit », songea-t-il en sachant trop bien que si Mhorag le surprenait en train d'escalader les montagnes, elle exploserait d'une terrible colère.

Il se mit à glisser vers l'arrière. Il activa ses nageoires et réussit à éviter une dégringolade. Reposé ou non, il comprit qu'il devait fournir l'effort nécessaire pour terminer sa montée. Il prit une grande respiration et continua son ascension pendant quelques laborieuses minutes. Les yeux à moitié fermés, la bouche grande ouverte dans un effort suprême, Ragdanor atteignit finalement la cime. Il s'arrêta, haletant, et redressa le cou pour observer l'impressionnant panorama nocturne. Sa vue perçante lui permettait d'admirer le profil des montagnes et des collines environnantes. Il contempla les rivières qui suivaient leur cours sinueux et que révélaient les pâles rayons de la lune. Le vent caressait son visage. Les hautes herbes se balançaient au gré de la brise. Quelques rares papillons de nuit vagabondaient çà et là. Ragdanor ferma alors les paupières afin de jouir davantage du concert de sonorités ambiantes. Il y avait plusieurs siècles qu'un monstre lacustre n'avait osé s'aventurer si profondément à l'intérieur des terres. Si les anciens étaient reconnus pour leurs exploits en surface, leurs hauts faits avaient eu lieu à une époque très reculée, alors que les humains n'avaient pas encore conquis la planète. Les temps avaient bien changé et le jeune Ragdanor ne réalisait pas que sa témérité risquait de mettre sa vie en péril.

La brise s'intensifia légèrement et le sifflement du vent adopta une musicalité insolite, comme si de longues notes soutenues et distantes résonnaient depuis les entrailles de la Terre. Cette réverbération s'atténua au bout d'un moment pour reprendre du volume en créant un effet étourdissant. Ragdanor crut alors y discerner une lointaine voix féminine, à peine perceptible, qui se noyait dans cette convergence d'échos. Il avait l'étrange impression que quelqu'un tentait de s'adresser à lui depuis les profondeurs du monde. Il ouvrit les yeux et fixa la lune. Cette voix féminine ne lui était pas totalement étrangère, mais il ne s'agissait pas de celle de sa mère. Elle se fit alors de plus en plus claire. «Fils de Mhorag, retourne dans ta demeure. Ne t'attarde pas dans le royaume des hommes.» L'écho diminua pour faire place aux bruissements des arbustes bercés par la brise du soir.

Ragdanor se secoua un peu, puis décida d'obéir à cet avertissement. Toutefois, au lieu de faire demi-tour, il entama sa descente sur le flanc est de la colline, qui lui paraissait moins à pic. Les nageoires tendues, les yeux grands ouverts, il progressait de manière saccadée vers la base de l'escarpement. En dépit de l'effort considérable qu'il avait dû fournir pour gravir ce sommet, il constata qu'il était plus doué pour escalader les montagnes que pour les dévaler. Le flanc oriental s'avéra plus escarpé qu'il ne l'avait prévu. Il se mit à accélérer contre son gré. Il avait beau raidir ses nageoires et effectuer des mouvements de recul maladroits, il perdait le contrôle de son corps lourd et imposant. Des insectes de nuit surgissaient des arbustes que Ragdanor écrasait sur son passage dans un concert de fracas de branches et d'entrechoquements de cailloux. Soudain, il se mit à débouler comme une pierre. Quelques oiseaux sortis de nulle part s'envolèrent afin d'éviter le jeune mastodonte qui dégringolait la pente en poussant des hurlements de douleur. Sa chute prit fin en catastrophe lorsqu'il entra en collision avec un magnifique pin, haut de taille, qui trônait au pied de la montagne. L'arbre se déracina sous le choc pour ensuite se fendre en deux, tandis que le monstre lacustre roula sur une dizaine de mètres avant de s'immobiliser dans l'herbe mouillée.

Ragdanor rouvrit les yeux. Il mit un certain temps à décoder ce qu'il voyait. Ça remuait à quelques centimètres de lui. Il comprit alors qu'il s'agissait d'un simple amas de brindilles que son souffle puissant faisait danser. Avec sa tête dans les herbages, il lui était impossible de s'orienter. Même s'il ne ressentait aucune douleur, il s'abstint de faire des mouvements brusques. Il redressa son long cou, permettant ainsi à sa tête chevaline de dépasser les hautes herbes. Il aperçut les tronçons éparpillés du pauvre arbre qui avait contribué à freiner sa chute, de même que les empreintes de sa dégringolade telle une longue cicatrice qui marquait le versant de la montagne depuis son sommet jusqu'à sa base.

Ragdanor éprouva alors une grande fierté, comme il n'en avait jamais ressenti durant les deux cent vingt-quatre années de sa courte vie. Il avait osé transgresser l'interdit suprême : vagabonder sur la terre ferme. Il se disait qu'un jour on l'appellerait « Ragdanor le brave » ou « Ragdanor le téméraire », le seul monstre lacustre ayant gravi une montagne en pleine nuit pour redescendre au péril de sa vie, sans l'aide de qui que ce soit.

— D'où sors-tu, toi ? risqua Mandrigane, en surgissant des hautes herbes.

Surpris, Ragdanor se redressa davantage et l'observa sans mot dire.

— Tu es muet ? Tu es sourd ?

— Je viens du lac aux Sombres Collines, répondit-il d'un ton hésitant.

— Du lac aux Sombres Collines ? Mais tu n'es pas un cheval de lac, toi ! Tu es un serpent de mer. Je n'ai jamais vu de serpent de mer dans les environs. Que fais-tu ici ? Désagréable de se retrouver loin de la mer, pour un serpent de mer.

Le corps de la pie bavarde ne représentait qu'une fraction de celui du monstre lacustre, mais elle se tenait bien droite devant lui, sans laisser paraître le moindre signe de peur.

— Je connais les chemins qui mènent à la mer, continua-t-elle. Veux-tu que je t'y conduise ?

— Je ne suis pas un serpent de mer !

— Avoue que c'est à s'y méprendre quand on regarde ton corps étiré et tes jolis ailerons. Mais j'en conviens, tu ne possèdes pas le museau effilé des bêtes marines. Qui es-tu donc ?

— Je suis Ragdanor, fils de Mhorag.

— Murag ?

— Mhorag !

— C'est ce que je disais. J'ignorais qu'elle avait un fils.

— Tu la connais ?

— Bien sûr que je la connais. Il n'est pas d'âme en ce territoire que je ne connaisse pas.

Ragdanor réalisa soudain qu'il en avait déjà trop dit. Il se rappela la crainte viscérale que Mhorag exprimait à l'égard de la plupart des oiseaux, hormis les craves à bec rouge, qu'elle savait braves et nobles.

— Je dois continuer ma route, trancha-t-il, cherchant des yeux la direction qu'il allait emprunter.

— Mais où vas-tu donc ?

— Je… je retourne dans mon lac, affirma-t-il en regardant droit devant lui.

— Mais ton lac se trouve dans la direction opposée.

— Je sais. Je sais, mais je connais un autre chemin.

— Tu sais, Rabgonar, je connais ce territoire mieux que le fond de mon propre nid. Si tu en as envie, je pourrais te montrer de magnifiques vallons remplis de fleurs sauvages, des ruisseaux qui chantent, des grottes mystérieuses et des forêts qui n'en finissent plus. Très agréable, visiter une forêt qui n'en finit plus.

Ragdanor ne savait trop que penser de cet oiseau sorti de nulle part prétendant connaître sa mère et lui offrant ses services de guide.

— Je crois qu'il serait mieux que je poursuive mon chemin.

— Comme tu voudras. Je comprends que tu sois effrayé. L'idée d'explorer un territoire nouveau peut faire très peur. À bientôt, j'espère ! conclut-elle brusquement.

Mandrigane prit alors son envol.

— C'est loin d'ici ? lui cria Ragdanor.

Elle se posa de nouveau devant lui.

— Qu'est-ce que tu me chantes là ? C'est tout près ! Regarde, là-bas, derrière la colline. Un monde nocturne t'attend, fils de Murvog.

— Mhorag.

— C'est ce que je disais.

— Tu me conduiras à mon lac avant le lever du jour ? demanda Ragdanor avec une pointe d'inquiétude.

— Quand le soleil se lèvera, tu seras en train de dormir dans les profondeurs de ton royaume aux Sombres Collines, c'est promis. Suis-moi !

Sur ce, Mandrigane s'envola et Ragdanor la suivit en s'efforçant d'oublier qu'il appartenait à la famille des mammifères marins, peu habitués à évoluer en dehors de leur contexte naturel.

25

Ragdanor déploya tous les efforts nécessaires pour suivre Mandrigane. Cette dernière se déplaçait avec aisance, alternant la marche rapide et le vol à basse altitude. Ils atteignirent ainsi le flanc d'une colline et effectuèrent un virage vers l'est, ce qui eut pour effet d'éloigner la jeune créature de son lac. Mandrigane accéléra la cadence. Au bout d'une demi-heure de course effrénée, Ragdanor n'avait toujours pas vu le moindre indice des fleurs sauvages, des forêts immenses ou des ruisseaux chantants qu'on lui avait promis. Seules les hautes herbes et les collines de plus en plus abruptes s'étendaient devant lui, et l'oiseau sous le faible éclairage du disque lunaire. Exténué, Ragdanor s'arrêta pour reprendre son souffle. Les monstres lacustres – tout comme les serpents de mer – sont capables de couvrir d'impressionnantes distances sous l'eau, et ce, sans respirer pendant plusieurs heures s'il le faut. Mais sur le sol accidenté, ils ne sont que le pâle reflet d'eux-mêmes.

Ragdanor n'avait même plus la force d'interpeller son guide. Il s'écrasa au sol et allongea son cou dans l'herbe humide. Mandrigane fit aussitôt demi-tour et se posa à quelques centimètres de sa grosse tête.

— Fatigué ? Très désagréable, la fatigue. Tu veux faire une pause ? Les champs de fleurs ne sont plus très loin, mais si tu préfères te reposer un peu, tu pourras apprécier davantage les merveilles qui t'attendent.

Ragdanor hocha de la tête. C'est tout ce qu'il put offrir comme réponse. Il ne songeait qu'à dormir.

— Dors, Ragbonak, dors un instant. Je te réveillerai sous peu et nous irons nous promener dans les fleurs. Avant que le jour se pointe, je te reconduirai à ton lac.

À peine eut-elle terminé sa phrase que son plumage dansait sous l'effet du ronflement de la créature. Mandrigane fit tout doucement quelques pas en arrière avant de déguerpir à pied dans les hautes herbes.

Durant son sommeil, Ragdanor devina la présence de nombreux corbeaux freux qui s'étaient posés près de lui. Il était conscient que ceux-ci l'observaient. Sans plus tarder, ils prirent leur envol. Le jeune monstre sentit alors son esprit se détacher de son enveloppe corporelle pour s'élever au-dessus du champ.

Ragdanor se vit étendu sur le sol, respirant profondément. Il constata à quel point il apparaissait vulnérable et seul, ainsi endormi parmi les herbages. S'élevant davantage, il entendit un concert de battements d'ailes provenant de toutes parts alors que les corbeaux entraînaient au loin son âme errante.

Il contempla le panorama de la région. Collines, rivières et routes sillonnaient la contrée qui défilait sous lui. Une automobile éclairait un étroit chemin de campagne. Soudain, le véhicule s'évanouit. Le jour se leva pour se recoucher aussitôt. La route se couvrit d'herbes et d'arbustes. La morphologie du paysage se modifiait de façon parfois radicale. Jours et nuits se succédaient à une vitesse ahurissante. Là où se trouvait un vaste champ, une multitude d'arbres se dressèrent pour créer une forêt. Le cours de certaines rivières se détournait sensiblement alors que de nombreux ruisseaux se dessinaient çà et là. Plusieurs grandes habitations humaines disparurent, tandis que d'autres appartenant à un âge antérieur se matérialisèrent. Chevaux, ânes et bétail remplaçaient autos, camions et tracteurs. Des châteaux médiévaux firent alors leur apparition au milieu du vaste territoire. Un épais brouillard recouvrit la voûte céleste. Ragdanor n'entrevoyait que les silhouettes des corbeaux qui l'accompagnaient sans tenir compte de sa présence.

La brume se dissipa à la surface d'un vaste lac au milieu duquel se trouvait une île dominée par un bâtiment religieux. La métamorphose du territoire avait pris fin. Les oiseaux le déposèrent sur la rive méridionale, à proximité d'un campement militaire. De nombreux guerriers irlandais et normands du XIIIe siècle s'affairaient à déployer un énorme filet de pêche. Debout en bordure du plan d'eau, un homme mince, haut de taille, portant un survêtement d'un cuir luisant et multicolore observait de ses yeux gris pâle un morceau de cristal qu'il tenait dans sa main droite et qui absorbait les rayons du soleil levant. À ses côtés, un noble Irlandais scrutait le lac, la main sur le pommeau de son épée. Derrière eux, un imposant soldat normand à la barbe grisonnante s'époumonait en donnant des ordres aux combattants. Le Normand aux yeux gris plongea alors le cristal dans le lac. L'objet produisit une lueur bleutée, comme si une étoile s'était mise à briller depuis les profondeurs.

Soudain, une onde fit bomber la surface du lac tout en s'approchant à grande vitesse de la berge. Le guerrier aux yeux gris s'empara de sa lance et prit une position d'attaque. L'Irlandais l'imita et brandit alors son épée en poussant un cri de ralliement. L'imposant monstre lacustre s'emmêla dans les cordages du filet et fut partiellement immobilisé par les chasseurs. La bête réussit à happer un assaillant et le projeta sur la rive, où il s'écrasa, sans vie. Un déferlement de flèches s'abattit sur le géant, mais les projectiles n'arrivaient pas à transpercer sa peau. L'une des flèches atteignit son œil gauche, le faisant hurler de douleur. Le grand guerrier mince fonça sur la créature et plongea sa lance dans son cou. Il fut immédiatement imité par ses compagnons. L'acharnement des humains à tuer la bête n'avait d'égal que la fougue de cette dernière à se défendre. Un colosse irlandais lui frappa le crâne à répétition avec sa hache et réussit à l'affaiblir.

Le Normand aux yeux gris porta le coup fatal avec sa longue lance, qu'il enfonça dans la gorge de la créature. Elle poussa son *dernier souffle avant de s'effondrer dans l'eau peu profonde. Trempé et épuisé, le guerrier observa le fruit de sa chasse.*

Soudain, une voix atténuée provenant de nulle part rompit le silence.

« Jet ? Réveille-toi, Jet », lança de nouveau la voix.

Jet se réveilla. Il ne savait pas encore qu'il faisait les mêmes rêves que Ragdanor. Il vit les hautes herbes s'étalant jusqu'au bord de la petite rivière qui longeait le terrain de l'auberge. Tout près, l'oncle Harold le dévisageait. Vêtu de son vieux pantalon et d'un maillot de corps, il serrait entre ses doigts jaunis une cigarette à moitié consumée. Le vieillard toussota.

— Où est le lac, avec le monstre et les chevaliers ? demanda Jet à mi-voix.

Ne sachant que répondre, Harold haussa légèrement les épaules.

— Tu dormais, champion.

Quelques minutes plus tôt, alors qu'il grillait une cigarette devant la maison, Harold avait aperçu son petit-neveu qui sortait de la résidence pour se diriger, l'air hagard, vers le champ. Après l'avoir suivi sur une distance de quelques mètres, il s'était risqué à l'interpeller.

Assise devant son ordinateur portatif à compiler ses photos, Viviane fut surprise d'entendre à pareille heure des voix provenant de l'extérieur, d'autant plus qu'elle croyait avoir perçu les mots « monstre » et « chevaliers ». Elle poussa le rideau de dentelle situé juste au bout de sa petite table de travail et reconnut la silhouette d'Harold, debout sur le terrain de l'auberge, observant quelque chose. C'est alors qu'elle aperçut Jet qui marchait vers les herbages sans but apparent.

— Tu devrais peut-être rentrer pour dormir un peu, suggéra Harold.

— Ils étaient là, devant moi. Ils avaient tué le monstre à coups de hache et d'épée, lança Jet en se tournant vers Harold.

— C'était un rêve, Jet. Juste un rêve.

Ces paroles ne lui furent d'aucun réconfort. Il fixa de nouveau le paysage nocturne et finit par accepter que le lac qu'il avait vu en songe n'y était plus. Il n'y avait que la bonne vieille rivière qui coulait depuis toujours devant l'auberge familiale.

Écoutant la discussion par la fenêtre, Viviane songea à sa rencontre fortuite de fin de journée. Dès la première fois qu'elle avait aperçu Jet sur les rives de Doo lough, elle l'avait trouvé attachant. Quelque chose dans ses grands yeux allumés lui indiquait un esprit vif et un caractère unique. Elle découvrait maintenant qu'il possédait en plus un côté mystérieux. « Un monstre tué à coups de hache et d'épée. » Des légendes irlandaises et écossaises du Moyen Âge lui revenaient à l'esprit. Contre toute attente, le choix de cette auberge semblait s'avérer prometteur.

Harold ouvrit la porte principale de la maison en évitant tout grincement et laissa Jet entrer le premier.

« Jet ? »

Jet et Harold s'immobilisèrent aussitôt dans l'obscurité du salon, comme deux animaux aux aguets. Il s'agissait précisément de la voix qu'ils ne voulaient pas entendre.

Jet regarda vers le sommet de l'escalier qui donnait sur la grande pièce pour y apercevoir sa mère en train de serrer le cordon de sa robe de chambre.

— Que fais-tu debout à une heure pareille ?

— J'avais promis à Jet de lui montrer comment trouver l'étoile Polaire, intervint immédiatement Harold.

— À trois heures du matin ?

— C'est le meilleur moment à cette saison-ci.

Nora garda le silence un instant. Elle observa le visage de son fils, se doutant bien qu'on ne lui disait pas toute la vérité.

— Ça va, Jet ?

Jet fit signe que oui avec une fausse assurance.

— On reparlera de tout ça demain, conclut-elle en rebroussant chemin vers la chambre principale.

Jet leva les yeux vers Harold, qui lui fit un clin d'œil suivi d'un signe de tête pour lui enjoindre de grimper à sa chambre. Le garçon s'exécuta d'un pas alerte, sous le regard intrigué du vieil homme.

Ragdanor sentit un coup sur son front. Le choc était léger, mais ferme. Il ne broncha pas. Peu après, une deuxième secousse le heurta, plus insistante cette fois. Quand il ouvrit les yeux, il vit un imposant bélier à la fourrure abondante qui le dévisageait. Ses quatre pattes bien plantées dans le sol, il affichait la détermination d'un chef de troupeau. Ragdanor souleva la tête, n'osant rien dire. Le bélier garda ses yeux noirs fixés sur ceux du jeune monstre. Épuisé, Ragdanor reposa la tête au sol. Le bélier porta son attention vers le sud-est l'espace d'un instant, comme s'il voulait lui indiquer quelque chose. Il se tourna de nouveau vers Ragdanor.

— Le ciel s'éclaircit et tu seras bientôt à la vue de tous, lui dit-il.

Ragdanor releva la tête, espérant faire montre d'un peu de vitalité.

— Les broussailles te protégeraient un peu, ajouta le bélier en désignant des buissons sauvages qui se trouvaient au pied d'une petite pente, à moins de vingt mètres.

Ragdanor prit une grande respiration et tenta de se déplacer à l'aide de ses nageoires antérieures. Rien à faire, le monstre lacustre s'écrasa, haletant, assoiffé, au bout de ses forces. Le bélier quitta les lieux sans mot dire.

L'horizon s'illumina d'une lueur bleutée. Ragdanor gisait encore dans l'herbe humide, incapable de fournir le moindre effort. D'ici peu, tous les prédateurs de la région allaient l'apercevoir de très loin ou de très haut. Il entendit soudain des bruits de pas légers qui approchaient. Le piétinement d'herbes mouillées augmenta en intensité, donnant l'impression que d'innombrables créatures avançaient dans sa direction. Il ouvrit de nouveau les yeux. Ce n'était pas un rêve. Une quarantaine de moutons, brebis, béliers et agneaux suivaient le grand bélier à l'épaisse fourrure et s'immobilisèrent tout près de lui. Sans perdre un instant, d'un signe de tête, le bélier ordonna à ses semblables de passer à l'action. Les moutons entourèrent Ragdanor et appuyèrent fermement leur front sur chaque centimètre de son corps. Le grand bélier s'adressa aux moutons d'une voix ferme, sans jamais hausser le ton.

— Poussez.

D'un commun effort, les ovinés poussèrent sur le monstre lacustre et réussirent à le déplacer sur une distance d'environ un mètre. Ils se replacèrent.

— Encore.

Ils répétèrent la procédure plus de cent fois. Dès qu'un mouton se trouvait à bout de force, il s'en trouvait toujours un nouveau qui attendait derrière le grand bélier pour remplacer son confrère. Au bout d'une heure, alors que le soleil commençait à se détacher de l'horizon, Ragdanor gisait sous les buissons, partiellement protégé de la lumière du jour et du regard des curieux. Le grand bélier fit demi-tour. Sans se presser, il se dirigea vers son pré, de l'autre côté de la colline. Tous les membres du troupeau l'imitèrent.

Les premières lueurs de l'aube caressaient la surface de ce plan d'eau que les monstres lacustres appelaient le lac du Silence. Situé à une vingtaine de kilomètres au sud-ouest du lac aux Sombres Collines, il avait été adopté trois siècles auparavant par le vigoureux Korlinoch, jadis un Mentor. Ce lac paisible sis au milieu d'une région sauvage agrémentée de vallons méritait sa réputation de paradis des pêcheurs. Les humains lui avaient donné le nom de lough Auna. Depuis des décennies, on racontait qu'une étrange créature géante hantait ce lieu. Des photos peu révélatrices avaient été prises. Certains avaient esquissé des dessins. Mais rien jusqu'alors n'avait pu constituer une preuve de l'existence du monstre. Pourtant, il y vivait bel et bien depuis le début du XVIIIe siècle.

Quelques semaines plus tôt, on avait introduit un corps étranger dans les profondeurs du lac. Quatre humains vêtus de leurs combinaisons de plongée sous-marine avaient installé une curieuse machine d'environ deux mètres de hauteur dont la forme évoquait plus ou moins celle d'un œuf.

De nature sauvage, Korlinoch le solitaire n'osa pas s'en approcher au début. Mais après l'avoir épié pendant quelques jours, il commença à croire que l'appareil avait été déposé à cet endroit pour l'espionner. Chaque fois que la bête bougeait, l'œuf de métal faisait clignoter une minuscule lumière rouge.

Les monstres lacustres détestent toute forme d'intrusion qu'ils ne comprennent pas. D'ordinaire, ils sont plutôt accueillants, notamment envers les membres de leur espèce qui voyagent dans le vaste réseau de tunnels. Mais devant un engin d'origine inconnue dont la raison d'être apparaît suspecte, ils deviennent intraitables.

Korlinoch fonça sur la sonde et la percuta avec son front. L'appareil s'écrasa dans le fond boueux. Déchaîné, le monstre happa l'énorme objet et réussit à le soulever. Il s'élança vers la surface et fit irruption hors de l'eau en projetant la chose à plusieurs mètres de distance. La machine se fracassa au sol sur un lit de pierres et cessa de clignoter.

26

De ses grands yeux noirs en forme de billes, Korax observait avec anxiété les ombres qui bougeaient de l'autre côté des portes du garage. Le jour s'était levé depuis moins d'une heure. Il se sentait bien seul dans ce lieu insolite. Jamais un membre de sa noble lignée de la Falaise Noire ne s'était retrouvé dans pareil endroit. Pour la première fois de l'histoire de son illustre famille, un messager se voyait retenu prisonnier chez les humains.

Enfermé dans une petite cage de bois grillagée de métal, il était tombé d'épuisement quelques heures plus tôt, réussissant à dormir un peu en dépit de sa douleur à l'aile droite. Cette prison d'un mètre carré avait été déposée sur un établi parmi une multitude d'objets qui lui semblaient horriblement menaçants. Korax avait passé une bonne partie de la nuit à surveiller un vieux silencieux rouillé, croyant qu'il s'agissait d'un serpent de métal s'apprêtant à le dévorer. Des odeurs nauséabondes d'huile à moteur et de gazoline assiégeaient ses narines. «Aboutir dans cette galère puante ne constitue ni plus ni moins que la suite logique des dernières journées», se disait-il.

En effet, les quarante-huit heures qu'il venait de passer avaient été les pires de sa vie. Il avait traversé une tempête, vécu un écrasement, souffert de la faim et rencontré une pie bavarde perfide qui lui avait tendu un piège. Après avoir été sauvé de la mort par la jeune fille aux cheveux pâles et son compagnon corpulent aux cheveux roux, il avait été transporté à bord d'un monstre de métal. Le voyage lui avait semblé interminable. Une fois arrivé à destination, on avait examiné son humérus en soulevant un peu son aile, ce qui, par le fait même, avait provoqué d'atroces douleurs. Korax ne s'était jamais tant débattu et n'avait jamais tant crié. Les deux humains avaient ensuite échangé entre eux des paroles incompréhensibles, puis l'avaient enfermé dans cette prison de bois. La jeune fille aux cheveux pâles lui avait offert un contenant de graines sucrées qu'il n'avait pas osé goûter. Puis, après la tombée du jour, on avait transporté sa niche dans ce lieu sordide. La fille lui avait adressé de douces paroles sans qu'il ait pu en saisir le sens, puis elle l'avait abandonné dans l'obscurité de ce sanctuaire d'objets cauchemardesques. Seule l'épaisse couverture de laine qui recouvrait le fond de ce nid artificiel lui avait apporté un peu de réconfort durant la plus longue nuit de son existence.

Lorsque la grande porte coulissante glissa vers le haut, la bande de lumière qui s'allongeait à sa base s'agrandit progressivement et inonda de clarté l'intérieur de la station-service. Korax plissa les yeux. La jeune fille aux cheveux pâles entra avec fougue et se dirigea vers la cage. Son gros compagnon la suivit, mais il ne manifesta aucun intérêt pour le jeune crave. Il sembla à Korax que la femelle lui répétait les mêmes paroles douces et incompréhensibles que la veille. Ensuite, un échange verbal enthousiasmé survint lorsqu'elle s'empara du contenant de nourriture vide et le montra au géant frisé. Korax avait dévoré le contenu de son bol durant la nuit, tentant de chasser son anxiété grandissante.

« Ne refuse jamais un repas, Korax, même si tu penses mourir dans la minute qui suit. Mange, jeune crave, mange ! Tu réfléchiras mieux et tu voleras plus haut ! » lui répétait jadis son père, perché sur les hauteurs de la Falaise Noire.

Comme elle lui paraissait loin, la falaise de son enfance. Il n'arrivait plus à ressentir la moindre parcelle de cette fierté qui avait rempli tout son être le jour où on lui avait confié cette première mission.

Blotti dans sa couverture de laine, Korax s'efforçait de tout voir et de tout comprendre. Dans les faits, le pauvre crave ne comprenait pas grand-chose de ce qui se passait et ne voyait rien lui permettant de deviner où on l'emmenait. La jeune fille le fixait d'un regard insistant. Derrière sa grosse tête aux cheveux pâles, des branches d'arbres défilaient par la fenêtre arrière de la camionnette. Finalement, le véhicule s'immobilisa et la fille s'empara de la cage pour sortir en hâte, ce qui fit perdre l'équilibre à Korax. Le crave tenta de reprendre pied, mais il fut forcé de s'appuyer sur son aile. La douleur fut insoutenable. Après avoir poussé un millième cri de souffrance, il aperçut à travers le grillage de sa prison une grande maison parée de fleurs. Contrairement à l'endroit qu'il venait de quitter, ce lieu lui parut accueillant. Il aurait tout de même préféré qu'on l'abandonne sur les bords d'une falaise où il aurait pu retrouver le vieux Périmé. Ce dernier aurait su le conseiller à propos de sa blessure. Le simple fait de penser à ce noble crave des falaises de l'Île Verte lui apporta un brin d'espoir. Il se demanda d'ailleurs s'il allait le revoir un jour.

La cacophonie des conversations humaines le ramena à la réalité. Du fond de sa cage, il comprit qu'on le transportait à l'intérieur de cette maison. Son anxiété grandissait à l'idée qu'on allait une fois de plus tripoter son aile blessée. Ce qu'il appréhendait par-dessus tout, c'était de mourir dévoré par les humains. Même s'il n'avait jamais eu l'occasion de les côtoyer durant sa courte vie, il connaissait trop bien leur réputation de gourmands insatiables qui ingurgitent n'importe quoi sans retenue.

27

IRLANDE
XIIIᵉ SIÈCLE

— uel Normand demande à me voir ? s'exclama Cathal en irlandais.

— FitzHerbert, répondit Brogan, debout dans l'ouverture de la tente.

Le colosse avait encore le réflexe de redouter toute visite de la part d'un guerrier normand, surtout en pleine nuit.

— Nous faisons tous partie de la même chasse ! Qu'il entre.

Faute de pouvoir s'exprimer en français, Brogan, d'un signe de la main, indiqua à FitzHerbert qu'il pouvait entrer. Les deux goliaths se croisèrent et se saluèrent discrètement, se considérant avec un respect mutuel. Après tout, le matin même, ils avaient combattu et vaincu ensemble un monstre de lac.

— Approchez, FitzHerbert !

La mine sombre, FitzHerbert s'avança dans la tente sous le regard distrait de l'Irlandais, qui terminait son repas frugal.

— Maître Cathal. Je crois que le seigneur Garrett a perdu la raison.

— Que dites-vous ?

— Il devient fou.

Éduqué par un père qui avait traversé l'Europe durant la troisième croisade, Cathal O'Corrigan maîtrisait assez bien le latin et le français pour communiquer avec son interlocuteur.

— Fou ? Mais il me semblait très sain d'esprit il y a quelques heures à peine.

— Je l'ai surpris en train de contempler le cristal magique. Le regard perdu, il se parlait à lui-même en prononçant des paroles qui n'avaient point de sens. Il s'est même exprimé dans votre langue, du moins je le crois.

— Un simple songe peut-être ?

— Non. Ce n'était pas un songe. Garrett tenait le cristal à bout de bras et, ma foi, il m'a semblé lever de terre, comme si l'objet le tirait vers le haut. Je n'avais jamais rien vu de tel. Ses yeux grands ouverts, l'air hagard, il fixait la pierre. On aurait dit qu'il était ensorcelé. Il est resté là, devant moi, sans jamais me voir, comme suspendu à ce cristal qui produisait une sorte de sifflement. Puis, tout a pris fin d'un coup. Il s'est écroulé pour se relever aussitôt, titubant. Je l'ai interpellé. Il m'a jeté un regard vide. Je ne le reconnaissais plus. Puis, il m'a tourné le dos et s'est accroupi en serrant l'objet maudit contre lui.

Bouche bée, Cathal abandonna son écuelle et s'empressa de suivre FitzHerbert.

Les deux hommes traversèrent le campement installé en bordure du lough Derg. En cette heure tardive, des guerriers conversaient à voix basse autour des quelques feux qui brûlaient çà et là. La collaboration entre Irlandais et Normands s'était déroulée sans heurt durant la mise à mort de la créature. Sous la direction conjointe de Garrett et de Cathal, les hommes des deux nations avaient mené une chasse parfaite. Mais la barrière linguistique qui séparait les deux groupes freinait encore toute démonstration de camaraderie. Ainsi, le campement se trouvait divisé en deux sections, une normande et l'autre irlandaise.

Les membres de la communauté monastique du lough Derg, pour leur part, s'étaient portés volontaires pour achever le dépeçage de l'énorme bête. Ils avaient ainsi découpé le monstre en pièces en conservant la peau et la tête. Le cou et les ailerons gisaient à proximité du lac, abandonnés aux charognards qui se gavaient depuis des heures.

FitzHerbert entrouvrit la toile et jeta un coup d'œil à l'intérieur de la tente de Garrett.

— Personne.

Tout semblait normal. On apercevait l'armure du chevalier normand, sa cotte de mailles et sa longue lance, rangés avec soin. Les deux hommes entrèrent. Cathal examina l'ébauche d'une carte géographique indiquant un lac qu'il ne reconnaissait pas.

— Il ne doit pas être bien loin, déclara-t-il.

— Peut-être. Mais il n'a pas touché à son repas. Il m'inquiète, ajouta FitzHerbert.

Les deux guerriers sortirent de la tente, cherchant des yeux le chevalier FitzWilliam. Soudain, d'un geste vif, l'Irlandais indiqua les rives du lac. Garrett y déambulait le long de la plage, à l'écart du campement.

Le jeune Vangor s'arrêta brusquement de nager. De ses yeux perçants, il aperçut à la surface la silhouette du guerrier humain qui marchait le long de la berge. Il le reconnut immédiatement, ou plutôt, il reconnut ses vibrations. C'était lui qui avait porté le coup fatal en enfonçant un objet long et pointu dans la gueule de sa mère. Jeune monstre lacustre mâle, Vangor n'avait pas cent ans. Près de huit siècles le séparaient du jour où il s'attaquerait à Mhorag par une nuit de tempête. Fils unique de Gordhal le borgne et de Gornyvane, il était né dans ce lough que les créatures appelaient le lac des Pèlerins. Son père ayant quitté le lac pour se joindre à des Mentors et sa mère maintenant morte, il se retrouvait seul en cet antre aquatique qui appartenait à sa lignée depuis des millénaires.

Le même jour, à l'aube, il avait désobéi à Gornyvane qui lui avait demandé de l'attendre dans les profondeurs du lac. Attirée vers le rivage par une lueur envoûtante, Gornyvane était tombée dans un piège. Vangor l'avait suivie quand même, tout en gardant une bonne distance. Rien ne l'avait préparé au drame qui allait se dérouler devant ses yeux. Sa mère avait été immobilisée par d'énormes filets alors que des centaines de flèches s'abattaient sur elle. Des hommes par dizaines la frappaient de toutes parts. Après que Gornyvane eut poussé son dernier souffle, le grand guerrier avait retiré sa lance de sa gorge et les hommes avaient hissé son corps inerte sur la rive.

Le matin suivant, Vangor avait fait surface pour apercevoir la carcasse démembrée de Gornyvane, abandonnée près de l'eau. Le choc avait été terrible. La gardienne du lac des Pèlerins ne méritait pas de mourir ainsi. De plus, son corps aurait dû être transporté dans la chambre de cristal afin qu'il sombre dans les profondeurs insondables, comme cela avait été le cas pour tous ses ancêtres. Mais il était trop tard. Vangor n'avait pu sauver sa mère. Et maintenant qu'elle était morte, il lui était impossible d'honorer sa mémoire comme le dictait la tradition.

Vangor aperçut soudain la silhouette de deux humains qui s'approchaient du grand guerrier sur la rive. Malgré la pénombre, il craignait d'être vu et se retira donc vers le fond du lac.

— La mort de mon père a été vengée grâce à ce cristal. L'aumônier Cormac avait raison. Cette pierre possède un pouvoir inouï, affirma Garrett.

— C'est ce que je crains! lança FitzHerbert.

— Tu parles d'un pouvoir autre que celui d'attirer les monstres? demanda Cathal.

— Oui. J'ai suivi les consignes de Cormac. La nuit venue, j'ai fait briller l'objet à la lumière de la pleine lune pendant un long moment, puis je me suis isolé dans ma tente. Les yeux fermés, j'ai serré la pierre de toutes mes forces entre mes deux mains. Au bout d'un moment, le cristal s'est mis à résonner d'un bourdonnement sourd. J'ai alors soulevé l'objet et je l'ai fixé. Je me suis mis à prononcer des paroles incompréhensibles. Soudain, j'ai senti que tout mon être s'élevait. Survinrent tout à coup d'intenses visions d'une clarté à couper le souffle. Mon esprit a été transporté à des lieues d'ici. Je me suis introduit dans le monde des créatures lacustres. Je les ai vues. Je les ai senties et j'ai pu deviner l'emplacement de leurs lacs. En l'espace d'un instant, j'ai traversé des contrées et sillonné les abîmes des lacs d'Irlande et d'Écosse, où se réfugient parfois deux de ces sournoises créatures.

En dépit du scepticisme de FitzHerbert, Cathal ne pouvait s'empêcher d'éprouver de la fascination pour les propos de Garrett, qui lui semblait d'ailleurs en pleine possession de ses moyens.

— Quelle est ton intention, Garrett ?

— Les restes de la créature du lough Derg ne suffiront pas à confectionner assez de carapaces de cuir pour tous nos hommes. N'oublie pas, Cathal, nos territoires sont constamment menacés. De plus, des milliers de fidèles se joindront à la cinquième croisade pour Jérusalem, comme nos pères l'ont fait jadis. Des survêtements en peau de monstres les protégeraient des flèches de l'ennemi et leur redonneraient confiance en eux. Si nous contribuons à la victoire des croisés, nous ne serons plus jamais dans le besoin.

— Crois-tu fermement aux vertus protectrices de ces carapaces ?

— N'ai-je pas survécu à l'assaut du vieux Prendergast sans la moindre égratignure ?

Cathal ne trouva rien à répondre.

— Le cristal pourra nous guider vers l'antre d'un autre monstre, ajouta Garrett.

— Seigneur Garrett, le moment est peut-être venu de vous reposer un peu, intervint FitzHerbert.

— Bien au contraire, le moment est venu pour nous de gagner l'ouest de l'île. Une nouvelle chasse nous y attend.

— Comment peux-tu en être certain ? demanda Cathal.

— Je n'attendais que toi pour confirmer l'endroit exact où aura lieu notre prochaine chasse. Tu connais mieux que moi cette région. Les repères que j'ai vus en songe te seront sûrement familiers. J'ai tracé l'ébauche d'une carte. Quelque part au sud-ouest se trouve un lac qui nous attend. Venez !

Garrett prit les devants et se dirigea en hâte vers sa tente, suivi des deux guerriers.

Le soleil brillait avec intensité à la surface. Les chasseurs de monstres avaient quitté la région quelques heures plus tôt, à l'aube. Vangor erra quelque temps dans les profondeurs de son lac. Chaque roche, chaque crevasse, chaque tronc d'arbre submergé lui rappelaient sa mère. Il se sentait beaucoup trop jeune pour hériter d'un tel plan d'eau. L'idée de fuir lui traversa l'esprit, mais il n'avait pas le courage de s'aventurer dans l'interminable dédale de tunnels. Il devait se résigner à rester. Son cœur souffrait, mais c'est cette souffrance qui lui donna une idée. Pour les monstres lacustres, le prestige du lac des Pèlerins était dû au fait qu'il donnait accès à une magnifique chambre de cristal. La dimension de cette grotte n'égalait certes pas celle du loch Ness, mais elle avait tout de même attiré par le passé de nombreuses créatures qui cherchaient à y guérir leurs plaies. De son vivant, Gornyvane avait toujours interdit à son fils d'accéder à la fameuse grotte. Il était encore trop jeune. Mais Gornyvane n'était plus.

Vangor mit peu de temps à trouver l'accès au tunnel qui menait à la chambre. Il y plongea sans hésiter.

Lorsqu'il fit surface au milieu de ce temple naturel, l'aspect irréel du lieu lui coupa le souffle. Il flottait au centre d'un bassin situé à la base d'une grotte circulaire qui faisait plus de dix mètres de hauteur. Les parois étaient couvertes d'une myriade de cristaux lumineux. Seule une brèche d'une largeur d'un demi-mètre ponctuait le sommet et laissait entrer quelques rayons de soleil. En se basant sur le trajet parcouru dans le tunnel qui reliait la chambre à son lac, Vangor jugea que cet endroit devait se trouver quelque part sous le flanc d'une des montagnes avoisinantes.

Le jeune monstre savait que les réflexions du soleil sur les cristaux pouvaient apporter la guérison à n'importe quelle sorte de blessure. Même les pires afflictions de l'âme s'en trouvaient soulagées. Il était aussi conscient du fait que des expositions répétées à ces réflexions solaires procuraient aux créatures lacustres le pouvoir du souffle guérisseur. Il ferma les yeux et espéra que le miracle s'opère.

Au moment où le soleil atteignit son zénith, la luminosité des cristaux décupla. Vangor se sentit enveloppé d'une puissante source de chaleur. Un grondement paisible se fit entendre, comme si les innombrables pierres vibraient avec la lumière du jour. La manifestation ne dura que quelques minutes, et malgré tout le soulagement que put en tirer le géant, la haine qu'il ressentait pour l'humain qui avait tué sa mère ne cessait de grandir.

Le jeune Vangor passa les trois mois suivants dans la solitude de son antre aquatique. L'âme tourmentée, il visita la chambre de cristal à plusieurs reprises et profita de l'illumination des cristaux aux rayons de la pleine lune pour faire voyager son esprit au-delà des côtes de l'Île Verte.

Dans les profondeurs d'un lac d'Écosse, Gordhal le borgne entendit les lamentations de son fils. Il voyagea par les tunnels et rejoignit Vangor pour l'emmener au loin.

Jamais plus ce lac ne fut occupé par un autre monstre lacustre.

28

— Tiens-le bien, Molly, dit doucement Viviane.

Penchée au-dessus d'une vieille table en merisier, l'air concentré, Molly immobilisait Korax de ses deux mains. Elle sentait les battements de son petit cœur, alors que le pauvre oiseau mordillait son poignet sans lui infliger la moindre douleur. Debout près de la table, Jet promenait son regard entre l'animal et la charmante zoologiste qui finissait de découper une longue bande de gaze.

Moins d'une demi-heure plus tôt, tandis qu'elle se dirigeait vers la salle à manger, Viviane avait aperçu ce magnifique bipède blessé qu'on transportait à l'intérieur de l'auberge. La mère de Jet n'avait pas eu besoin d'insister pour que la jeune femme se porte à son secours. Avec l'aide de Nora, elle avait transformé cette petite pièce adjacente à la cuisine en infirmerie pour craves éclopés.

— On va maintenant soulever son aile, expliqua Viviane à voix basse tout en effectuant la délicate opération.

Viviane commença à envelopper l'aile droite avec le bandage. Les quelques réactions saccadées de l'animal ne gênaient pas sa concentration. Elle n'était pas insensible, simplement déterminée. Elle avait attaché ses longs cheveux noirs, dégageant ainsi son visage aux traits délicats. Au fond de ses grands yeux bruns et de son regard soutenu se cachait une certaine tristesse. Elle réprima un sourire en songeant au fait que le copropriétaire de l'auberge était, comme elle, originaire de Montréal. Le hasard avait voulu que ce gîte, situé dans un des coins les plus reculés de l'ouest de l'Irlande, appartienne à un compatriote. Ce dernier en avait d'ailleurs profité pour lui parler – en français – de ses découvertes généalogiques. Viviane en connaissait assez peu sur les origines irlandaises de sa famille établie en Amérique du Nord depuis plus d'un siècle. Elle avait appris que son nom de famille, Bourke, était de souche normande et qu'au Moyen Âge on disait «de Burgo». À écouter Philippe, qui semblait capable de nommer un à un ses ancêtres jusqu'au début de l'humanité, elle se sentait un peu ignorante.

— Est-ce que c'est vrai? demanda Molly en s'adressant à Jet, question de l'extirper de son état contemplatif à l'égard de Viviane.

Jet leva les yeux, n'ayant aucune idée de ce dont elle pouvait bien parler.

— Votre auberge est à vendre?

Les yeux du garçon s'agrandirent d'un coup.

— À vendre? Non! Pourquoi?

Le crave tourna la tête et dévisagea Jet, comme s'il comprenait son étonnement.

Viviane écoutait la conversation tout en poursuivant sa minutieuse tâche. «Il y a sûrement du vrai dans ce qu'annonce Molly. Toutes les chambres sont inoccupées, sauf la mienne», songea-t-elle.

Elle se pencha sur le crave et lui parla à voix basse.

— C'est presque terminé, mon gros.

Korax n'osa plus bouger.

— C'est ton oncle Harold qui a dit à mon père que vous seriez obligés de vendre l'auberge à cause de toutes les dettes accumulées, ajouta Molly.

— Harold, ce n'est pas mon oncle. Harold, c'est mon grand-oncle.

Totalement dépassé, c'est tout ce que Jet trouva à répondre.

— En tout cas, ce serait triste de vous voir partir. Je l'aime, votre auberge. Mon père l'aime aussi. Puis ton oncle Harold est comique.

— Il n'est pas du tout question de partir.

— Mon père ne me mentirait pas, Jet. Demande à tes parents. Tu vas voir.

Jet était atterré. Il se sentit trahi, comme un prince qui apprenait de la bouche d'un étranger que son château ne lui appartenait plus.

Viviane fixa l'extrémité du bandage.

— Et voilà. Notre petit patient est sauvé.

Elle prit l'oiseau des mains de Molly et le déposa soigneusement dans sa cage de bois.

— D'ici une semaine ou deux, il devrait pouvoir voler de nouveau.

Korax reconnut immédiatement l'épaisse couverture de laine. Au bout du compte, il y avait eu plus de peur que de mal. Jamais il n'aurait cru qu'il en viendrait à éprouver de la joie à se retrouver dans cette boîte. Mais il devait se rendre à l'évidence. C'est tout ce qu'il lui restait au monde. Tournant un peu sur lui-même, il tenta vainement de s'habituer à cette camisole de force.

« Molly ! » fit une lourde voix provenant de l'extérieur.

— Il faut que je parte, s'exclama la jeune fille, reconnaissant la voix de son père. Elle s'accroupit un moment pour observer le blessé.

— Il va guérir, Molly, tu vas voir, lui dit Viviane d'un ton rassurant. Je vais rester ici encore quelques jours, si les parents de Jet sont d'accord, je pourrai veiller sur lui et m'assurer qu'il va bien.

— Je vais demander à mon père qu'il m'emmène ici tous les jours. Tu vas en prendre soin, toi aussi, Jet ?

Encore sous le choc, Jet fit signe que oui.

— Promis?

— Promis, lâcha-t-il sans conviction.

« Molly! » répéta Joe Flynn.

— Merci, Viviane! Bye, Jet! dit-elle en quittant la pièce en courant.

Le son de ses pas martelant le vieux plancher de bois diminua à mesure qu'elle s'éloignait. Le battement de la porte arrière se fit entendre, suivi du murmure produit par les voix de son père, de Philippe et d'Harold, qui discutaient.

Rangeant sa trousse de premiers soins, Viviane remarqua la déconfiture de Jet.

— Ça va, jeune homme?

Jet hocha la tête.

Toute la grâce et la beauté de Viviane ne suffisaient pas à lui faire oublier cette révélation inattendue. Si elle s'avérait fondée, il réalisait soudain qu'il manquerait de temps. Il ne voulait pas quitter ce lieu. Il aimait cette auberge, cette région, mais surtout, il voulait à tout prix revoir la créature.

— Il faut vraiment que je parte, moi aussi. On se reverra peut-être au lac, ajouta la jeune femme en se dirigeant vers la porte.

Jet esquissa un sourire timide.

Quand Viviane fut partie, Jet resta seul un moment, sans trop savoir où aller. Puis, il se laissa tomber dans une vieille chaise de jardin qui trônait au milieu de cette salle de débarras.

Korax se sentait un peu ridicule avec ce bandage tout blanc qui contrastait avec son manteau d'un noir profond. Cependant, le fait qu'on l'avait justement enveloppé de gaze lui permettait d'espérer qu'il n'allait pas être dévoré dans les prochaines heures. Il se redressa sur ses pattes, tentant de maintenir la posture la plus noble possible.

— Tu dois me laisser partir, dit-il en s'adressant à Jet, qui était perdu dans ses pensées.

Il n'en aurait pas fallu beaucoup plus pour que la mâchoire de Jet tombe jusqu'au sol tellement il était surpris. Il quitta sa chaise et s'approcha de la cage.

— Tu peux parler, toi aussi ?

Le crave hocha de la tête, faisant signe que oui.

— Je suis devenu fou.

Le crave hocha de nouveau de la tête, faisant signe que non.

— Comment t'appelles-tu ? demanda-t-il.

— Jet.

— Jet ? Bizarre, comme nom. Je suis Korax de la Falaise Noire. Très peu d'humains possèdent le don de saisir le langage des craves et des corbeaux. Mon père m'avait prévenu : seuls quelques rares élus ont hérité de cette faculté. Les autres n'y entendent absolument rien.

— J'ai déjà entendu les corbeaux parler.

— Ah ! Ceux-là ! Ils disent n'importe quoi. Il ne faut surtout pas les écouter.

— Ils ont mentionné le nom de famille de ma mère. Ils parlent de malédiction et d'une Mhorag.

Le regard du crave s'illumina.

— Mhorag, as-tu dit ?

Jet acquiesça.

— L'as-tu vue ? As-tu vu Mhorag ?

— Je ne sais pas. J'ai vu une créature géante qui marchait dans la brume. Un monstre de lac. Mais je ne crois pas que c'était celle qu'on appelle Mhorag.

— À quel endroit as-tu aperçu cette créature ?

— À Doo lough.

— Doo quoi ?

— C'est un lac près d'ici.

— Jet, il faut à tout prix que tu me laisses partir. Je suis Korax de la Falaise Noire. Je suis un messager de la Doyenne de Ness. Je dois retrouver celle qu'on appelle Mhorag. Tu comprends ? Je dois lui parler. C'est ma mission.

Jet éprouvait certaines difficultés à comprendre les propos de cet oiseau. « Falaise Noire », « Doyenne de Ness », tout ça l'amenait à croire qu'il était en train de perdre la raison. Il observa ce singulier bipède en tentant de composer avec l'avalanche de pensées contradictoires qui l'assaillaient.

— Tu ne peux pas partir d'ici. Ton aile est blessée.

— Ça n'a aucune importance. Il faut que je trouve la créature de lac. Tu dois me libérer. Je t'en supplie.

— Tu connais d'autres monstres de lac ?

— Bien sûr que oui. Celle qui m'a envoyé en mission est une noble créature lacustre. C'est la Doyenne d'un lac immense. Elle possède une grande sagesse. Mais pour ce qui est de Mhorag, je ne l'ai vue qu'une seule fois et de très loin.

Jet hésita un moment puis, sans mot dire, il commença à défaire les liens qui maintenaient close la porte de la cage. Soudain, il s'arrêta au milieu de son opération.

— Non.

— Comment, non ? demanda Korax.

— Je ne peux pas, répondit le garçon en verrouillant de nouveau la porte.

— Mais bien sûr que tu peux. Je ne suis qu'un pauvre crave inutile et blessé qui ne te servirait à rien. Tu ne peux même pas me manger. Je suis bourré de terribles maladies. Tu aurais avantage à te débarrasser de moi au plus vite.

— J'ai promis, dit Jet en se relevant.

— Tu as promis quoi ?

— J'ai promis à Molly de veiller sur toi.

— Mais c'est très bien! La meilleure façon de veiller sur moi, c'est de me libérer.

— Je n'ai pas le droit. Tu ne m'appartiens pas. Tu appartiens à Molly. Il faut que je lui parle.

— Je n'appartiens à personne! J'appartiens à la Falaise Noire! J'appartiens à la plus longue lignée de messagers de la Grande Île! Je suis Korax le quarante-huitième. Je dois poursuivre ma mission. Au nom de la Doyenne de Ness, laisse-moi sortir!

Jet quitta la pièce en courant à toutes jambes. Sortant à pleine vitesse de l'auberge, il espérait intercepter Molly avant qu'elle reparte avec son père. Mais il était trop tard. Le camion de Joe Flynn se trouvait déjà loin.

Soudain, un grondement inhabituel se fit entendre. Les branches d'arbres se mirent à onduler sous l'effet d'une violente rafale. Jet leva les yeux et aperçut au-dessus de la résidence un hélicoptère blanc rayé de noir qui se dirigeait vers la rivière. L'appareil se posa à moins d'un mètre de la berge. Portant son sac à dos, Viviane courut dans sa direction. Elle pataugea dans l'eau peu profonde et grimpa sur un des flotteurs. Un membre de l'équipage lui tendit la main et l'aida à grimper à bord. L'appareil décolla presque aussitôt pour se diriger vers le sud.

29

IRLANDE
XIIIᵉ SIÈCLE

 homas de Courcy poussa un soupir de soulagement
dès qu'il vit les murs du château FitzWilliam. L'odeur
fétide qui se dégageait des restes du monstre lacustre
l'avait rendu malade. Durant son périple par-delà les chemins et
sentiers du nord de l'Irlande, il n'avait cessé de se demander s'il
allait survivre à cette puanteur. Aucun brigand n'osa d'ailleurs les
attaquer.

Une semaine plus tôt, Garrett FitzWilliam avait désigné dix
de ses hommes pour transporter la créature en pièces découpées
jusqu'à son domaine. Thomas avait hérité de la commande de ce
détachement. De plus, il devait remettre une missive à la dame du
château en personne. Il venait d'avoir vingt et un ans et s'était joint
avec enthousiasme à cette entreprise de chasse aux monstres.
Comme plusieurs de ses confrères d'origine normande, il avait
quitté sa famille quelques années plus tôt pour tenter l'aventure
en terres irlandaises. On l'avait prévenu que les combats seraient
fréquents, mais il était loin de se douter qu'il allait transporter des
carcasses de monstres mythiques.

Se couvrant le nez et la bouche, le père Cormac courut à la
rencontre des hommes, accompagné par des gardes qui assuraient
sa protection.

— Dieu vous bénisse, messires! déclara-t-il.

— Merci, mon père, nous en avons grand besoin.

— Je vois que la chasse a porté ses fruits.

— Une heure de plus et ce monstre faisait de nous des cadavres.

— Ce ne sera pas le cas, heureusement. Suivez-moi, nous vous fournirons des vêtements frais.

Le convoi se dirigea vers la forteresse où l'on allait disposer de la carcasse. La simple idée de ne plus avoir à transporter cet animal en décomposition soulagea les guerriers.

La grande salle du château était presque déserte en ce début d'après-midi de juillet. Même s'il portait de nouveaux vêtements, Thomas de Courcy n'arrivait pas à se débarrasser complètement de l'odeur infecte. Il s'efforça de se tenir le plus droit possible, espérant se donner un air digne afin de faire oublier la puanteur. Missive en main, il cherchait du regard quelqu'un qui le guiderait jusqu'à la dame du château. Une jeune fille traversa en hâte la grande pièce vers les cuisines.

— Damoiselle!

Catherine continua son chemin sans tenir compte de lui.

— Damoiselle!

— Toutes mes excuses. Je ne croyais pas que vous vous adressiez à moi, dit-elle en s'approchant du charmant guerrier. Elle ne put toutefois s'empêcher de froncer les sourcils en détectant l'odeur particulière qu'il dégageait.

— Je suis porteur d'une missive de la plus haute importance pour dame Derdriu.

— Donnez-la-moi et je ne manquerai pas de la lui remettre.

— J'ai le devoir de la livrer à la dame du château en personne.

— Comme vous l'entendez.

Catherine s'empressa de traverser la salle pour en sortir à l'extrémité opposée.

Plusieurs minutes s'écoulèrent avant que Derdriu se présente au jeune homme. Thomas l'avait rencontrée à quelques reprises.

Il se souvenait de l'époque où il croyait que toutes les Irlandaises étaient des femmes laides et ignares, vivant dans des chaumières crasseuses. Mais en voyant Derdriu pour la première fois, ses préjugés s'étaient évaporés d'un coup. Presque aussi grande que Garrett, avec ses yeux verts perçants, son visage d'une grande beauté et son sens de la répartie en irlandais comme en français, elle avait envoûté le jeune Normand. Chaque fois qu'il l'avait rencontrée depuis, Thomas avait toujours fait de son mieux pour lui soutirer un sourire.

Dès qu'il l'aperçut à l'autre bout de la salle se dirigeant vers lui, il la reconnut. La même chevelure noire abondante, la même grâce, mais il détecta dans son regard quelque chose de sombre. Depuis qu'elle assumait seule la gouvernance du domaine, le fardeau des jours avait eu raison de sa bonne humeur habituelle.

— Messire de Courcy, si ma mémoire est bonne...

— Dame Derdriu, répondit-il en la saluant.

Silencieuse, elle porta son regard sur l'enveloppe que tenait Thomas. Manifestement, elle n'était pas disposée à converser.

— De la part du seigneur Garrett, s'empressa-t-il d'ajouter en lui tendant le pli.

— Merci, jeune homme.

Derdriu fixa l'enveloppe, comme si elle tentait d'en deviner le contenu. Thomas attendait qu'elle lui donne congé.

— Comment se porte-t-il?

— Le seigneur Garrett? La dernière fois que je l'ai vu, il allait fort bien.

— Et cette chasse?

— Ce fut un vif succès, dame Derdriu. Un triomphe! Le vieux William a été vengé! Quand nous l'avons quitté, le seigneur Garrett débordait d'énergie. Tous les lacs d'Irlande l'attendaient pour de nouvelles chasses.

Derdriu aurait souhaité entendre le contraire. Elle le savait maintenant obsédé par une quête qui n'aurait jamais de fin.

La fenêtre du corridor laissait encore entrer suffisamment de lumière pour permettre au moins une autre heure de lecture. Nollaig abandonna tout de même le volume qu'il s'efforçait de déchiffrer et s'aventura dans l'escalier. En aboutissant dans la cour intérieure, il comprit que quelque chose d'inhabituel se déroulait. La présence d'un groupe de moines cisterciens venus de l'abbaye de Saint-Cuthbert, située non loin du château, attira son attention. Nollaig traversa la cour et s'introduisit dans le lieu de culte. Il prit alors conscience de la foudroyante transformation de la chapelle. Ce lieu voué au recueillement était métamorphosé en une véritable usine. Un gigantesque bac de bois rempli d'un liquide brunâtre en ébullition occupait tout l'espace central de la nef. Il s'en dégageait une odeur indescriptible, étouffante. Une douzaine de moines s'occupaient à attiser le feu, à remplir le contenant ou à brasser le liquide avec de longues rames. Le père Cormac se pencha pour lui parler.

— Fascinant, ne trouves-tu pas, Nollaig ?

Il acquiesça.

— C'est ici que tout commence, jeune homme. Aujourd'hui, nous avons l'honneur de recevoir ton auguste visite. Mais demain, ce seront les princes et les rois qui viendront contempler ce prodige. Viens.

Cormac entraîna Nollaig à proximité du bac. La chaleur accablante le fit cligner des yeux et reculer.

— Regarde, Nollaig. Pour être en mesure de découper une peau de créature lacustre, il faut la faire tremper dans l'eau bouillante pendant plus de dix heures. Dix heures, tu t'imagines ? Par la suite, quelques minutes seulement suffiront pour procéder au découpage. Il faudra alors faire retremper les pièces pour pouvoir les coudre.

Nollaig avait entendu parler de ces fameuses vestes en peau de monstre qui rendaient les hommes pratiquement invincibles. Mais jamais il n'aurait cru que leur confection nécessitait une telle entreprise. Il se pencha davantage au-dessus du contenant, espérant y apercevoir une partie de la bête. Les moines se mirent à brasser le liquide avec plus d'ardeur. Soudain, la tête du monstre surgit de la vapeur. En découvrant sa bouche grande ouverte, ses nombreuses dents bien en vue et ses yeux hagards qui semblaient le fixer, Nollaig comprit à l'instant pourquoi son père avait fait tant de cauchemars.

Saisi de peur, il fut pris d'une nausée et n'eut ni le temps ni la force de fuir la chapelle pour régurgiter son repas du midi.

Cormac eut la bonté d'interrompre ses activités et de l'accompagner dans la cour intérieure afin qu'il respire l'air frais.

Au fil du temps, l'aumônier MacNamara avait développé une affection sincère pour Nollaig. Il le trouvait curieux, vif d'esprit, appliqué. S'il se laissait facilement distraire, le jeune garçon ne manquait jamais à ses obligations scolaires.

En dépit de son intégration complète au sein de la culture normande, Cormac était très conscient de son héritage irlandais. Il s'était donc donné pour mission de transmettre à son jeune protégé l'ancienne culture des druides qui disparaissait graduellement d'Irlande à la suite des nombreuses invasions étrangères.

Ils s'assirent sur un banc de bois qui faisait face à l'édifice principal.

— Je vous prie de m'excuser, mon père.

— Je ne vois aucune raison qui vous obligerait à vous excuser. La peur peut provoquer d'intenses réactions. Ce que nous faisons subir à ces créatures n'est ni plus ni moins brutal que le traitement réservé aux agneaux, aux porcs, aux poulets et aux vaches. Les hommes ont pour rôle de veiller à l'harmonie du monde du mieux qu'ils le peuvent. Cette harmonie a un prix. Qui sait, peut-être un jour devrons-nous répondre de ces innombrables actes de cruauté devant le Tout-Puissant. D'ici là, la divine Providence nous ordonne de servir notre royaume en usant sagement des trésors cachés qui se présentent à nous.

Nollaig resta muet pendant un moment. Son visage couvert de sueur froide était encore pâle. Cormac lui épongea le front de sa large manche.

— Il y a de cela très longtemps, alors que j'étais un novice guère plus âgé que vous, des soldats prirent d'assaut le monastère où j'habitais. Ils tuèrent plus de la moitié des moines et saccagèrent tout le bâtiment. Mon estomac avait rejeté tout ce que j'avais avalé.

— Qui étaient ces attaquants ? demanda le garçon.

Cormac hésita.

— Des Normands.

— Comme mon père ?

— Très juste. Mais votre père a aussi du sang gallois, que je sache.

— Vous devez les détester.

— J'aurais tort. C'est lors de ce massacre que j'ai rencontré mon maître à penser, qui eut pitié de moi et me prit sous son aile en tant qu'apprenti.

Cormac porta ses grands yeux ronds sur la tour de Garrett, dont l'ombre couvrait presque entièrement la cour.

— Allez, jeune maître, faites un effort. Il vous reste encore de longues minutes d'ensoleillement pour terminer votre lecture. Je vais vous préparer un remontant pour vos viscères affaiblis.

Derdriu souleva l'écuelle en bois qui traînait sur la table de travail de Nollaig. Elle en renifla le contenu restant, tentant de son mieux d'identifier cette odeur de plante qui lui était familière.

— La mélisse, dame Derdriu, dit Cormac depuis le sommet de la cage de l'escalier.

Derdriu sursauta.

— Mes excuses, gente dame, je ne voulais pas vous effrayer.

— Je vous croyais occupé à besogner dans votre chapelle fumante.

Elle ne put s'empêcher d'évoquer la transformation de la chapelle qui lui déplaisait terriblement, mais que Garrett avait approuvée par missive.

— Je veillais au bien-être de votre fils.

— A-t-il été victime d'un malaise? lança-t-elle, inquiète.

— Une simple nausée. Mais il va beaucoup mieux. Cette potion lui a d'ailleurs fait grand bien.

— J'ignorais que vous connaissiez les secrets des plantes, père Cormac.

— J'ai étudié à fond la sagesse des anciens. La mélisse est une plante couramment utilisée pour apaiser les étourdissements.

— Je sais. Je suis fille d'un chef irlandais, qui insista toute sa vie pour que ses enfants profitent de l'enseignement des druides.

— Noble chef qu'était votre père. Cet héritage ancestral se perd, mais j'insiste pour que Nollaig en connaisse les principaux rudiments.

Malgré l'aversion qu'elle ressentait à l'égard du père Cormac, Derdriu sentit qu'il venait de marquer un point, ce qui d'ailleurs ne manqua pas de la contrarier. Elle savait que Garrett n'était guère initié aux sciences des plantes et de la nature en général.

La culture celtique de sa tendre jeunesse se ravivait soudain dans les propos de ce singulier prêtre qui s'exprimait à merveille dans sa langue maternelle.

— Veillez à ce qu'il poursuive cet apprentissage, père Cormac.

Il s'inclina.

— Y a-t-il une potion que je pourrais vous servir afin d'apaiser vos tourments, dame Derdriu ?

Elle trouva la question plutôt inusitée et fit signe que non en esquissant un sourire timide.

Alors qu'elle gravissait les escaliers obscurs qui menaient à ses appartements, Derdriu se sentit horriblement seule. Le territoire de ses ancêtres lui manquait, ainsi que l'entourage de sa famille, de ses frères et de ses nombreux cousins et cousines irlandais. Elle les savait tout près, à moins de deux kilomètres, sur les terres O'Corrigan. Mais en cette période trouble, les murs de pierre de ce grand château fortifié lui donnaient l'impression d'habiter un pays lointain. Un monde la séparait de son passé. Même si son frère Padraig lui rendait fréquemment visite et la distrayait en lui racontant des épisodes de son séjour en Écosse, rien ne réussissait à combler le vide créé par l'absence de Garrett. Elle songea alors à prendre congé de ses responsabilités pour effectuer une courte sortie chez Brigide, sa belle-sœur. Sa présence lui apporterait réconfort.

Quand elle entra dans la chambre principale au sommet de la tour, elle aperçut la missive de son bien-aimé sur le lit. Elle l'avait lue plus de cent fois déjà.

Elle en avait d'ailleurs deviné le contenu avant même de l'ouvrir. Elle savait maintenant que son amour s'apprêtait à gagner un lac situé quelque part dans l'ouest de l'île. Elle devinait qu'il aurait pu s'arrêter, chemin faisant, pour un bref séjour au château, puisque celui-ci se trouvait presque sur sa route, mais l'urgence de la chasse le poussait à continuer sa mission. Rien dans les douces paroles qu'il lui avait rédigées n'avait réussi à apaiser son malaise. Elle songea à le rejoindre pour le dissuader de continuer. Mais elle savait trop bien que ce serait peine perdue. De plus, ses responsabilités seigneuriales ne lui permettaient plus de telles libertés.

Elle maudit secrètement ce pèlerinage au lough Derg avec le vieux William.

30

L'hélicoptère filait au-dessus de la région du Connemara, située dans l'ouest de l'Irlande. Cet appareil biturbine, à la fine pointe de la technologie, avait été nommé *Balbuzard II* en référence à l'oiseau de proie à la vue perçante. Il transportait l'équipe de tournage à laquelle s'était jointe Viviane Bourke.

Si d'ordinaire les projets de recherche en cryptozoologie – c'est-à-dire l'étude de l'existence d'espèces animales inconnues officiellement par la zoologie – attiraient peu d'investisseurs, cette entreprise bénéficiait d'un budget astronomique et de ressources technologiques et humaines hors du commun. L'aventure, financée par un consortium d'entrepreneurs américains, français, canadiens et japonais, avait pour but de faire la lumière, une fois pour toutes, sur le mystère des grands monstres aquatiques. On avait donc fait appel à un cinéaste réputé pour réaliser un documentaire ambitieux qui capterait dans ses moindres détails ce singulier projet. Le but ultime : enregistrer des images d'un monstre lacustre vivant dans son milieu naturel et, si possible, filmer sa capture afin que son existence soit révélée à la planète.

Installé à la droite d'Elaine McMorris – l'exceptionnelle pilote issue de l'armée irlandaise –, le zoologiste et cinéaste français Bernard de Nantes scrutait le paysage verdoyant qui défilait par la fenêtre.

Jusqu'ici, le tournage de son documentaire ne se déroulait pas comme il l'aurait souhaité. Après seize mois de préparation et d'exploration, pas le moindre monstre lacustre ou serpent de mer n'apparaissait sur la pellicule. C'était d'ailleurs avec réticence qu'il avait accepté d'entreprendre ce «projet de fous». Sa propre compagnie de production s'écroulait sous les dettes à la suite du lamentable échec financier de son dernier film. La firme OZU – créée de toutes pièces par le consortium – lui avait offert un contrat en or. Certes, il ne tirait pas toutes les ficelles de l'expédition comme il en avait l'habitude, et il devait consentir à des tonnes de compromis sur le contenu. En revanche, cette curieuse aventure chez les monstres aquatiques lui permettait de renflouer ses coffres. De plus, la perspective de filmer une créature mythique le fascinait.

À ce jour, les sondes installées dans les lacs d'Écosse et d'Irlande avaient eu des problèmes informatiques ou étaient restées muettes, ne détectant que poissons, loutres et épaves. L'insatisfaction se lisait sur le visage du cinéaste. Malgré sa patience proverbiale, de Nantes commençait à s'inquiéter, voire à perdre la foi dans cette entreprise insensée. Toutefois, en ce début de journée ensoleillée, une lueur d'espoir se pointait à l'horizon. Dans le cours de la nuit précédente, la sonde située dans les eaux du lough Auna avait subi un choc terrible avant de suspendre toute communication. Tout portait à croire qu'un phénomène inusité avait eu lieu.

Assise derrière, Viviane admirait le paysage parsemé de montagnes dénudées, de murets de pierre, de rivières et de lacs.

Deux ans déjà s'étaient écoulés depuis le début de sa participation au projet. Son stage à l'aquarium d'Osaka de même que ses travaux de recherche sur les espèces en voie de disparition dans le fleuve Saint-Laurent avaient attiré l'attention des dirigeants de la firme. Elle n'avait que trente ans et savait fort bien qu'un poste de consultante en zoologie sur un projet d'une telle envergure internationale constituait une chance extraordinaire. Cependant, elle avait toujours l'impression que certains aspects de cette entreprise lui échappaient. La détermination à peine voilée de la part des dirigeants de l'équipe scientifique à capturer un monstre lacustre lui semblait paradoxale. «Si la bête existe, ne serait-il pas préférable de la laisser évoluer dans son milieu naturel?» se demandait-elle. Elle avait même appris qu'un aquarium spécialement conçu pour accueillir un géant des lacs était déjà en construction à New York.

Viviane jeta un œil à sa gauche. Ryu Ishii, la coordonnatrice en chef de l'expédition, avait les yeux rivés sur son portable depuis que l'appareil avait décollé. Cette Japonaise de trente-trois ans agissait comme agent de liaison entre la firme qui chapeautait l'aspect scientifique de la mission et les gens sur le terrain. Viviane admirait sa capacité phénoménale de concentration. Toute menue fût-elle, elle projetait une indéniable autorité. Elle était diplomate, courtoise, infatigable, et rien ne lui échappait.

Installés à l'arrière de l'appareil, le caméraman, Hervé Jouvet, et le preneur de son, Flavien Duvivier, enregistraient tout. Ils accompagnaient de Nantes sur tous ses projets depuis plus de quinze ans.

— Là! Je la vois! s'écria le cinéaste.

À peine avait-il désigné l'objet bleu gisant en bordure du lough Auna que McMorris se prépara à atterrir.

Le *Balbuzard II* s'était posé au bord du lac. Son design aérodynamique détonnait au milieu du paysage rural.

Les pieds dans la boue, les membres de l'équipe examinaient la sonde écrasée à proximité d'une nappe de pierres. De profondes marques s'alignant le long de sa surface métallique s'agençaient dans la forme d'une mâchoire aux proportions démesurées.

— Il n'y a rien de connu dans la région qui pourrait causer une morsure de cette taille, lança Viviane, penchée sur l'appareil de forme ovale.

— Encore moins projeter l'engin à cinq mètres de la berge, ajouta de Nantes.

En l'espace de quelques minutes, cinéaste, caméraman et preneur de son avaient revêtu leurs combinaisons sous-marines afin de capter sur pellicule le monde secret de ce lac. Ils auraient normalement demandé à Viviane qu'elle se joigne à eux, mais ils préféraient qu'elle demeure sur la rive afin de noter toute activité faunique qui sortirait de l'ordinaire. De plus, Viviane se porta volontaire pour manipuler une caméra secondaire qui enregistrerait des images depuis la surface.

De longues minutes s'écoulèrent. Les trois hommes allaient-ils enfin réussir à filmer une créature insolite ? Viviane avait pris ses distances par rapport à l'hélicoptère et au reste de l'équipe. Après avoir fixé la caméra vidéo sur un trépied, elle scruta ce lac d'une grande quiétude. La possibilité de se retrouver en pleine nature constituait l'aspect de son travail qui lui plaisait le plus.

La première tâche qu'on lui avait assignée pour le projet lui revint à l'esprit. Elle avait hérité de la charge colossale de cataloguer et de retranscrire l'énorme travail de recherche effectué par des spécialistes qui avaient exploré des dizaines de lacs d'Europe pendant plus de quatre ans. Sous la supervision d'Akira Matsumo, le biologiste en chef de la firme, Viviane avait passé plus de cinq mois – principalement au Japon – à organiser cette montagne de données compilées en anglais, en japonais et en français. Découragée au début, elle avait songé à démissionner avant de se rendre compte de l'importance primordiale de ce qu'elle faisait.

D'abord, ce labeur de moine lui avait permis d'assimiler un impressionnant bagage d'informations sur le sujet. En plus des nombreuses légendes folkloriques qu'elle avait apprises, elle connaissait par cœur le nom et l'emplacement de tous les plans d'eau soupçonnés d'abriter une créature géante, de l'Irlande à la Russie, et de la Turquie à l'Islande. Elle avait parcouru tous les dossiers, photos, dessins et témoignages qui se rapportaient aux monstres aquatiques. Elle s'était même entretenue avec le célèbre professeur Archibald McNicol de l'Université de Dublin, grand amateur de monstres lacustres, que plusieurs croyaient complètement sénile.

C'était donc grâce à son travail et à ses recommandations qu'on avait établi un itinéraire d'exploration. Le projet du cinéaste Bernard de Nantes portait, en un premier temps, sur les monstres lacustres et les serpents de mer du continent européen. Selon les connaissances de Viviane, le fameux lough Auna constituait un incontournable du monde de la cryptozoologie. Pourtant, en cette paisible matinée, il lui semblait presque inconcevable qu'une créature apparemment si imposante puisse évoluer dans ces eaux sans jamais être vue.

Songeant à ses multiples lectures sur le sujet, elle se souvint tout à coup d'une légende racontant comment, au Moyen Âge, un valeureux chevalier normand avait mis en pièces un dragon qui vivait dans la région. Le récit faisait d'ailleurs mention du silence inhabituel qui régna en ce lieu durant les siècles qui suivirent.

31

IRLANDE
XIIIe SIÈCLE

 arrett fixait la surface du lac, indifférent à la pluie fine qui tombait depuis quelques jours. Il attendait que la créature se manifeste. Plus de vingt jours s'étaient écoulés depuis qu'il avait fait briller le cristal dans les eaux de ce lough du Connemara. Il plongea de nouveau l'objet et attendit. Rien. L'absence de soleil le rendait moins brillant et son pouvoir d'attraction s'en trouvait ainsi diminué. Un calme plat régnait. Garrett avait pourtant la certitude que ce lac abritait un monstre.

L'interminable attente eut pour effet d'atténuer chez les guerriers l'exaltation de la première chasse. Seul Garrett passait la majeure partie de son temps à épier la surface du lac. Cathal et FitzHerbert se joignaient à lui de temps à autre, mais il refusait d'entendre quiconque lui suggérer de changer d'endroit ou d'abandonner.

Dépêchés par l'aumônier Cormac, des moines de l'abbaye de Saint-Cuthbert, sous la protection du jeune Thomas de Courcy, avaient effectué le voyage depuis le château FitzWilliam pour assister au prodige du cristal, mais aussi, et surtout, pour livrer quelques vestes confectionnées avec la peau du monstre du lough Derg.

— Allez! Frappe-moi! s'écria Cathal en irlandais.
— Tu es fou? Je pourrais te fendre en deux. Jamais! répondit Brogan, le colosse.

— Et si je te l'ordonne ?

— Eh bien, je dis que tes ordres sont de la démence ! On ne frappe pas un chef de clan sans raison !

Convaincu des vertus prodigieuses du survêtement, Cathal voulait tout de même le tester. Il demandait à Brogan de le frapper avec sa hache de guerre. Un attroupement de guerriers irlandais et normands assistait à cet échange singulier.

— Frappe !

— Non !

— Qu'un Normand le frappe ! cria un Irlandais.

— Aucun d'eux n'osera. Ils ont tous peur de nous ! ajouta un autre en riant.

— Nous n'avons peur de rien ni de personne ! lança Fitz-Herbert, qui commençait à comprendre certaines subtilités de la langue irlandaise.

— Prouvez-le ! renchérit dans un français convenable un autre Irlandais.

FitzHerbert ne se fit pas prier et asséna un solide coup de poing au visage du jeune guerrier. Une échauffourée s'ensuivit.

Brogan finit par s'en prendre à FitzHerbert. Le chaos s'installa.

— Assez ! J'ai dit assez ! ordonna Cathal, tout en tirant quelques-uns de ses hommes hors du combat.

Le chef de clan réussit à obtenir l'attention des guerriers.

— Y en a-t-il un parmi vous, Irlandais ou Normand, qui aura le courage de me frapper dans le ventre avec cette hache, ou suis-je au milieu d'une bande de fillettes pleurnichardes ?

Personne n'osa bouger ni dire quoi que ce soit.

FitzHerbert s'avança enfin et prit la hache des mains de Cathal. Brogan le rejoignit et mit la main sur le manche de l'arme.

— Cathal est mon chef. Je ne le laisserai pas se faire tuer par un Normand, dit-il en irlandais.

N'ayant pas trop bien compris le propos de son homologue, FitzHerbert lui céda quand même la place. Il avait perçu l'insistance de son interlocuteur.

Cathal se plaça droit devant son compagnon d'armes et indiqua son propre abdomen.

— Allez! Frappe!

Brogan hésitait encore.

— Frappe!

Le colosse brandissait la hache, mais il n'osait pas avancer. Les yeux des guerriers étaient rivés sur cette scène irréelle. FitzHerbert s'en mordait les lèvres.

— Frappe, gros lâche!

Hurlant comme un déchaîné, Brogan ferma les yeux et frappa de toutes ses forces son chef sur le côté du ventre. Cathal poussa lui aussi un cri et recula d'un pas sous la force de l'impact. Le manche de la hache se brisa au même instant et la lame rebondit dans la direction opposée. Sous le choc, le chef irlandais demeura immobile, les yeux hagards, la bouche à demi ouverte. Un lourd silence régna. Brogan s'approcha de Cathal et passa la main devant ses yeux. Rien. Le chef perdit l'équilibre et s'effondra dans les bras du colosse.

— Cathal! Cathal!

Se redressant tout à coup, Cathal éclata d'un rire moqueur, imité par tous les guerriers. Il souffrait à peine d'une contusion sur le flanc. On n'y trouvait pas la moindre trace de sang et le vêtement était intact. L'émerveillement fit rapidement place aux rires de soulagement et aux blagues. La pluie venait de cesser et le soleil se manifestait enfin. Soudain, les guerriers irlandais comme normands se turent en apercevant Garrett qui les observait en silence. Il prononça les trois mots tant attendus.

— Il est ici.

Les guerriers des deux camps s'activèrent aussitôt. Filets, lances, épées, haches et couteaux furent rassemblés en un rien de temps. Le détachement armé courut ensuite vers la berge pour une nouvelle chasse au monstre. Le cristal fut de nouveau plongé dans l'eau du lac.

Cathal admirait l'ardeur avec laquelle ses hommes et ceux de Garrett avaient répondu au signal de l'arrivée de la bête. Il est vrai que certains croyaient le chevalier FitzWilliam exalté, voire fou. Mais aucun n'avait oublié qu'après le succès de la fameuse chasse du lough Derg, Garrett avait exprimé sa gratitude envers tous les guerriers – normands et irlandais – sans la moindre trace de favoritisme.

Si son charisme et son énergie avaient confondu les sceptiques, c'est le peuple irlandais qui contribua de façon inattendue à générer le plus d'enthousiasme parmi les chasseurs de monstres.

Durant le long trajet qui séparait le lough Derg de ce petit lac du Connemara, nombreux furent ceux qui appréhendèrent la réaction des chefs de clans locaux. Le simple fait que des guerriers irlandais et normands marcheraient ensemble sur leurs terres semblait impensable. Mais à leur grande surprise, les hommes de Cathal et de Garrett firent l'objet d'une véritable adulation.

Les peuples de la vieille Irlande se souvenaient d'une légende racontant que saint Patrick lui-même, sept siècles auparavant, avait banni la créature du lough Derg, la condamnant à rester tapie à jamais dans les profondeurs du lac. Voilà que de braves chasseurs avaient uni leurs efforts pour affronter le dragon maudit afin de l'anéantir une fois pour toutes.

On récitait des poèmes en leur honneur. On évoquait la lumière d'un prodigieux cristal qui surpassait la magie des druides. On vénérait ces hommes, non comme des guerriers triomphants, mais bien comme des héros mythiques.

Avec les moines de Saint-Cuthbert comme témoins, la jeune créature de ce paisible lac du Connemara fut mise en pièces. Quand on retira le cadavre de l'eau, un silence de mort s'installa dans les environs. Aucun oiseau ne chanta pendant de nombreuses années.

La réputation de Garrett, « le tueur de monstres », et de ses intrépides guerriers allait maintenant surpasser celle de son père et s'étendre bien au-delà des frontières du nord-ouest de l'Irlande.

Plus de cinq siècles s'écouleraient avant qu'un valeureux Mentor du nom de Korlinoch, voyageant par les tunnels de l'ouest de l'Île Verte, aboutisse dans ce lac endormi pour en prendre possession.

En cet après-midi du 30 août 1217, du haut de la tour de Garrett, Derdriu aperçut le convoi monastique qui approchait du château avec à sa tête la jeune Thomas de Courcy. Les moines transportaient les restes de la créature lacustre du Connemara, alors que de Courcy agissait encore à titre de messager.

Derdriu allait apprendre par missive que Garrett et ses guerriers s'apprêtaient à gagner le sud de l'Irlande, où une autre chasse les attendait. Garrett lui promettait d'être de retour le 25 décembre, jour du neuvième anniversaire de leur fils.

Elle peinait à le croire.

32

— Es-tu en colère contre Molly? demanda le docteur Skreb avec son accent croate.

Jet réfléchit un moment.

— Non.

— Tu es bien certain qu'elle n'a rien fait qui aurait pu te blesser?

Jet fit signe que non en hochant la tête.

— Dis-moi, dans ce cas, qu'est-ce qui t'a motivé ce matin à remettre son oiseau en liberté?

Jet hésita de nouveau. S'il avait soulevé ce sujet délicat avec le docteur Skreb, c'est qu'il avait l'intention d'en parler à un adulte qui, faute de le croire, l'écouterait sans le juger.

— Tu voulais peut-être attirer l'attention de cette biologiste, cette Myriam, c'est ça?

— Viviane.

— Viviane. Tu m'as bien dit qu'elle était, selon toi, la plus belle femme de la terre.

Jet fit signe que non en rougissant.

— Comment, non? C'est bien ce que tu m'as dit et il n'y a rien de mal à cela, d'ailleurs.

— Ce n'est pas pour ça.

— Dans ce cas, tentons de trouver ensemble. Tu m'as dit que la petite Molly était partie et que l'oiseau ne pouvait pas voler à cause du bandage que Viviane lui avait fait. Ensuite, tu es retourné le voir et tu t'es dit: «Je vais le laisser seul, sans défense

dans la nature.» Il nous manque quelque chose, ne crois-tu pas?
Ta mère t'avait-elle grondé juste avant, à cause de ton escapade
de la veille? Tes parents s'étaient-ils querellés?

— Ils n'ont plus d'argent et ils veulent vendre l'auberge, lança
Jet.

— Ah! Et ils t'ont annoncé la nouvelle ce matin.

— Non. Ils ne me l'ont pas encore dit.

— Comment l'as-tu appris?

— Par Molly. Elle a entendu son père en parler à mon
grand-oncle.

— Et elle t'en a glissé un mot.

— Ce matin, dans la remise, quand on soignait l'oiseau.

— Tiens, tiens.

— Mais je ne suis pas en colère contre elle.

— Tu as pourtant libéré son pauvre oiseau.

— C'est lui qui me l'a demandé.

— Qui, lui?

— Korax.

— C'est le nom de l'oiseau?

Jet fit signe que oui.

Skreb ressentit une pointe de déception. Une piste révélatrice
s'était ouverte avec les tensions parentales, les propos de Molly,
les problèmes financiers. Mais voilà que Jet replongeait dans ses
fabulations. Les idées se bousculaient dans sa tête. Il savait que
le jeune garçon avait été abandonné durant sa petite enfance et
qu'on ne connaissait rien de ses parents biologiques. Selon Nora,
on avait tout raconté à Jet trois ans plus tôt et il n'en avait jamais
fait un cas. D'ailleurs, Skreb ne croyait pas que cet aspect de
son passé était à l'origine de ses inventions. Il décida donc de
confronter son jeune patient dans ses visions.

— Et comment parle un oiseau?

— Comme vous et moi.

— Tu sais, l'ossature et les composantes musculaires d'un bec d'oiseau ne lui permettraient pas de parler comme nous.

— Korax m'a dit que je faisais partie des rares humains qui peuvent communiquer avec eux. Les autres n'y comprennent rien. J'ai aussi entendu des corbeaux qui mentionnaient le nom de famille de ma mère. Et Korax cherche Mhorag !

— Et qui est Mhorag ?

— Un monstre de lac, mais différent de celui que j'ai vu.

— Dans tes rêves ?

— Non. J'étais avec mon grand-oncle. La camionnette était en panne. Il y avait une super brume. Je me suis éloigné et j'ai rencontré le monstre. Il était énorme, avec un long cou. Et je l'ai reconnu. Chaque fois que je rêve, c'est exactement comme si j'étais lui. Comme si j'étais ce monstre. Je dois faire les mêmes rêves que lui.

— Ton grand-oncle n'était pas avec toi ?

— Non, mais je lui ai tout raconté.

— Et la région se trouvait couverte d'une brume très épaisse...

— Oui, mais quand il a surgi du brouillard, il se tenait juste devant moi. J'aurais pu le toucher. Je jure que c'est vrai. Il y a un monstre dans ce lac !

Skreb prit quelques notes. Il constatait que les discussions sur le quotidien du jeune garçon ne menaient à rien. Tant que Jet s'entêterait à défendre la véracité de ses visions et de ses rêves, il continuerait de tourner en rond. Il s'apprêtait à adopter une nouvelle méthode de travail.

— Vous ne me croyez pas.

— Je crois que tu es sincère. En d'autres termes, je crois que toi, tu y crois.

— Mais vous ne croyez pas que ce que je dis est vrai ?

— Ça n'a pas d'importance.

— Pourquoi?

— Je ne suis pas ici pour savoir s'il y a un monstre ou non dans ton lac ou si les oiseaux peuvent parler. Je suis ici pour découvrir avec toi les raisons qui font en sorte que tu vois les choses que tu vois et que tu fais les rêves que tu fais.

— Mais je les vois parce qu'elles sont là. Le monstre et les oiseaux existent.

— Tu sais, Jet, parfois notre perception des choses nous joue des tours.

Jet ne trouva rien à dire. Il aurait voulu convaincre Skreb qu'il n'était pas fou.

— Et si c'était votre perception à vous qui vous jouait des tours? lança-t-il, sans trop se rendre compte de son impertinence.

Korax avait marché sans arrêt pendant plus d'une heure, direction nord. Avec l'énergie du désespoir, il avait traversé rivières, chemins et broussailles pour atteindre les berges du lac aux Sombres Collines. Il y régnait un calme plat en cet après-midi étouffant de juin. Le bandage de Viviane enveloppait toujours son aile droite, mais comme il l'avait heurtée plus de cent fois durant son trajet, elle le faisait terriblement souffrir.

Fébrile, tendu, fatigué, il examina la surface du lough. Rien ne semblait lui indiquer qu'une créature lacustre y résidait.

— Perdu?

Il fit volte-face, s'en voulant de ne pas avoir entendu arriver cet intrus. À quelques mètres derrière lui, un imposant bélier le fixait.

— Perdu, moi? Pas du tout.

— D'où viennent les humains qui t'ont soigné?

Korax chercha du regard la direction de l'auberge et se trouva momentanément désorienté.

— Par là, je crois. Non, par là.

— Perdu. C'est ce que je croyais. Je ne peux rien pour toi.

Sur ce, il s'apprêta à partir.

— Je cherche Mhorag!

Le bélier s'arrêta soudain.

— Elle n'est pas ici, répondit-il, sans regarder Korax.

— On dit qu'une créature des lacs a été vue, en ce lieu, il n'y a pas deux jours.

Le bélier hésita un moment, puis se retourna pour examiner Korax attentivement. Il se décida enfin à parler.

— Suis-moi.

Le bélier guida Korax jusqu'à l'extrémité nord du lac. Ils bifurquèrent ensuite vers l'est pour s'aventurer dans une série de vallons qu'ils gravirent et dévalèrent pendant une quinzaine de minutes. À la grande joie du crave, le mouton s'immobilisa enfin au sommet d'un monticule. Il indiqua à Korax les buissons sauvages situés quelques mètres plus bas.

Korax aperçut alors, dissimulée sous les branches, une imposante créature aquatique allongée et immobile. Bouche bée, il ne remarqua même pas que son guide avait déjà fait demi-tour pour reprendre son chemin vers le sud. Le crave dévala la pente et se précipita vers l'animal. Il constata que sa peau marbrée de vert avait perdu tout son lustre et commençait à se fendiller. Korax s'approcha de son énorme tête et s'arrêta devant sa bouche mi-ouverte qui laissait pendre une grosse langue desséchée. Le monstre respirait encore, mais faiblement.

Le crave ne perdit pas une seconde. Il étira le cou et happa une branche d'arbuste. La secouant de toutes ses forces, il réussit à la sectionner. Il quitta alors l'endroit en courant aussi vite que possible. La branche bien serrée dans son bec, il atteignit le bord du lac après de longues minutes de course effrénée. Il trempa vigoureusement les feuilles dans l'eau fraîche, puis retourna auprès de la créature avec la même ardeur.

Korax badigeonna la langue desséchée de la créature avec les feuilles humides. « Ce ne sera pas suffisant, mais c'est un début », pensa-t-il. Il attendit ensuite quelques secondes, craignant que son traitement ne fasse aucun effet. Mais à son grand bonheur, la langue de Ragdanor bougea légèrement.

Il reprit aussitôt le chemin du lac au pas de course, en transportant sa branche providentielle.

33

— Pourquoi ne m'avez-vous rien dit ? demanda Jet.

— Je voulais attendre avant de t'en parler, répondit Nora.

La voiture approchait de Doo lough. Fidèle à son habitude, Jet était resté plutôt silencieux après sa séance avec le docteur Skreb. Toutefois, sachant qu'il allait bientôt arriver à la maison, il n'avait pas pu résister à la tentation d'aborder le sujet de la vente de l'auberge.

— Attendre quoi ?

— Attendre que les choses s'arrangent un peu.

— Est-ce que ça s'arrange un peu ?

— Non.

— C'est à cause de la fosse septique ?

— Oui et non. Ça n'a pas aidé. Mais il y a aussi tout le reste.

— Tout le reste ?

— Tu nous as souvent entendus parler du manque de clients. Il y a trop d'auberges dans la région et surtout trop de nouveaux gros hôtels qui attirent des tas de visiteurs avec leurs belles publicités, leurs gymnases, leurs piscines intérieures.

— Pourrons-nous continuer à vivre ici quand même ?

— Je ne pense pas, répondit-elle en baissant le ton.

Nora tentait d'envisager la situation sous un jour favorable, mais la perspective de quitter la région l'attristait tout autant que Jet. Le regard du jeune garçon fut soudain attiré par un oiseau qui traversa le chemin en courant devant la voiture. Il étira le cou pour suivre des yeux le trajet du bipède. Avant qu'il s'enfonce dans les hautes herbes, il constata que l'animal transportait dans son bec une branche de feuillu et que son aile droite était enveloppée. « Korax s'est rendu jusqu'ici ! » songea Jet. Ses préoccupations liées au déménagement disparurent aussitôt. Il était curieux de savoir ce que le singulier crave pouvait bien faire avec cette branche.

Quand l'automobile s'immobilisa devant l'auberge, Jet eut une vision d'horreur : Molly qui trépignait de joie, les yeux rivés sur lui. En visite avec son père, elle brûlait d'impatience de prendre en photo son bel oiseau blessé. De toute évidence, personne n'avait encore réalisé que la cage était vide. Ils allaient tous s'en rendre compte en même temps.

Jet savait qu'il était cuit. Il lui fallait trouver une solution.

Mandrigane orienta son vol vers le nord en suivant à haute altitude le cours de la petite rivière. Le couple de mouettes rieuses qui l'accompagnait observait le paysage en se demandant quelle surprise la pie bavarde leur réservait. Non loin derrière, un goéland argenté mâle se donnait un air désintéressé, même si au fond il mourait d'envie d'en savoir davantage. Mandrigane leur avait promis le festin du siècle. Une proie hors du commun dont ils allaient se souvenir pour le reste de leur vie. Ils s'étaient donné rendez-vous quelques instants plus tôt sur une grève rocailleuse, en bordure d'un bras de mer que les humains appelaient Killary Harbour. Elle les avait étourdies par ses propos, puis avait pris son envol en les invitant à la suivre. Moins de six kilomètres séparaient le bras de mer du lac aux Sombres Collines. Quand ils se posèrent sur une berge à l'extrémité sud du plan d'eau, le soleil brillait de mille feux.

— Alors, où se trouve-t-elle, cette surprise ? demanda la mouette rieuse femelle.

— Ce n'est pas dans ce lac que nous allons pêcher grand-chose d'exceptionnel, ajouta son partenaire mâle.

D'ordinaire volubile, Mandrigane ne répondit rien. Elle observait le ciel. Debout, à l'écart, le goéland argenté l'imita sans mot dire.

— J'aimerais te prévenir, Mandrigane : tu le regretteras, si tu te moques de nous, lança la mouette femelle.

— Il manque encore quelqu'un, répondit Mandrigane.

— Je crois qu'il arrive, risqua le goéland, les yeux fixés vers l'ouest.

Survolant les collines occidentales, un vautour fauve amorçait sa descente vers eux. À mesure qu'il approchait, les quatre oiseaux réalisaient à quel point l'envergure du rapace était impressionnante. Ses ailes déployées s'étendaient sur plus de deux mètres et produisirent un coup de vent au moment où il les agita pour se poser devant la pie bavarde. Les vautours fauves au plumage brunâtre et à la tête blanche se faisaient rares en cette région. Leur simple présence imposait le respect. Mandrigane s'apprêtait à accomplir un coup de maître. Si elle réussissait à gagner son estime, tous les bipèdes du secteur la traiteraient avec révérence.

Le vautour fixa Mandrigane de son regard perçant.

— Alors ?

— C'est tout près d'ici.

— Et les autres ?

— Ils sont avec nous. Je t'avais prévenu que nous ne serions pas seuls. Mais je t'assure que ça en vaut la peine.

— C'est ce que nous verrons.

Sans perdre un instant. Mandrigane prit son envol vers le nord avec sa suite.

— Peux-tu m'entendre ? Je suis Korax ! Je suis un crave de la Falaise Noire !

Rien.

Le crave reprit sa branche et frotta légèrement les paupières de Ragdanor. Il lui faudrait bientôt retourner au lac pour l'imbiber de nouveau.

— Si tu m'entends, essaie d'ouvrir les yeux !

Korax attendit un long moment, puis le jeune monstre souleva légèrement une paupière. À cet instant même, le crave aperçut cinq oiseaux qui survolèrent à haute altitude le secteur avant de plonger dans sa direction. Il crut reconnaître Mandrigane aux côtés d'un imposant vautour fauve. Sans perdre une seconde, il abandonna sa branche et s'enfonça dans le buisson.

Mandrigane, les mouettes rieuses, le goéland argenté et le vautour se posèrent à quelques pas du buisson.

De sa cachette, Korax étira le cou pour pouvoir les épier.

Le vautour prit les devants, ébahi par ce qu'il voyait.

— Attends ! s'écria Mandrigane.

Le rapace s'arrêta, mais sans détacher son regard de l'énorme créature. Les becs grands ouverts et les yeux écarquillés de stupéfaction, les mouettes et le goéland observaient le pauvre monstre.

— Vous devez d'abord tenir promesse et prêter serment, comme convenu !

— D'où sort ce serpent de mer ? demanda le vautour.

— Du lac aux Sombres Collines.

— Un serpent de mer dans un lac ? s'étonna une des mouettes.

— Je crois que c'est un mélange de serpent de mer et de monstre de lac. Regardez sa tête, précisa Mandrigane.

— Jamais rien vu de pareil, ajouta le goéland.

— Comment l'as-tu fait sortir de son antre ? s'enquit à nouveau le vautour.

— C'est mon secret. Le serment, maintenant ! Répétez après moi : « Je jure sur la tête des membres de ma communauté et sur mon nid que je me souviendrai pour toujours du festin de Mandrigane et que moi et mes semblables lui serons redevables à jamais. »

C'était là une bien grande promesse à tenir pour des oiseaux qui se disputaient âprement leurs victuailles sur une base quotidienne. Mais l'ampleur d'une telle découverte et l'abondance qu'elle représentait pour tous les becs à nourrir au sein des innombrables nids de la région motivèrent les quatre charognards à se prononcer sans hésiter.

— Fort bien. Maintenant, il est à vous ! déclara Mandrigane.

Les charognards s'approchèrent de Ragdanor, le vautour en tête du groupe. Celui-ci s'arrêta soudain et fixa son regard perçant sur les buissons.

— On nous épie, lança-t-il.

— Vraiment ? répondit la pie bavarde, qui fonça en direction de la cachette du crave.

Korax n'eut d'autre choix que de bondir hors des buissons et de prendre la fuite vers les hautes herbes.

— Kourvax ! s'écria Mandrigane, qui se demandait comment le jeune crave avait bien pu aboutir en ce lieu.

— Un crave ! Ici ? Ça n'indique rien de bon. Est-ce là encore une de tes fourberies, Mandrigane ? s'indigna le goéland argenté.

— Pas du tout. C'est un pauvre messager égaré. Vous n'avez rien à craindre de lui. Régalez-vous, mes amis !

34

— Comment ? Tu as libéré mon oiseau ? Mais pourquoi ?

— Parce qu'il me l'a demandé !

— Qui ?

— L'oiseau ! Korax ! Je suis un des rares humains à maîtriser le langage des corbeaux et des craves ! Je les entends partout.

— Mais pourquoi me racontes-tu de pareilles histoires ? Tu m'avais promis d'en prendre soin !

— Tu dois me croire, Molly. Ton oiseau cherche un monstre de lac. Et je sais qu'il y en a un qui vit ici. Je l'ai vu. C'est une bête énorme. Tu l'as toi-même entendue crier l'autre nuit.

Complètement dépassée, Molly regardait Jet et ressentait un mélange de colère, de tristesse et d'incompréhension.

Quelques minutes plus tôt, en sortant de la voiture avec sa mère, Jet avait entraîné Molly vers la route, lui promettant une surprise. Elle avait d'abord insisté pour voir son crave, mais Jet avait fait la sourde oreille, puis avait saisi la main de Molly pour qu'elle le suive jusqu'au lac. Jamais il n'aurait cru qu'il commettrait un jour un tel geste.

Maintenant qu'ils étaient presque arrivés à Doo lough, la jeune fille refusait de faire un pas de plus.

— Suis-moi, Molly. Je suis certain qu'on va retrouver ton oiseau. Je l'ai aperçu sur la route, à l'autre bout du lac.

Jet avança, mais Molly resta sur place.

— Tu avais promis !

— Pardonne-moi, mais je n'avais pas le choix. Je te jure qu'on peut le retrouver. Viens !

Jet poursuivit son chemin. La moue triste et le regard sombre, Molly lui emboîta le pas à contrecœur.

Korax filait à vive allure parmi les hautes herbes. Il trébuchait, heurtait son aile blessée, se cognait le bec sur des troncs d'arbres, mais il continuait malgré tout sa course folle sans trop savoir où elle le mènerait. Il cherchait de l'aide. Il croyait pouvoir retrouver l'imposant bélier et le supplier de se porter au secours de la pauvre créature qui allait servir de repas à une bande de charognards.

Surgissant des herbages, il tentait d'atteindre le bord du lac quand une voix féminine retentit dans le silence des montagnes.

— Il est là ! C'est lui !

Molly venait d'apercevoir son oiseau.

— Korax ! s'écria Jet, qui accourut le premier.

Le front de Ragdanor se plissa de douleur alors que le vautour s'acharnait à perforer son abdomen de son puissant bec crochu. Tentant de l'imiter, les mouettes rieuses cherchaient une partie plus facile à transpercer.

Le goéland, pour sa part, abandonna le ventre du monstre et rejoignit Mandrigane tout près de l'énorme tête chevaline. La pie bavarde comprit aussitôt ce qu'il désirait.

— Après vous, lui dit-elle.

Le goéland la remercia d'un geste discret, puis s'apprêta à plonger son grand bec jaune et recourbé dans un des yeux de la créature. De tels organes, énormes et juteux, constituaient un véritable festin de roi. Il se les gardait pour lui seul, refusant même de les partager avec ses semblables qui l'attendaient sur une falaise. Mais avant qu'il ait eu le temps de porter son premier coup, un gros caillou vola au-dessus de sa tête pour s'écraser dans les buissons.

— Allez-vous-en! Partez d'ici!

Criant à tue-tête, Jet et Molly fonçaient sur les agresseurs en leur lançant des pierres.

— Partez d'ici, malotrus! ajouta Korax, que Molly tenait maintenant sous un bras.

Les charognards furent forcés d'abandonner momentanément leur proie, tout en demeurant à proximité.

Jet poursuivit le combat, mitraillant les oiseaux avec tous les cailloux, branches et autres objets qu'il pouvait ramasser. On s'attaquait à son monstre. Sa réplique était impitoyable.

— Partez d'ici, bande de lâches!

Les oiseaux poussèrent des cris et reculèrent davantage. Mandrigane, pour sa part, quitta le groupe et se dirigea vers Molly en s'adressant à Korax.

— Tu paieras pour cet affront, minable crave!

Korax ne trouva rien à dire. Molly fit quelques pas en direction de la pie bavarde, qui s'envola aussitôt.

Les autres charognards prirent la fuite pour se poser sur les branches d'un chêne, situé à une trentaine de mètres du buisson. Jet continua de les attaquer. Il courut jusqu'à l'arbre et leur lança des projectiles, forçant les malfaiteurs à s'envoler de nouveau.

Molly, pour sa part, déposa Korax, qui courut vers Ragdanor. Pendant un moment, elle observa à distance le géant avec un mélange d'étonnement, de pitié et de peur.

Elle n'en était pas à son premier choc de la journée. Quelques minutes plus tôt, elle avait été témoin d'un échange verbal entre Jet et son crave. Au début, elle croyait qu'il se moquait d'elle, mais elle avait dû se rendre à l'évidence. Même si l'oiseau n'avait fait que pousser des cris en guise de réponse aux questions de Jet, il était indéniable qu'ils communiquaient.

Molly rejoignit Jet, qui s'était agenouillé près de la tête du géant pour converser avec Korax.

— Que dit-il? demanda Molly.

— Il dit que le pauvre a besoin d'eau, de beaucoup d'eau. Mais il craint qu'il soit trop tard.

Jet mit sa main devant les narines de Ragdanor.

— Il respire faiblement.

Il passa doucement les doigts sur son museau au cuir rugueux et desséché. Bien qu'il fût inquiet de l'état lamentable de la créature, Jet ne pouvait s'empêcher d'éprouver une certaine joie à pouvoir l'observer de si près et, surtout, à pouvoir la toucher. Il s'imaginait en train de raconter son incroyable aventure devant les élèves de sa classe, photos à l'appui. On cesserait enfin de rire de lui et de ses rêves de monstres.

Les paupières de Ragdanor tremblèrent et s'entrouvrirent avec peine. Le jeune monstre lacustre reconnut alors le garçon qu'il avait rencontré dans les brumes matinales quelques jours auparavant. Contre toute attente, ce jeune humain était venu à sa rescousse. Malgré les nombreuses mises en garde qu'on lui avait faites sur les membres de cette espèce tant redoutée, il se savait maintenant en présence d'un allié sur qui il pouvait compter. Trop faible pour produire le moindre son ou même pour communiquer par télépathie, il perdit à nouveau connaissance.

Pour Jet, le moment d'euphorie fut de courte durée. Après avoir imaginé faire fortune en présentant aux touristes le docile mastodonte du lac, voilà qu'il découvrait celui-ci servant de nourriture aux oiseaux de la région.

Pendant que Jet et Korax réfléchissaient, Molly photographia la créature avec son petit appareil.

— Mon père a un tout-terrain, tu sais. Il pourrait le tirer jusqu'à son lac.

Jet releva la tête. Il y avait encore de l'espoir. Il se redressa avec une énergie nouvelle, conscient plus que jamais qu'il devait agir vite, très vite.

Jet dévala les collines à toute vitesse. Il n'avait jamais couru aussi vite. Les herbages fouettaient ses maigres mollets, tandis que l'air faisait danser ses cheveux en bataille. Il eut beau mettre le pied dans la boue à quelques reprises, trébucher et glisser sur son postérieur en descendant une butte, rien ne le ralentissait. Sautillant comme un cerf, il atteignit le chemin de Doo lough en un temps record, tenant en main l'appareil photo de Molly. Il l'avait convaincue de monter la garde auprès du monstre durant son absence. Elle s'était munie d'une montagne de cailloux au cas où les charognards décidaient de récidiver.

Filant le long de l'étroite route qui longeait le lac, John Émile Talbot courait pour sauver son monstre de la mort. Il courait pour protéger une créature de légende qui dépassait en taille et en intelligence tout ce qu'il avait vu dans sa courte vie. John Émile Talbot courait aussi pour sauver sa famille de la déroute et pour prouver au docteur Skreb que ses rêves n'étaient pas le résultat d'une fabulation d'enfant malheureux.

Quand il arriva à l'auberge, il se précipita vers Harold, qui conversait avec Joe Flynn.

— Tiens, te voilà, toi! Mais où étais-tu passé?

À bout de souffle, Jet n'arrivait pas à prononcer une seule parole.

— Mais d'où cours-tu comme ça ?

— Molly n'est pas avec toi ? demanda Joe.

Jet rassembla ce qui lui restait d'énergie. Il alluma l'appareil numérique et présenta l'écran aux deux adultes.

L'opération de sauvetage dura au total un peu moins de quatre heures. Ce qui avait étonné Jet par-dessus tout, c'était le professionnalisme de son grand-oncle Harold et de Joe, le père de Molly. Une fois l'étonnement de la découverte d'un monstre lacustre passé, les deux hommes avaient consacré chaque seconde de leur temps à s'assurer que l'animal ne fût pas blessé.

Attelé avec soin, Ragdanor fut d'abord tiré sur une courte distance avant qu'on entreprenne de glisser sous son corps une large toile de plastique pour le protéger contre les irrégularités du sol. Puis, à l'aide du puissant treuil installé à l'arrière du tout-terrain, on traîna lentement la créature jusqu'à la berge.

Il fallut par la suite utiliser le pare-chocs avant du véhicule pour le pousser dans l'eau du lac. À ce moment précis, tous croyaient qu'il était mort. Mais après quelques minutes d'immersion partielle, ses nageoires latérales se mirent à bouger. Il roula sur lui-même et se mit à flotter, puis laissa couler son corps mou.

À la surprise générale, il ressortit la tête. Ragdanor fixa alors son regard sur Jet et s'inclina légèrement en signe de reconnaissance. Il disparut ensuite dans les profondeurs de son antre aquatique.

Jet, Molly, Harold et Joe observèrent le lac jusqu'à ce que le soleil soit sur le point de se coucher. Ragdanor n'était pas réapparu.

Contre son gré, Molly abandonna Korax sur la berge. Selon Jet, c'était ce qu'il désirait. La nature ferait son œuvre pour assurer la guérison de son aile atrophiée.

Le tout-terrain reprit la route de Doo lough. Plus jamais les quatre humains à bord ne regarderaient ce lac de la même façon.

Korax flâna quelques instants sur le bord du lac, espérant revoir le jeune monstre. Le disque solaire disparaissait graduellement derrière les sommets de l'ouest. Il souhaitait bientôt pouvoir se débarrasser de ce bandage pour s'envoler enfin vers sa Falaise Noire, qui lui manquait tant.

— Kravox! lança soudain Mandrigane, approchant par-derrière.

Korax se retourna aussitôt et redressa le cou pour se donner un peu de prestance. La pie bavarde s'arrêta à moins d'un centimètre de lui.

— J'ai tout perdu à cause de toi!

— À cause de moi? Mais je n'ai rien fait.

— Rien fait? Quelle insolence! Offrir aux humains ce magnifique trophée que j'avais promis à mes associés, tu appelles ça ne rien faire? N'as-tu pas la moindre idée de ce qu'il en coûte de m'humilier de la sorte?

— Est-ce cela, ton prix de consolation? demanda le vautour fauve, surgissant des buissons et s'approchant de Korax.

— Pour ce soir, c'est tout ce que je peux vous offrir, répondit Mandrigane.

— Un pitoyable crave éclopé! Tu nous déçois, Mandrigane! lancèrent les deux mouettes rieuses, qui suivaient de près le vautour.

Le sang glacé de frayeur, Korax sentit que son heure était venue. Il tenta de s'enfuir, mais son chemin fut immédiatement bloqué par le goéland argenté, qui sortit des hautes herbes.

— Toi, le crave, ne bouge pas d'ici. Tu es tout ce qu'il nous reste aujourd'hui.

— Nous ne sommes pas près d'oublier ta maladresse, la pie! siffla une des mouettes en direction de Mandrigane.

— Je vous ai présenté mes excuses. Je ferai mieux la prochaine fois!

— Si nous t'en donnons la chance, ajouta le vautour.

— Tu vois, Krovox? vociféra Mandrigane. À cause de toi, ma réputation est ruinée. Allez! Il est à vous!

Korax fut aussitôt entouré par les quatre prédateurs, qui ne lui laissèrent pas le temps de crier à l'aide. Faute d'un festin de monstre lacustre, les charognards devaient maintenant se contenter d'un maigre crave. Ils le martelèrent à répétition de leurs becs effilés, et toute résistance de sa part fut vaine. Ensanglanté, le pauvre Korax en était réduit à ramper vers l'eau, alors qu'on picorait les restes de son bandage pour avoir accès à toute sa viande. Comme des lames acérées qui l'éperonnaient partout sur son abdomen, son dos et sa tête, les becs de ses assaillants s'évertuaient à le mettre en pièces.

Puis, soudain, tout s'arrêta. Malgré le sang qui ruisselait sur ses paupières, Korax eut juste assez de force pour ouvrir un œil. Il aperçut au-dessus de lui les charognards qui fixaient le ciel du regard. Une ombre s'étendait sur eux. «Est-ce la mort qui descend me chercher?» se demanda-t-il. À sa grande surprise, les quatre oiseaux reculèrent pour rejoindre Mandrigane, mais cette dernière avait déjà pris la fuite en s'envolant. Ils l'imitèrent sans hésiter.

Korax rassembla le peu de force qui lui restait et tourna la tête vers le lac. Tout près de lui, à moins de deux mètres de la berge, une imposante créature aquatique à la peau sombre marbrée de turquoise s'étirait le cou pour intimider les malfaiteurs. Il ne s'agissait pas du jeune monstre blessé. C'était une femelle adulte, à l'apparence typique des monstres lacustres. Mhorag était enfin de retour dans son lac aux Sombres Collines.

Quand elle fut certaine que les agresseurs n'allaient plus revenir, elle se pencha sur l'infortuné, qui respirait avec peine, inspira profondément puis projeta sur lui son souffle guérisseur. L'espace d'un instant, Korax eut l'impression que le soleil se levait de nouveau et que ses rayons faisaient briller son plumage. Toutes ses douleurs s'évaporèrent et la chaleur qui l'enveloppait lui redonna encore plus de force et de courage qu'il en avait avant de quitter sa chère Falaise Noire. Quand Mhorag eut terminé, le crave se releva d'un bond, sans la moindre trace de sang ni la moindre blessure sur son corps. Il agita ses ailes et constata que sa fracture à l'humérus était guérie.

— Mhorag ! Heureux de te trouver enfin, déclara-t-il, en la saluant de ses grands yeux remplis de larmes.

— Sois le bienvenu chez moi, Korax, noble crave de la Falaise Noire.

35

ANGLETERRE
XIIIe SIÈCLE

 e chevalier Garrett FitzWilliam, le chevalier Herbert FitzHerbert et le chef Cathal O'Corrigan d'Irlande! déclama le héraut du roi d'Angleterre.

Sur ce, deux gardes ouvrirent les lourdes portes de la grande salle du château de Winchester. La tête haute, le pas assuré, Garrett entra le premier, suivi de près par ses deux compagnons. Ils traversèrent la longue pièce décorée de part et d'autre par les blasons des principales familles du royaume.

L'endroit était plein à craquer et, malgré la fraîcheur de ce mois de février 1218, on y étouffait. Tous les membres de la cour royale présents ce jour-là s'étaient rassemblés pour observer ces illustres chasseurs de monstres, ces intrépides tueurs de dragons. La modeste cour du château FitzWilliam paraissait bien banale en comparaison de l'assemblée de ducs, de comtes, de comtesses et de barons vêtus de leurs opulents costumes de cérémonie, aux tissus teintés de pourpre, de bleu royal et de turquoise.

Garrett avait l'impression de se tenir au milieu de géants qui le scrutaient tout en chuchotant des commentaires à son sujet. Il eut le temps d'entrevoir quelques-uns des grands seigneurs du royaume et de remarquer la présence de plusieurs nobles et belles dames alignées de chaque côté de l'allée. Aucune n'égalait en beauté sa tendre Derdriu, qu'il n'avait pas vue depuis une éternité.

Garrett, FitzHerbert et Cathal s'arrêtèrent devant le trône autour duquel se tenaient les principaux conseillers du monarque.

Le messager du roi leur avait demandé de porter leurs tenues de chasse plutôt que des vêtements d'apparat. Il avait clairement spécifié que le souverain désirait rencontrer des aventuriers et non des courtisans.

Les trois hommes se prosternèrent devant le roi. Relevant les yeux, Garrett aperçut le père Cormac MacNamara parmi l'entourage royal. Il se tenait aux côtés d'un vieillard au physique imposant et au regard vif. Cet homme richement vêtu devait avoir plus de soixante-dix ans, mais sa vivacité ne paraissait aucunement diminuée. Garrett comprit alors qu'il s'agissait du comte de Pembroke, célèbre régent du royaume d'Angleterre, éminent chevalier et véritable maître à bord.

Le comte jeta un coup d'œil vers le trône et signala discrètement au souverain qu'il pouvait s'adresser aux guerriers. Le roi Henri III d'Angleterre s'extirpa de son siège. Il replaça le modeste diadème argenté qui faisait office de couronne et ajusta maladroitement sa longue robe pourpre en provoquant quelques sourires parmi ses sujets. Il avait à peine dix ans.

Couronné deux ans auparavant, il ne régnait que de façon symbolique, laissant au régent et à ses conseillers le soin de voir aux affaires du royaume.

Deux mois plus tôt, le comte de Pembroke avait reçu une missive de la part de l'aumônier MacNamara l'implorant de recevoir Garrett FitzWilliam et vantant les mérites des vestes confectionnées en peau de monstres lacustres. Conscient de la fascination du jeune roi à l'égard des exploits de Garrett, le comte s'empressa d'organiser cette audience spectaculaire afin de donner à son souverain un sentiment d'autorité et de profiter des fruits d'une chasse prochaine.

En regardant l'enfant-roi s'approcher de lui, Garrett ne put s'empêcher de penser à Nollaig. Il était rongé par le remords d'avoir failli à sa promesse de célébrer au château FitzWilliam son neuvième anniversaire. Les événements s'étaient bousculés. Une fructueuse chasse au monstre aquatique dans le sud de l'Irlande quelques mois plus tôt avait précipité son triomphe dans les rues de Dublin le 25 décembre 1217. Cormac était venu le rejoindre. Les plus hautes instances de la noblesse s'intéressaient à lui, et sa glorieuse épopée ne semblait plus avoir de fin. La monarchie anglaise lui ouvrait ses portes. Le père Cormac jubilait. FitzHerbert rougissait de fierté. Seul le regard de Cathal paraissait plus sombre que d'ordinaire.

— Chevalier Garrett!
— Votre Grandeur.
— Est-ce vrai que vous avez terrassé plus d'une centaine de ces horribles monstres?

Quelques ricanements discrets provenant de la salle ponctuèrent la question.

Appartenant à la lignée royale des Plantagenêt d'Angleterre, Henri s'exprimait en français et ne possédait que de rudimentaires connaissances de l'anglais.

— Je crains fort que l'on ait exagéré mes exploits, mon Seigneur.
— Dans ce cas, combien de créatures avez-vous donc mises à mort, messire?
— Avec l'aide de mes compagnons, tout juste trois, sire.
— Trois?
— Leur taille faisait plus de sept fois celle d'un cheval et ils pouvaient projeter un guerrier à plus de vingt toises.

Intrigué, le souverain demeura songeur, tentant d'imaginer une telle bête. Le visage allongé et la paupière gauche légèrement tombante, le frêle roi Henri ne semblait pas prédestiné à demeurer longtemps sur le trône d'Angleterre. Personne n'aurait pu deviner que son règne allait durer plus de cinquante-six ans.

— Puis-je voir ce fameux cristal magique ?

Garrett s'inclina et sortit de sa bougette la pierre du lough Gill, qu'il présenta au jeune roi. Les yeux d'Henri s'illuminèrent, puis il prit l'objet entre ses maigres doigts pour l'observer pendant de longues secondes.

— On dit que nul monstre ne résiste à son attrait.

— Très juste, Votre Grandeur.

— Êtes-vous mage ou chevalier ?

— Un simple guerrier, sire, qui ne serait rien sans ses compagnons ou sans son confesseur.

Henri porta son regard sur FitzHerbert et Cathal, qui inclinèrent la tête.

— Et où donc se trouve votre château, messire Garrett ?

— Dans le nord-ouest de l'Irlande, sire.

— Y organisez-vous des tournois de chevalerie ?

— Nous n'en avons pas encore eu l'occasion, mon Seigneur, c'est un tout jeune domaine.

— Offrirez-vous un tournoi en mon honneur lorsque j'y effectuerai une visite ?

— Assurément, et je veillerai à ce que les joutes soient à la hauteur de vos attentes.

— Vous pourriez combattre en duel notre bien-aimé comte de Pembroke…

La salle entière éclata de rire.

— Avec sa permission, bien entendu.

— Il n'a jamais été défait, vous savez.

— Moi non plus.

Les rires se poursuivirent alors que le jeune monarque jeta un œil vers le régent. Celui-ci lui envoya un regard expressif pour indiquer qu'il devait maintenant passer aux choses sérieuses. La salle redevint silencieuse.

— Chevalier Garrett, j'ai décidé de vous confier une grande mission, lança le jeune roi solennellement, en lui rendant le cristal.

36

Neldarane s'engagea dans l'estuaire peu profond d'une petite rivière située sur l'Île Verte. À part les rides qui encerclaient ses yeux et marquaient son long cou de monstre lacustre, rien ne laissait deviner qu'elle avait plus de mille deux cents ans. Mhorag la suivit de près, consciente du danger d'être aperçus dans les eaux de cet étroit cours d'eau, même en cette nuit froide de décembre. Épuisé, le tout jeune Ragdanor dut se coller contre l'un des flancs de sa mère afin de poursuivre le voyage.

La remontée de cette rivière lui sembla interminable. L'eau peu profonde par endroits les forçait à patauger à la surface dans un tonnerre d'éclaboussures.

La rivière traversait un petit lac riche en truites, puis continuait son cours pour gagner en profondeur. Les créatures purent ainsi pro-gresser à un rythme soutenu jusqu'à ce qu'elles aboutissent dans la partie sud du lac aux Sombres Collines. Il y régnait une sérénité que Ragdanor n'avait pas ressentie depuis des lunes.

Les trois monstres lacustres nagèrent jusqu'à l'extrémité opposée du lac, puis s'immobilisèrent à quelques mètres du fond. Neldarane fit doucement volte-face et fixa Ragdanor de son regard bienveillant.

Ragdanor ouvrit les yeux. Tout près de lui flottait Mhorag, plongée dans un profond sommeil. Ils se reposaient au cœur de leur abri de troncs d'arbres, au fond du lac. Mhorag ouvrit soudain les paupières et fixa son rejeton. Ragdanor comprit alors qu'il venait de faire un rêve télépathique. Il avait revécu en songe avec Mhorag la fin de leur long périple dans le réseau de tunnels d'Écosse et d'Irlande qui s'était terminé par la remontée de la petite rivière et la découverte de leur lac bien-aimé. Il y avait de cela cent soixante-huit ans. Le jeune monstre lacustre n'avait que cinquante-six ans à l'époque.

Ragdanor examina ses ailerons, son dos et son abdomen. Les blessures de sa folle escapade dans les collines avaient disparu.

Quelques jours déjà s'étaient écoulés depuis qu'il avait été rescapé par des humains et que Mhorag était revenue. Usant de son souffle guérisseur, elle avait soulagé ses blessures. Le reste du temps, Ragdanor avait dormi et ne s'était réveillé que pour monter respirer à la surface. Mhorag ne l'avait pas grondé. L'échec de cette aventure lui avait amplement servi de leçon.

L'image de la noble Neldarane lui revint de nouveau à l'esprit. Il se souvint alors qu'elle avait longtemps conversé avec sa mère avant de quitter seule le lac pour ne plus jamais revenir.

— Qui était-elle?

— C'était la Doyenne de Ness.

Ragdanor tenta de se rappeler les nombreuses histoires que lui avait racontées sa mère sur les grandes créatures lacustres du vaste monde.

— Et où se trouve Ness?

— Loin, très loin sur la Grande Île.

— N'est-ce pas le seul lac qui porte le même nom chez les humains?

— Tu as bonne mémoire. Mais nous l'appelons aussi le Royaume des Anciens.

— Que signifie «être la Doyenne»?

— Cela signifie qu'elle est la gardienne de ce lac. Je suis la Doyenne du lac aux Sombres Collines, alors que Neldarane était la Doyenne de Ness. Mais ce titre revêt un sens tout particulier.

Depuis des millénaires, la tradition veut que le Doyen ou la Doyenne de Ness devienne le chef du Conseil des Anciens.

— Le Conseil des Anciens existe toujours ?

— Mais bien sûr.

— Y a-t-il une chambre de cristal dans les profondeurs de Ness ?

— La plus grande et la plus brillante parmi celles des îles du nord.

— Est-ce là que tu as obtenu le pouvoir de guérir ?

— En partie. Dans un passé lointain, j'ai visité plusieurs chambres de cristal, et l'effet accumulé de leur illumination m'a permis d'acquérir ce don en permanence.

— Mais pourquoi Neldarane a-t-elle risqué sa vie pour nous accompagner jusqu'ici ?

— Elle seule connaissait l'emplacement de notre lac, qui est situé à l'écart du réseau des tunnels. Elle nous escorta pour s'assurer que notre voyage s'effectue sans heurt.

— Pourquoi a-t-elle fait cela ?

Mhorag hésita un moment. Ragdanor était avide de savoir, mais elle hésitait à tout lui révéler dans l'immédiat. Plus il en savait, craignait-elle, plus son désir de quitter l'Île Verte pour s'aventurer dans le vaste labyrinthe grandirait. Il était si jeune et si innocent. Elle risqua quand même une réponse qui, assurément, allait piquer sa curiosité.

— Elle l'a fait pour toi.

— Pour moi ?

— Tu es le seul de ton espèce, Ragdanor. Aucune autre créature de nos jours ne possède à la fois les traits d'un cheval de lac et ceux d'un serpent de mer.

— Mon père était un serpent de mer, n'est-ce pas ? Tu m'as toujours dit que mon apparence était attribuable à de lointains ancêtres qui m'avaient légué ces traits particuliers. Mais moi, je crois que je suis le fils d'un serpent de mer.

— Le plus noble qui soit, répondit Mhorag en acquiesçant.

Jamais jusqu'à ce jour n'avait-elle osé lui avouer cette vérité incontournable.

— Où se trouve-t-il maintenant ?

— Il vit toujours, du moins je l'espère de tout mon cœur, mais je ne peux rien te révéler de plus pour le moment.

— Est-ce celui qui surgit toujours dans mon rêve pour me sauver ?

Mhorag fit signe que oui.

— Est-ce le même que tu pars retrouver tous les sept ans ?

Mhorag acquiesça de nouveau.

— La fatalité l'empêche de venir ici pour des raisons qui dépassent tes connaissances des mystères de ce monde, ajouta-t-elle. Mais je sais qu'il souhaite ardemment ton bien, tout comme Neldarane, d'ailleurs.

— Neldarane ? Mais je la croyais morte, après tant d'années…

— Plus personne ne l'a revue depuis qu'elle nous a quittés, il y a presque deux siècles de cela. Sa fille Ranevoness assure maintenant la garde du Royaume des Anciens. Mais je crois que Neldarane vit toujours, cachée quelque part, et qu'elle prie pour ta survie, car ton secret lui est trop précieux.

— Le secret de mes origines ?

— Et celui de la faculté unique que tu possèdes.

— Quelle faculté ?

— Tu la découvriras tôt ou tard. En attendant, suis-moi.

Mhorag sortit de l'abri subaquatique, suivie de près par Ragdanor. Il faisait nuit. Le jeune monstre lacustre s'attendait à ce que sa mère remonte vers la surface, mais elle continua de nager en suivant le fond boueux. Ils traversèrent ainsi le lac d'ouest en est pour atteindre une dénivellation prononcée située à moins de dix mètres de la berge. Ragdanor connaissait ce recoin des profondeurs, mais il n'avait jamais osé l'explorer. L'eau lui semblait plus froide qu'ailleurs et l'endroit lui donnait l'impression de dissimuler des secrets à glacer le sang.

Mhorag s'y engagea. Ragdanor fit de même sans hésiter et constata que le dénivellement s'avérait plus profond qu'il ne le croyait. Après avoir descendu une quinzaine de mètres dans une quasi-obscurité, ils atteignirent de nouveau un fond vaseux. Devant eux se dressait une imposante paroi couverte de viscosités. Mhorag tourna le dos à cette muraille de boue et secoua vigoureusement ses larges nageoires postérieures sur sa surface. Une nuée de vase se leva et assombrit davantage le lieu. Ils attendirent ensuite que les résidus se déposent doucement.

— Observe bien, Ragdanor.

De ses yeux perçants, le jeune monstre fixa le mur. Il mit quelques secondes pour s'habituer au noir, puis découvrit une paroi rocailleuse à la base de laquelle se trouvait une petite ouverture qui semblait conduire dans un gouffre d'une obscurité sans pareille. Au-dessus de cette crevasse apparaissaient quatre signes qu'il n'avait jamais vus auparavant.

— Il n'existe aucun autre endroit de par le monde où sont réunis ces quatre signes. Le premier d'entre eux est bien connu des créatures de l'Île Verte, de la Grande Île et du continent nordique. On le retrouve à l'entrée des tunnels qui relient les nombreux lacs de ce vaste réseau. Il sert de repère pour confirmer aux voyageurs qu'ils sont sur le bon chemin.

— Et les autres ?

— Les autres signes appartiennent à des réseaux de tunnels lointains, situés par-delà les mers. Seuls quelques valeureux monstres lacustres et serpents de mer de notre lignage les ont atteints.

— Pourquoi ces signes se trouvent-ils tous ici seulement, et nulle part ailleurs ?

— Notre lac fut jadis un portail.

— Un portail ?

— Son existence s'est effacée de la mémoire de nos semblables au fil des âges.

— Je croyais que notre lac n'était pas lié aux tunnels.

— Il ne l'est pas. Du moins, pas de la même façon que les autres. Cette ouverture menait auparavant à un lieu sacré qui recélait un pouvoir prodigieux. Tout le nord du monde convergeait à cet endroit situé aux confins de profondeurs inouïes.

Ragdanor était conscient que sa mère ne lui révélait qu'une parcelle du mystère.

— T'y es-tu déjà aventurée ?

— Jamais. Le risque de se perdre et d'y périr étouffé est trop grand. Mais peut-être un jour en auras-tu la force, la sagesse et l'endurance.

Le jeune monstre observa avec appréhension cet orifice peu invitant. Le fait que sa mère, d'ordinaire très protectrice, l'incite à prendre un tel risque, même dans un avenir lointain, le surprenait. Peut-être réalisait-elle que son rejeton avait hérité du caractère intrépide de Zarak, son père.

— Quelle est donc cette faculté que moi seul possède ?

Mhorag tarda à répondre. Elle fixait ce mystérieux passage qui semblait raviver chez elle de douloureux souvenirs.

— Chaque chose en son temps. Tout pouvoir comporte sa part de danger. Ne l'oublie pas, conclut-elle.

37

Depuis la fenêtre de son cabinet, Vlado Skreb observait Jet qui montait dans la voiture de sa mère. En cette fin de journée, une fatigue inhabituelle l'accablait. Le docteur Skreb acceptait mal l'idée d'abandonner un patient au beau milieu du processus. Mais il devait se rendre à l'évidence, il n'avait pas réussi les miracles que l'on attendait de lui. Sa propre réputation lui jouait un vilain tour. Même le plus chevronné des spécialistes se faisait parfois prendre au jeu de la performance et de l'ambition. En trente ans de carrière comme pédopsychologue, il n'en était toutefois pas à son premier échec. Il avait depuis longtemps réalisé que certains cas dépassaient les capacités de la thérapie et l'obligeaient à baisser les bras. Pourtant, dès sa première rencontre avec Jet, il avait pressenti que les séances donneraient des résultats positifs. En dépit de ses résistances normales, son jeune patient faisait toujours preuve d'intelligence et d'ouverture. Voyant que Jet persistait dans la croyance en son univers de monstres lacustres, Skreb pensait pouvoir faire avancer la thérapie en l'amenant à s'exprimer par le dessin. D'ordinaire, cette technique s'avérait très efficace, et des secrets enfouis dans l'inconscient émergeaient sans la moindre inhibition au milieu des croquis.

Avec Jet, l'exercice se révéla plutôt déconcertant. Certes, les gribouillis furent abondants, mais ils représentaient tous des monstres lacustres et des serpents de mer. Sauf pour quatre signes, quatre symboles inconnus disposés un à la suite de l'autre. Ces étranges caractères, qui avaient fait l'objet d'un de ses rêves, détonnaient parmi la galerie de créatures aquatiques au long cou et aux yeux verts.

L'automobile de Nora quitta les lieux. Skreb devait se résoudre à l'idée qu'il ne connaîtrait jamais le fond de l'affaire. Nora avait décidé de mettre fin aux consultations de son fils. Leur éventuel déménagement les forcerait de toute façon à trouver un autre spécialiste au besoin.

Skreb retourna à sa table de travail. Il ne lui restait plus de patients à voir ce jour-là. Il reprit la feuille avec les pictogrammes dessinés par Jet. Il les avait examinés dans tous les sens et n'arrivait pas à les mettre en relation avec quoi que ce soit. Son incompréhension n'avait d'égale que sa fascination. Il passa la main dans son épaisse chevelure grisonnante, retira ses lunettes et promena son regard sur ses nombreux diplômes. Ils lui semblaient tous bien insignifiants. L'idée lui vint alors de consulter un collègue de l'Université de Dublin.

— Qu'est-ce que tu attends pour faire ton vœu, Jet ? demanda l'oncle Harold.

Jet esquissa un sourire forcé, puis souffla d'un coup les douze bougies de son gâteau. C'était le 2 juillet. Il était midi passé. En dépit du fait que tous ses proches s'étaient réunis pour célébrer son anniversaire, il n'avait pas le cœur à la fête. Pourtant, Nora avait cru bon d'inviter Molly et même son géant de père, qui s'était assis aux côtés de l'oncle Harold, impatient de recevoir sa part de dessert.

Malgré les meilleures intentions, l'esprit de célébration peinait à survivre. Jet savait trop bien pourquoi son souper festif avait été transformé en lunch improvisé. On attendait en début de soirée des promoteurs immobiliers désireux d'acheter le terrain pour le transformer en un complexe touristique «ultramoderne».

Le gâteau de fête tant attendu – spécialité de Nora – avait été remplacé par un qui provenait du supermarché local.

Personne n'osait parler de l'éventuel départ de la famille Fitzwilliam-Talbot.

— Moi, je connais le vœu de Jet, lança Molly.

— Attention, princesse. Pas un mot : un vœu, ça doit rester secret, lança Joe Flynn à sa fille.

— Je sais, j'ai juste dit que je le savais…

Jet sourit timidement à Molly. Il se sentait un peu oublié en ce jour d'anniversaire grisâtre. Le ciel couvert et la bruine offraient un contraste frappant avec les derniers jours ensoleillés, et les nuages s'étendaient à perte de vue à l'horizon. À sa grande surprise, la présence de Molly le réconfortait. Par la force des choses, elle était devenue sa partenaire secrète dans son aventure de monstre de lac.

Pour leur part, Philippe et Nora avaient remarqué que Jet n'était pas tout à fait dans son assiette, mais ils n'en connaissaient que partiellement la raison. L'éventuel déménagement le bousculait, certes, mais c'était l'absence totale de manifestation de son monstre lacustre, de son Ragdanor, qui le troublait bien davantage. Il était retourné au lac à quelques reprises au cours des derniers jours, tantôt seul, tantôt avec Molly, mais la créature qu'il croyait si bien connaître ne s'était jamais montrée. Il avait beau répandre chaque jour des tas de friandises sur la berge, la bête ne donnait pas le moindre signe de vie. Jet n'y comprenait rien. Il avait pourtant sauvé Ragdanor de la mort. Ce dernier l'avait même salué en guise de reconnaissance. N'était-ce pas là le gage d'une grande amitié qui promettait de se perpétuer ? Au fond, tout ce qu'il désirait de son géant des lacs, c'était qu'il se manifeste pour le plaisir des visiteurs, une ou deux fois par jour. Rien de plus.

Harold lui fit un clin d'œil. Jet comprit vite que son grand-oncle avait un peu trop bu. Depuis le sauvetage de la créature, le vieux Fitzwilliam semblait plus songeur et davantage porté sur la bouteille que d'ordinaire. La présence de Ragdanor dans les eaux de Doo lough lui rappelait son Alice, qui prétendait avoir nourri un jeune monstre de lac peu de temps avant son décès.

— Moi, je vous annonce que, d'ici quelques jours, je vais mettre la main sur une somme d'argent assez grosse pour payer toutes les dettes de la famille et permettre aux Fitzwilliam de rester ici, parce que les Fitzwilliam ont toujours vécu ici, lança le vieil homme avant d'être pris d'une quinte de toux.

Joe Flynn le dévisagea. Harold parlait trop. Intrigué, Jet se demanda à quelle machination inusitée son grand-oncle faisait référence. Harold reprit la parole dès qu'il en fut capable et s'adressa à Philippe.

— C'est bien toi qui m'as dit que Nora est la descendante du chevalier Gérald, qui a construit le vieux château des O'Malley ?

— Ce n'est pas Gérald, c'est Garrett, Garrett FitzWilliam, répliqua tristement Philippe, qui n'avait plus le cœur à discuter généalogie alors qu'il se savait forcé de quitter sous peu cette région riche en histoire.

— C'était lui le légendaire tueur de monstres marins ? C'est ce que tu m'as raconté, n'est-ce pas ?

Philippe acquiesça discrètement.

— Je croyais que j'étais la descendante de Nollaig FitzWilliam, intervint Nora.

— J'ai obtenu la confirmation d'un expert de l'Université de Dublin que le chevalier Nollaig FitzWilliam était bel et bien le fils du chevalier Garrett FitzWilliam, précisa Philippe.

— Et il tuait des monstres ? s'enquit Molly.

— C'est une vieille légende du Moyen Âge, Molly, répondit Philippe.

— Ça n'empêche pas que c'est vrai! ajouta Harold.

Jet trouvait un peu troublant que son ancêtre éloigné ait été un tueur de monstres. Il se demandait si sa créature était capable de percevoir cette descendance, l'incitant ainsi à demeurer cachée. Mais il se rappela tout à coup qu'il était un enfant adopté. Jusqu'à preuve du contraire, aucun lien de sang ne l'unissait à ce chasseur d'autrefois.

— Les Fitzwilliam sont ici pour de bon! ajouta Harold. L'Irlande moderne ne va pas nous expulser de la région si facilement! Allez! Construisez des hôtels de luxe partout. Faites des autoroutes pour les touristes. Détruisez la campagne tant que vous voudrez! Nous, les Fitzwilliam, nous ne bougerons pas! L'hospitalité de la bonne vieille Irlande est plus forte que vous pensez. Vous allez voir! D'ici quelques jours, on va leur botter le cul, aux acheteurs. On reste! proclama-t-il à son auditoire un peu mal à l'aise.

Alors qu'ils étaient sur le point d'atteindre la surface pour respirer, les deux créatures lacustres sentirent une présence à l'extérieur du lac, du côté est, à proximité de la route.

— N'oublie pas, Ragdanor, tu dois apprendre à maîtriser tes pouvoirs télépathiques avant d'entrer en contact avec les humains. Dorénavant, tu devras t'abstenir de tout contact avec cet enfant, que ce soit en pensée ou en songe, pour un temps, du moins.

Ils émergèrent en silence des profondeurs. Des gouttes de pluie martelaient la surface du lac. De ses grands yeux verts, Ragdanor aperçut deux silhouettes d'enfants en imperméables au loin, sur la berge. Mhorag les regarda avec lui quelques instants puis replongea. Le jeune monstre s'entêta à les épier davantage.

Après le repas de fête, sans avoir à se consulter, Jet et Molly s'étaient rendus ensemble à Doo lough. Ils observaient le pourtour du lac en silence. Des friandises gisaient çà et là sur le sol.

— Il va falloir ramasser tout ça, dit Molly.

— Je n'aurais pas dû montrer Ragdanor à mon grand-oncle ni à ton père, n'est-ce pas ?

— Tu n'avais pas le choix. Il doit peser dix tonnes. Seul le tout-terrain pouvait le ramener ici.

— On aurait pu faire comme Korax. Lui apporter de l'eau jusqu'à ce qu'il regagne des forces. Puis on l'aurait aidé à ramper jusqu'au lac.

— Il se mourait, Jet.

— Trop de gens maintenant savent qu'il y a une créature qui vit dans Doo lough.

— Ce n'était pas ça ton but ?

— Oui, mais il fallait que je gagne sa confiance, que je l'entraîne avant de le montrer aux touristes.

— Il va revenir. J'en suis certaine, Jet. Il est devenu ton ami. Tu l'as sauvé. Tu es même capable de parler aux oiseaux. Ça aussi, il l'a senti. Pour l'instant, il se repose. Il était crevé, le pauvre. C'est pour ça qu'il ne te répond plus...

Jet fixait la surface du lac, espérant que Ragdanor se manifeste. Au bout d'un moment, il regarda Molly dans les yeux et se décida à lui faire part de cet autre phénomène inexplicable qui occupait ses pensées.

— Il y a un fantôme dans le château FitzWilliam, déclara-t-il.

— Comment ?

— Je l'ai vu l'autre jour quand j'ai visité le château avec mon père.

— Le château FitzWilliam? Ton oncle Harold a un château?

— En ruine. Il date de huit cents ans. Tu l'as sûrement déjà remarqué. Il est dans le champ, à deux pas d'ici, avant l'auberge.

— Mais... mais ça, c'est le château O'Malley.

— Oh non! Mon père m'a montré les armoiries des FitzWilliam sur le foyer. C'est eux qui l'ont construit. C'étaient des chevaliers normands.

— D'accord, je te crois, mais tu dis que tu as vu un fantôme dans le château?

Jet hésita, puis fit signe que oui.

— Il flottait au dernier étage de la tour de garde. On aurait dit une sorte de moine. Il m'a aperçu. Il m'a regardé. Puis après... plus rien. Il a comme disparu dans le mur.

— Tu l'as revu depuis?

— Non.

Molly, qui se délectait de ces histoires paranormales, n'en revenait pas. Mais c'est Jet qui la fascinait par-dessus tout. Il savait parler aux oiseaux, se portait à la rescousse des monstres de lac et voyait des fantômes dans les ruines d'un château du Moyen Âge!

Jet espérait que Molly lui dirait qu'il ne perdait pas la raison et que son père aussi avait vu des fantômes ici et là, mais la réaction de sa compagne s'avéra plus dynamique. Molly s'approcha et elle l'embrassa sur la bouche. Ces quelques secondes lui semblèrent aussi longues qu'une saison. Parmi toutes les sensations qu'il éprouva à ce moment précis, c'est l'odeur de Molly, son parfum naturel, subtil et agréable qui le captiva et le rendit momentanément muet. Si Ragdanor avait surgi du lac en chantant, le choc n'aurait pas été plus grand.

— Joyeux anniversaire, Jet, lança-t-elle tout naturellement.

Elle se redressa aussitôt, l'air préoccupé, le regard fixé sur une berge éloignée.

L'imitant, Jet aperçut alors Viviane. Après le baiser de Molly, il ne manquait plus qu'une rencontre avec la ravissante biologiste pour le bouleverser pendant les dix années à venir.

— On rentre ? Il pleut trop, affirma Molly qui, d'instinct, n'appréciait guère la présence de Viviane en ce lieu.

Jet ne répondit pas et continua d'observer Viviane. Celle-ci retourna vers la camionnette garée en bordure du chemin. Le gaillard corpulent qui l'accompagnait sortit du coffre arrière plusieurs caisses d'équipement photographique. Ils installèrent une caméra dans un arbre situé à proximité de la rive afin de capter des images de la surface.

Ragdanor regarda Jet et Molly s'éloignant de la berge, de même que Viviane et son confrère de travail. Il regagna ensuite son abri subaquatique.

Chaque lundi soir, la musique traditionnelle était à l'honneur au pub de Bill Barrett. Cet établissement typiquement irlandais était situé sur une route étroite, à moins d'un demi-kilomètre au sud de Louisburgh. Des musiciens de la région et des touristes de passage se joignaient volontiers à la séance musicale, qui se prolongeait souvent jusqu'au petit matin. Violons, flûtes, accordéons, bodhráns, guitares et cornemuses rivalisaient avec les conversations et les rires des clients pour créer une ambiance propice à la consommation de la bière nationale.

D'ordinaire, Joe Flynn aurait été bien installé dans son coin, le menton appuyé sur son violon, exécutant une suite de gigues, quatre pintes de bière brune déjà vides sur la table devant lui. Mais, à l'étonnement de plusieurs, il se trouvait assis aux côtés d'Harold Fitzwilliam sur une banquette près de la porte principale. Les deux hommes consultaient sans cesse leur montre.

Quand ils aperçurent Ryu Ishii entrant dans le pub, accompagnée du cinéaste français et d'un quinquagénaire d'origine japonaise, ils devinèrent tout de suite qu'il s'agissait des gens avec qui ils avaient rendez-vous. Ils se levèrent pour les accueillir.

— Madame Ishii, je présume, lança Harold en tendant la main à la délicate Japonaise.

— Monsieur Fitzwilliam, répondit-elle de la même manière.

— Mon partenaire, Joe Flynn.

— Enchantée, dit-elle en serrant la main du géant Flynn de façon étonnamment ferme. Permettez-moi de vous présenter M. Bernard de Nantes, le réalisateur du documentaire.

De Nantes salua les deux Irlandais.

— Et M. Akira Matsumo, directeur du département scientifique de la firme OZU.

— Il me fait grand plaisir de vous rencontrer, messieurs. Je n'aurais pas manqué cette visite dans un pub irlandais pour tout l'or du monde, affirma-t-il en leur serrant la main.

Harold et Joe furent surpris de constater que Matsumo s'exprimait dans un anglais impeccable, avec une pointe d'accent britannique.

Ayant réservé une salle privée attenante au restaurant, les deux amis invitèrent les visiteurs à les suivre.

— Viviane Bourke n'est pas avec vous ? demanda Harold, en ouvrant la porte de la petite pièce.

— Non. Ce type de discussion ne fait pas partie de son mandat scientifique, répondit Ryu avec politesse mais fermeté, laissant entendre que le sujet était clos.

On s'installa autour d'une table et Bill Barrett vint aussitôt prendre les commandes.

— De l'eau seulement, ordonna la jeune femme.

38

l était encore trop tôt pour dire si Nollaig, maintenant âgé de neuf ans, hériterait un jour de la solide carrure de son grand-père William. Tout semblait pourtant indiquer qu'il allait en posséder la robustesse. De sa nature délicate, il ne restait que son tempérament silencieux. Certes, il n'avait pas beaucoup grandi durant les quinze mois qui s'étaient écoulés depuis le départ de son père, mais le jeune FitzWilliam s'était endurci. Bien malin celui qui réussissait à se moquer de lui sans recevoir un bon coup de poing. Il n'avait pas mauvais caractère, mais il était entier et droit. Il aimait rire, observait beaucoup et détestait toute forme de contradiction.

L'absence prolongée de son père et la tristesse palpable de sa mère auraient pu le faire chavirer dans la nostalgie. Elles aiguisèrent plutôt son sens du devoir. Il se savait l'héritier d'un domaine respecté chez les Normands comme chez les Irlandais et, en l'absence de Garrett, il se prit à croire que ce château était le sien et qu'il devait le défendre farouchement.

Comme son grand-père maternel irlandais, le vieux Nial O'Corrigan, Nollaig possédait un don de clairvoyance hors du commun. L'étrange vision qu'il avait eue dans la forêt le jour du départ de son père avait d'ailleurs constitué son premier épisode de rêve prémonitoire éveillé. Il eut d'autres visions tout aussi étranges par la suite, et il allait en avoir pendant le reste de son existence. Il en devinait parfois la signification.

Le reste du temps, il composait avec ces énigmes qui faisaient partie de sa vie de tous les jours.

Malheureusement, en ce mois de juin 1218, le jeune seigneur, tout voyant fût-il, n'avait pas anticipé qu'il se sentirait un jour dépossédé de l'objet de son amour: la belle Catherine FitzHerbert. Sa bien-aimée n'avait d'yeux que pour Thomas de Courcy.

La regardant courir, une écuelle remplie d'eau en main, Nollaig avait deviné qu'elle se dirigeait vers les chevaliers s'entraînant au combat devant le château. Elle tentait ainsi d'approcher Thomas, qui peinait à se défendre contre les attaques d'un colosse. Nollaig n'avait pas le cœur à regarder cet exercice de charme. Il préféra marcher en direction de la ferme, à l'est de la forteresse.

Accompagnée de deux damoiselles, Catherine s'arrêta à plusieurs mètres des combattants pour assister à la fin de la joute.

En dépit de la force et de la taille de son adversaire, Thomas était plus rapide et surtout plus agile. Sous le regard anxieux de Catherine, il évita de justesse le violent coup de bâton d'entraînement, qui faisait office d'épée, et réussit à faire trébucher le gros Normand avant de l'immobiliser au sol.

Après avoir mené jusqu'au château FitzWilliam le convoi de moines transportant la carcasse de la créature du lough Auna, le jeune de Courcy avait suivi les recommandations de Garrett. Il avait ainsi abandonné la chasse aux monstres pour se joindre à la garde du domaine FitzWilliam.

Le regard fuyant et le sourire empreint de timidité, Catherine courut vers Thomas et lui tendit l'écuelle. À bout de souffle, il s'en empara, en avala d'une traite le contenu, remercia la jeune fille d'un hochement de tête, puis chercha du regard son prochain rival. Catherine rebroussa chemin à reculons, la mine déconfite. La victoire n'était pas acquise.

Nollaig savait qu'il ne devait pas s'aventurer seul en forêt, mais il s'en approcha tout de même et fit quelques pas à l'orée du bois. Les arbres le fascinaient. Il se rappela les paroles de son oncle Padraig : «Au cœur de toute forêt se cachent des mystères insondables qui n'attendent que les braves aventuriers pour se révéler à tous.»

C'est alors qu'il entendit le martèlement rythmé de sabots provenant des profondeurs du terrain boisé. Nollaig retourna en vitesse vers la forteresse afin d'avertir les guerriers qu'on chevauchait sur le domaine.

Marchant le long des terres cultivées, il jeta un œil derrière lui et aperçut deux cavaliers émergeant de la forêt. Il accéléra le pas, puis se mit à courir jusqu'à l'aire d'entraînement des jeunes guerriers. Il aperçut alors Thomas, qui s'était déjà engagé dans un nouveau duel. Soudain, de Courcy s'arrêta net de combattre et son adversaire fit de même. Nollaig eut l'impression que tous les regards se tournaient vers lui. Mais en faisant volte-face, il comprit que l'on observait les deux Irlandais qui l'avaient presque rejoint en chevauchant vers le château. L'un, noblement vêtu, portait une belle cape rejetée sur son dos qui laissait paraître la garde ornementée de sa courte épée. L'autre, un colosse, semblait tout aussi fatigué que son cheval. Le premier s'arrêta tout près du jeune FitzWilliam.

— Maître Nollaig! Ma foi, vous avez grandi, mon neveu, lança en langue irlandaise le chevalier du haut de sa monture.

— Seigneur Cathal! répondit Nollaig en le reconnaissant.

— Auriez-vous l'obligeance, jeune homme, de me conduire jusqu'à votre mère?

Nollaig acquiesça.

— Tuer le serpent de mer du loch Linnhe ? Mais ils sont devenus fous ! s'exclama Padraig, s'efforçant de ne pas trop élever la voix.

Padraig séjournait couramment au château. Ses voyages, sa culture générale et sa connaissance des langues avaient motivé Derdriu à faire appel à ses services pour poursuivre l'éducation de Nollaig en l'absence du père Cormac. Avec ce retour inattendu de Cathal, les trois O'Corrigan s'étaient retirés au sommet de la tour de Garrett, dans les appartements privés de Derdriu.

— Tu savais que cette créature existait ? demanda-t-elle à son frère.

— Je ne l'ai jamais vue. Mais je sais que Diarmad MacNichol, le protecteur de la communauté qui m'a hébergé, en connaît l'existence. Il a déjà communiqué avec ce puissant serpent de mer. On lui a attribué plusieurs noms. Je me souviens que le vieil Écossais l'appelait Dalak.

« Dalak, songea Derdriu. Ce nom ne m'est pas étranger. »
Elle se tourna vers Cathal.

— Comment le jeune roi Henri pouvait-il connaître cette créature ?

— Il n'est pas un Anglais, un Gallois ou un Écossais qui n'en a pas entendu parler, ma sœur. Étant donné le prestige que Garrett a acquis en terrassant trois monstres de lac, il n'en fallait pas plus pour que le père Cormac convainque le comte de Pembroke et le roi des bénéfices d'une telle chasse, expliqua Cathal.

— Garrett aurait dû avoir la sagesse de renoncer comme toi à cette aventure, lança Padraig.

— On ne refuse pas une mission de son roi, trancha son frère.

— Tu l'as bien refusée, toi, protesta Derdriu.

— D'abord, le roi d'Angleterre n'est pas mon roi. Et puis, Garrett est le chef de cette expédition. Il n'avait guère le choix. Il lui fallait accepter. L'honneur associé à cette tuerie est immense. Ce n'est d'ailleurs pas de gaieté de cœur que Brogan et moi avons quitté Garrett. Ton mari est un brave guerrier. S'il est vrai que toute cette entreprise verse dans le délire, nombreux sont les seigneurs d'Irlande et d'Angleterre qui ont vidé leurs coffres pour se procurer ces prodigieuses vestes.

— Qu'est-ce qui t'a donc poussé à l'abandonner? l'interrogea sa sœur.

Cathal demeura silencieux un long moment, comme s'il n'osait répondre.

— Tu as entendu une voix des profondeurs? risqua Padraig.

Cathal acquiesça.

— Un soir de novembre. Le jour même, nous avions mis à mort un jeune géant qui vivait dans un lac du sud de l'Irlande. Je m'étais assoupi, alors que les hommes festoyaient autour du feu. En songe, je fus transporté dans les profondeurs d'un lac où se trouvait un étrange palais de bois. Deux monstres lacustres m'y attendaient. Ils me supplièrent de mettre fin au massacre. «Nous ne sommes pas vos ennemis. Quelque part dans les entrailles du monde, nous sommes frères», me dirent-ils. Je parlai de ce rêve à Garrett. Il fut intrigué au départ, mais le père Cormac eut tôt fait d'intercéder en faveur de la chasse, rappelant le prestige obtenu avec les peaux de monstres et évoquant notre contribution à la croisade. De plus, le pouvoir phénoménal de cet étrange cristal rend Garrett sourd à toute objection de ses proches. Je crains même qu'il en vienne à perdre la raison avec le temps. Vint ensuite le triomphe à Dublin, le jour de Noël. À partir de ce moment, les nobles irlandais, normands et anglais firent de nous des héros. Mais malgré toute cette gloire, je demeurai profondément perturbé par ce rêve. Après que le roi Henri nous eut confié notre mission, j'annonçai à Garrett qu'il m'était impossible de continuer.

— Qu'a-t-il répondu ? s'enquit Derdriu.

— Rien.

— Rien ?

— Il semblait comprendre, un peu comme s'il était conscient de sa folie. Il a demandé que l'on bénisse mon voyage de retour avec Brogan, et il a insisté pour que je m'assure de ton bien-être et de celui de votre fils. Je l'ai quitté fin février, alors qu'il s'engageait avec FitzHerbert et Cormac dans une campagne de recrutement dans le nord de l'Angleterre et dans le royaume d'Écosse pour sa grande chasse.

— Tuer Dalak constituerait un sacrilège. Garrett court à sa perte, chuchota Padraig.

Sur ces paroles, Derdriu baissa la tête. Le peu d'espoir qui lui restait de retrouver son mari dans un avenir rapproché s'évaporait d'un coup.

Le jour tirait à sa fin. Un vent léger faisait danser l'herbe sur le terrain d'entraînement déserté par les guerriers.

Après avoir terminé ses tâches dans la cuisine, Catherine fit mine de se sentir fiévreuse. À l'insu de tous, elle sortit du château pour errer seule. Elle aurait souhaité avoir un rendez-vous interdit dans la forêt avec son beau chevalier, mais il s'était évertué à l'ignorer toute la journée. Le cœur brisé, elle espérait que l'air du soir lui apporterait un peu de réconfort. « Devrais-je fuir le château pour qu'il remarque mon absence et parte à ma rescousse, ou devrais-je tout abandonner pour entrer au couvent ? » Pendant que ces idées extrêmes s'entre-choquaient dans sa tête, elle aperçut dame Derdriu déambulant le long du mur extérieur de la grande cour. Catherine l'observa un moment, puis décida d'aller la rejoindre. Plus que toute autre femme du domaine, Derdriu saurait trouver les mots pour la consoler et lui prodiguer des conseils sur les affaires de cœur. À peine avait-elle entamé le premier pas qu'une jeune voix brisa le silence.

— N'y va pas, Catherine.

La jeune fille découvrit Nollaig, épiant sa mère à distance.

— Que fais-tu là ?

— Je veille sur elle. Quand elle longe la muraille de la sorte, c'est qu'elle désire être seule.

— Vraiment ?

— Oui.

— Pourquoi ne la laisses-tu pas seule, dans ce cas ?

— Je ne fais que mon devoir.

— Ton devoir ?

— Celui de la protéger.

— Mais de quoi donc ?

— Du danger, des ennemis, des brigands.

— Nollaig, mon brave, tu n'as que neuf ans. Que ferais-tu si on l'attaquait ?

— Je trouverais bien.

Catherine fit un effort pour ne pas éclater de rire.

— Quand ton père reviendra, je me ferai un devoir de lui dire que tu as fait preuve de grande bravoure à l'égard de sa dame.

— Mon père ne reviendra pas.

— Bien sûr que si. Il reviendra avec le mien, fier et triomphant, comme d'habitude.

— Non. Ni ton père ni le mien ne reviendront.

— Comment peux-tu dire cela ?

Les fameuses visions de Nollaig ne lui étaient pas étrangères. Catherine leur prêtait souvent une oreille attentive. Mais cette fois, elle préférait ne pas entendre les propos de son ami.

— Je les ai vus. J'ai vu ton père, le cou transpercé d'une flèche, périr dans les flots. Puis j'ai vu le mien, devant moi, comme s'il était là en chair et en os. Il tombait dans un gouffre noir d'où il ne reviendra jamais.

Était-ce la colère, suscitée par la dévotion de Catherine pour Thomas, qui le poussait à lancer de telles affirmations ? De toute manière, l'effet fut immédiat. La jeune femme eut l'impression que son jeune compagnon avait mille ans de plus qu'elle. Ses dernières paroles la touchèrent droit au cœur. Les larmes lui montèrent aux yeux et elle retourna au château en courant.

Derdriu s'arrêta au sommet de la colline qui surplombait la petite rivière. Elle observa en silence les murs du monastère de Saint-Cuthbert, qui captaient les rayons du soleil couchant. Bouleversée par tout ce qu'on lui avait raconté au sujet de Garrett, elle cherchait un sens à son existence. Il n'y avait que Nollaig qui lui apportait un peu d'espoir.

Les derniers conseils de Cathal soulevaient chez elle des inquiétudes supplémentaires. Il trouvait le château FitzWilliam mal protégé. Selon lui, ses guerriers trop peu nombreux ne bénéficiaient pas d'un entraînement adéquat. Même si plusieurs d'entre eux possédaient maintenant des vestes en peau de créatures lacustres, ils n'étaient pas invincibles pour autant. Cathal craignait, non sans raison, une attaque imminente de Richard Prendergast, le fils d'Henri, qui désirait plus que tout venger la mort de son père. Le vieux Prendergast avait été tué par Garrett près de deux ans auparavant. Depuis lors, pour certains Normands comme Prendergast, Garrett et son domaine appartenaient au monde des Irlandais. Pour d'autres, son prestige de tueur de monstres et sa contribution en prodigieux survêtements de combat pour les seigneurs de la cour d'Angleterre le rendaient intouchable. Quoi qu'il en soit, en cette période instable, une menace d'invasion pesait sans cesse sur la propriété de Derdriu.

Une volée de corbeaux passa au-dessus de sa tête et se posa sur les branches d'un frêne.

« Dalak ! Dalak ! Dalak a péri ! » lancèrent-ils dans leurs habituelles déclamations cacophoniques.

« Dalak ! Comment ai-je pu oublier que c'est d'eux, les corbeaux, que j'entendis pour la première fois ce nom mystérieux ? » songea Derdriu.

39

« FitzWilliam a sombré et sa bien-aimée le rejoindra ! »

Les déclamations des corbeaux se confondirent au sifflement du vent qui fouettait les arbres en cette nuit de tumulte. Les yeux rivés à la fenêtre de sa chambre, Jet n'arrivait pas à repérer où étaient perchés les oiseaux, mais il n'avait aucun doute quant à la provenance des étranges tirades.

Ce n'étaient pourtant pas les corbeaux qui le troublaient le plus. Il venait de se réveiller en sursaut après avoir été pris d'une grande frayeur. Quelque chose d'inhabituel, de menaçant et de terrible s'approchait du royaume sous-marin de Ragdanor. Il ne pouvait en déterminer la nature exacte. Il aurait voulu y courir à toutes jambes pour comprendre, mais il était impuissant. Il lui fallait s'armer de patience et attendre la venue du jour pour se rendre à Doo lough.

— Le Petit Lac du Refuge ! lança Mhorag par télépathie.

— Maintenant ? Cette nuit ?

— Le temps nous manque, Ragdanor. Il faut partir.

Tapi dans les profondeurs de leur abri de troncs d'arbres, Ragdanor ne comprenait pas ce qui motivait sa mère à vouloir ainsi prendre la fuite. Elle n'ajouta rien de plus et s'empressa de quitter l'antre pour nager vers l'extrémité nord du lac. Ragdanor la suivit sans conviction, mais à mesure qu'il s'éloignait de sa demeure subaquatique, il crut percevoir d'étranges vibrations qui éveillèrent son anxiété. Il accéléra la cadence et finit par rejoindre Mhorag qui l'attendait.

— Que se passe-t-il?

— Une menace vient vers nous. Je suis incapable d'en connaître la nature exacte, mais tu dois quitter notre lac, pour ton bien.

L'incompréhension totale assombrit le regard de Ragdanor.

— Tu dois m'obéir. Promets-moi que tu feras comme je te l'ordonne.

— De quelle menace s'agit-il?

— Le temps nous manque, prête serment.

Ragdanor hésita un moment.

— Ragdanor!

— Je promets.

— Tu vas faire surface et t'engager à toute vitesse dans le ruisseau. Tu pataugeras le plus vite possible. Dès que tu atteindras ton but, tu plongeras dans les profondeurs du petit lac pour nager jusqu'à son extrémité opposée. Tu dois y rester caché jusqu'à mon retour, et tu ne feras surface que pour respirer.

— Ne viens-tu pas avec moi?

— Ne discute pas. Le temps n'est pas de notre côté. Pars maintenant. Je te rejoindrai.

Ragdanor nagea à reculons sur quelques mètres, son regard accroché à celui de sa mère. Elle se décida à fermer les yeux. Il se retourna et atteignit l'estuaire du ruisseau. En risquant un dernier coup d'œil derrière lui, il aperçut Mhorag qui s'éloignait en hâte vers le sud. Le jeune monstre fit alors surface et remonta à vive allure l'étroit cours d'eau qui reliait le lac aux Sombres Collines au Petit Lac du Refuge. Ce plan d'eau servait de cachette ultime pour Ragdanor et Mhorag en cas d'attaque-surprise de la part de monstres lacustres belliqueux. Jusqu'à présent, ils n'avaient jamais ressenti le besoin de s'y réfugier.

En cette nuit venteuse, un sentiment d'urgence mêlé de peur remplaçait l'exaltation que Ragdanor avait connue lors de son escapade en montagne. Il se traînait sur les cailloux et faisait éclabousser l'eau de part et d'autre du ruisseau. Il se rappela alors le cours d'eau qu'il avait remonté cent soixante-huit ans plus tôt, avec sa mère et la Doyenne de Ness. Celui-ci était cependant situé à l'extrémité sud de son lac et constituait maintenant le passage interdit, car il conduisait au bras de mer donnant accès au vaste réseau de tunnels.

Dès qu'il eut atteint le Petit Lac du Refuge, Ragdanor plongea sans hésiter, mais il s'arrêta avant d'arriver à l'autre bout. Il fit volte-face et resta immobile dans le fond rocailleux, gardant l'espoir de voir apparaître Mhorag.

Il fallut moins d'une heure pour que l'équipe de scientifiques termine de s'installer sur la rive située à l'extrémité sud de Doo lough.

Faisant plus de quarante-trois mètres de longueur, l'impressionnant yacht de recherche flottait au milieu du lac. Sur la berge s'étendait le campement composé de jeeps, d'un énorme camion-remorque, d'une longue roulotte servant de cantine et de plusieurs automobiles, dont celle de Viviane Bourke. Brillant de mille feux et illuminant les fonds boueux de ses puissants projecteurs, le *Nemo III* était assez spacieux pour accueillir sur son pont le *Balbuzard II* – l'hélicoptère de l'équipe – de même qu'un Zodiac motorisé. Centre nerveux de toute l'opération, le bateau mouillait depuis quelques jours dans une marina de luxe. On venait de le transporter d'urgence à Doo lough. Ses équipements de détection, développés par une firme montréalaise, étaient à la fine pointe de la technologie. En dépit de sa dimension surprenante, il avait été conçu pour pouvoir naviguer sur les lacs d'Irlande et d'Écosse. Il pouvait donc, si nécessaire, manœuvrer dans des eaux assez peu profondes.

Sur le pont, le corpulent Bruno Vidal – l'assistant de Bernard de Nantes – grimaçait en déplaçant avec deux membres de l'équipage une sorte de torpille métallique. Ils descendirent l'escalier situé à tribord pour aboutir sur un palier se trouvant au niveau du lac. Le grand gaillard et ses compagnons déposèrent la sonde dans l'eau.

Installée avec ses confrères et consœurs de travail devant les nombreux écrans vidéo qui occupaient un des murs de la salle de commande, située à l'étage inférieur du yacht, Viviane Bourke assistait à la mise à l'eau de la « Fouine ». C'est ainsi que le cinéaste et Jouvet, son caméraman, avaient prénommé cette sonde de détection téléguidée, dont la capacité de transmettre des images impeccables depuis les profondeurs était phénoménale.

Une obscurité sinistre régnait au fond du lac. Chaque vestige de tronc d'arbre semblait se tordre dans une douleur figée. Le calme habituel faisait place à une attente angoissante.

Recouverte de vase et immobile comme une statue, Mhorag se confondait avec le fond de son lac. Seuls ses grands yeux verts, comme des joyaux oubliés au milieu de la boue, laissaient deviner sa présence. Les quelques truites qui l'avaient suivie un peu plus tôt avaient pris la fuite avec l'arrivée des embarcations humaines.

Cachée à mi-chemin entre les extrémités nord et sud de son lac, qui faisait près de quatre kilomètres de longueur, Mhorag captait les vibrations, épiait les moindres mouvements de poussière aquatique et, surtout, s'efforçait de songer à un moyen d'éloigner ces envahisseurs. Ils ne devaient absolument pas trouver son palais de bois, ni le ruisseau qui menait au lac où se cachait Ragdanor.

Viviane et ses collègues observaient avec attention les premières images transmises par la Fouine. La tension au sein de l'équipe était palpable. La jeune femme avait le pressentiment qu'une découverte inusitée allait être faite en cette nuit de juillet. Elle se demandait cependant pourquoi les dirigeants de son équipe ne l'avaient pas invitée à se joindre à eux lorsqu'ils avaient rencontré Harold Fitzwilliam et Joe Flynn au pub local.

À peine une semaine plus tôt, Harold et Joe s'étaient entretenus avec Viviane en secret pour lui faire part de l'existence d'une créature unique dans les eaux du lac. Ils lui avaient montré les photos de Ragdanor prises par Molly, que Joe avait copiées et imprimées le jour même en catimini.

Fascinée, Viviane avait informé ses supérieurs. Ces derniers, déterminés à concrétiser leur projet, s'étaient empressés de contacter Harold et Joe, en éloignant toutefois Viviane du processus. Ils soupçonnaient que la jeune scientifique ne partagerait pas leur empressement à effectuer une capture de la bête. De plus, une somme d'argent aussi impressionnante que secrète avait été négociée entre les dirigeants de la firme et les deux compagnons irlandais, advenant une prise.

— J'augmente la vitesse de quinze pour cent, murmura le caméraman Hervé Jouvet, assis devant son panneau de commande et dirigeant la sonde téléguidée à l'aide d'une manette.

Debout derrière lui, Bernard de Nantes, vêtu de sa combinaison de plongée, observait chaque dénivellation, chaque accident de terrain et, surtout, chaque bestiole qui se trouvait sur le chemin de la sonde. Assise à côté de Jouvet, Viviane maintenait son regard rivé sur l'écran.

— Plein nord, Hervé, et rase le fond, lança de Nantes.

Tel un requin de métal, la Fouine glissa dans les profondeurs et se dirigea aussitôt vers le nord, éclairant le sol subaquatique de ses puissants phares. À l'avant, l'objectif de la caméra miniature oscillait de façon irrégulière, à l'affût de tout ce qui se présentait devant lui. Équipé d'un capteur thermique, l'appareil pouvait schématiser en temps réel les émanations de chaleur que dégageait un animal.

Mhorag avait depuis longtemps capté les vibrations de l'engin qui approchait. Une lumière artificielle tranchante révélait maintenant chaque détail du sol. Ensevelie sous une épaisse couche de boue, elle savait que le faisceau allait bientôt la toucher. Comme elle l'aurait fait pour déjouer n'importe quel prédateur, Mhorag ferma les yeux et ralentit ses battements cardiaques, à un point tel qu'on aurait pu la croire morte.

La grosse motte de terre surgissant du paysage à gauche de l'écran attira l'attention de Viviane. Mais avant que le capteur thermique n'ait le temps de réagir à la présence de Mhorag, un banc de truites fit son apparition devant l'objectif. Les poissons tournèrent autour de la Fouine pendant quelques secondes, intrigués par cet intrus. Mhorag ne sut d'ailleurs jamais si les truites s'étaient volontairement interposées devant cet appareil pour le distraire ou s'il ne s'agissait que d'un simple hasard.

Une fois que les truites eurent cessé leur ballet providentiel, la Fouine réajusta son cap. On ignora l'amas de boue et l'appareil poursuivit sa progression vers le nord.

Au bout d'un moment, Mhorag osa bouger la tête afin d'observer de ses yeux perçants l'envahisseur qui sillonnait son royaume. Jamais rien de tel n'était survenu par le passé. Après plusieurs minutes d'exploration en apparence infructueuse, la Fouine arriva devant une forte dénivellation, qui l'entraîna dans des profondeurs insoupçonnées.

— Ça n'arrête pas de descendre, lança Jouvet.

— Continue, ordonna de Nantes.

Pendant quelques secondes qui semblèrent interminables, la Fouine s'engouffra dans un épais nuage de poussière brunâtre. Viviane, qui avait abondamment photographié ce lac, ne s'attendait pas à ce qu'il soit si profond.

Le silence qui régnait à bord du yacht était presque oppressant. Tous attendaient sans mot dire les révélations de la sonde.

La Fouine continua ainsi de descendre sur plusieurs mètres pour aboutir au fond d'un gouffre et se trouver face à une paroi rocailleuse. Balayant de haut en bas le mur grisâtre, le faisceau lumineux interrompit soudain son mouvement.

— Là ! indiqua Viviane.

Jouvet actionna aussitôt le zoom de la caméra, ce qui rendit l'image floue quelques secondes. L'objectif réajusta son foyer et, à la stupéfaction de tous, quatre symboles apparurent à l'écran :

Hervé Jouvet ne se fit pas prier pour enregistrer dans la mémoire de l'ordinateur ces signes mystérieux. De Nantes écrasait littéralement son épaule tellement il s'était rapproché de l'écran pour observer de plus près cette découverte insolite.

Cependant, s'il avait fallu tenir un concours de stupéfaction, c'est Viviane qui l'aurait emporté haut la main. Elle était dépassée, éberluée, bouche bée. « Les symboles du professeur McNicol, se répétait-elle en silence. Je n'arrive pas à le croire. Il disait donc vrai. »

— Tu as mémorisé ça ?

— Quatre fois plutôt qu'une.

— On remonte et on poursuit jusqu'à l'extrémité nord ! lança de Nantes.

Le zoologiste-cinéaste voulait en découvrir davantage. En fait, c'est un monstre lacustre qu'il souhaitait voir apparaître sur son écran.

La Fouine s'engagea d'abord vers l'ouest avant de bifurquer en direction nord-ouest pour atteindre l'autre bout du lac. Si la première découverte fut renversante, la seconde s'avéra ahurissante. Les rayons lumineux de l'appareil révélèrent une imposante structure de troncs d'arbres savamment agencés qui trônait au fond du lac. Le souffle coupé, tous les membres de l'équipe admirèrent dans un silence d'incompréhension totale cet étrange monument subaquatique.

— Immobilise la Fouine, Hervé. On met le cap sur ce secteur du lac. Je veux effectuer une plongée pour voir cette chose de mes propres yeux.

— Entendu, chef. Donne-moi juste le temps d'approcher pour prendre en photo les cavités.

Jouvet poussa sa manette pour faire avancer davantage la Fouine dans la demeure de Mhorag quand, tout à coup, l'image se mit à bouger dans toutes les directions.

La Doyenne du lac aux Sombres Collines passait à l'attaque.

40

ÉCOSSE
XIIIe SIÈCLE

vec ses longues bottes de cuir maculées de boue et son manteau de laine orné de fourrure, Diarmad Mac-Nichol avançait sur la grève avec l'allure d'un prince. Ce vieil Écossais de cinquante-sept ans en imposait par sa haute taille. Depuis toujours, il s'amusait à laisser planer le mystère sur ses origines. Il se disait guérisseur, mais sa voix rauque, sa force herculéenne et sa fougue de combattant ne semblaient pas le prédisposer à prodiguer des soins à qui que ce soit. Le vent glacial de cette fin d'après-midi de novembre 1218 secouait sa barbe blanche et ses longs cheveux. Son regard pénétrant et ses sourcils en broussaille lui donnaient un aspect énigmatique. Il avançait calmement parmi les cadavres de guerriers normands et irlandais gisant dans le sable mouillé.

Dalak le serpent de mer n'avait pas encore rendu l'âme. Baignant dans son sang sur cette plage de l'île de Lismore, à l'embouchure d'un bras de mer connu sous le nom de loch Linnhe, il était toujours secoué par de fortes convulsions.

Lorsque MacNichol s'immobilisa devant lui, le monstre cessa de bouger, comme si un vieil ami venait lui apporter du réconfort dans ses derniers moments. L'Écossais s'agenouilla devant la tête du mammifère, qui rappelait vaguement celle d'un crocodile géant. Les longs poils de sa crinière rougie par ses blessures s'entremêlaient de part et d'autre de son cou. Son œil droit crevé, sa bouche ensanglantée par les lances et les flèches, son crâne entaillé par les coups de hache, la noble créature agonisait, puis poussa son dernier souffle.

Diarmad joignit les mains pour prier. Après un moment, il referma l'œil gauche du monstre et s'empara d'une petite fiole attachée à sa ceinture. Il la trempa dans la mare de sang qui entourait la bête et la remplit. Il recula et observa le résultat de cette chasse terrible.

Garrett FitzWilliam avait recruté plus de trois cents hommes, des guerriers pour la plupart venus des quatre coins de l'Angleterre et de l'Écosse, enthousiasmés à l'idée de se joindre à l'illustre chevalier tueur de monstres. Mais le puissant Dalak avait offert une résistance sans pareille. Sa carapace impénétrable avait forcé les plus braves à projeter leurs lances et leurs flèches dans sa gorge. Un jeune et hardi guerrier normand avait réussi à fendre sa tête avec une hache, mais il fut projeté à dix mètres de distance pour demeurer inconscient pendant plus d'une heure. Herbert FitzHerbert, pour sa part, n'avait pas eu la même chance. Alors qu'il transperçait l'œil du serpent de mer avec son épée, une flèche perdue avait eu le malheur de lui traverser le cou. Il était tombé sans vie dans l'eau salée. Les visions du jeune Nollaig s'étaient avérées justes.

Quant à Garrett, le monstre l'avait atteint d'un coup de queue à l'abdomen. L'illustre guerrier s'était écrasé au sol, accablé d'une blessure sévère. On l'avait transporté à l'écart. Ses cris de douleur n'avaient eu d'égaux que les hurlements de rage poussés par le monstre aquatique.

À moins d'un kilomètre de la plage où gisait Dalak se trouvait le monastère de Saint-Moluag. Fondé par ce missionnaire irlandais cinq siècles plus tôt, ce bâtiment de pierre de dimension modeste hébergeait une petite communauté de moines. On avait installé

Garrett sur un lit improvisé à l'intérieur d'une pièce étroite attenante au réfectoire. Dans un état de demi-conscience, il grelottait de froid.

L'abbé MacDougal regardait en silence le père Cormac, qui épongeait la blessure du chevalier. L'entaille profonde, située sur le côté gauche à la base de l'abdomen, saignait toujours. Malgré les compétences médicales de l'aumônier, celui-ci n'avait pas réussi à recoudre la plaie. Le fil, pourtant résistant, se dématérialisait de façon inexplicable au contact du sang et de l'inquiétant liquide jaunâtre qui s'échappaient de la blessure.

— Il faudra changer les compresses continuellement et maintenir le bandage très serré, afin de ralentir les pertes de sang, ordonna Cormac.

Sa voix tremblante et ses grands yeux de rongeur cernés par la fatigue trahissaient un sentiment d'inquiétude profonde.

— S'en sortira-t-il ? murmura l'abbé.

— Je ne saurais dire pour le moment. Les serpents de mer causent d'étranges blessures qui dépassent mon savoir.

— Nous l'hébergerons aussi longtemps qu'il sera nécessaire, dans ce cas.

— Nous vous en sommes grandement reconnaissants. Vous prierez pour lui ?

— Nous n'y manquerons pas.

— Je dois maintenant voir aux affaires de mon seigneur. Il se peut que des émissaires des rois d'Angleterre et d'Écosse se présentent ici sous peu. Ils chercheront le chevalier FitzWilliam. Il serait préférable que personne ne le voie dans cet état. Faites-moi quérir dans une telle éventualité.

L'abbé MacDougal acquiesça. Cormac prononça une dernière prière pour Garrett et s'empressa de retourner à la plage pour rassembler les hommes les plus vigoureux, afin qu'ils puissent disposer de la bête comme convenu.

L'image se stabilisa de nouveau après la forte secousse qui avait duré plusieurs secondes. Braqué vers la surface, l'œil de la Fouine ne transmettait maintenant que des poussières aquatiques dansant dans les faisceaux lumineux.

Manette de téléguidage en main, Jouvet replaça en hâte la sonde à l'horizontale. La demeure de Mhorag réapparut à l'écran.

— Vise le sud, Hervé, ordonna de Nantes.

Jouvet fit pivoter l'appareil et la stupéfaction fut totale. Il n'y avait aucun doute. La Fouine avait été attaquée par ce monstre aquatique d'une quinzaine de mètres de longueur qui apparaissait sous la lumière des phares et qui s'éloignait à toute vitesse vers l'extrémité méridionale du lac.

— Faites décoller le *Balbuzard*. Il nous faut des plans aériens, lança le cinéaste vers Elaine McMorris, qui se tenait debout derrière. Viviane, tu prends le relais de la Fouine et tu arpentes tous les recoins du lac. Ce monstre n'est pas seul. On plonge ! annonça-t-il.

Ce fut le branle-bas de combat. En un temps record, l'hélicoptère décolla, alors que quatre plongeurs, incluant de Nantes, fendirent la surface du lac pour se retrouver sous l'eau. Armés de harpons, deux d'entre eux étaient tirés par des propulseurs sous-marins qui évoluaient à haute vitesse.

Ragdanor capta l'afflux de vibrations menaçantes lui parvenant de son lac. Les yeux grands ouverts, paralysé par la peur et l'angoisse, il n'arrivait pas à effectuer le moindre mouvement. Puis il entendit soudain par télépathie la voix de Mhorag, insistante : « L'extrémité nord du lac, Ragdanor, réfugie-toi dans les profondeurs du nord ! » Il lui fallait obéir, mais son cœur se trouvait déchiré par la tentation d'aller au secours de sa mère. Il avait cependant fait le serment de se soumettre à ses ordres. Il se laissa glisser dans les bas-fonds du lac et fit demi-tour pour atteindre les profondeurs vaseuses du Petit Lac du Refuge.

Grâce à ses puissants réflecteurs, l'hélicoptère inondait de lumière les eaux du lac, permettant à de Nantes et à Jouvet de capter d'incomparables images sous-marines de Mhorag.

Se déplaçant à haute vitesse avec leurs propulseurs, les deux autres plongeurs prirent en chasse la créature. Utilisant des harpons, ils atteignirent leur cible avec des tranquillisants, mais les projectiles ne réussirent pas à pénétrer suffisamment la carapace de leur proie et se détachèrent de l'animal au bout d'un moment.

Devançant ses assaillants, Mhorag atteignit l'extrémité sud du lac sous la lumière des projecteurs du *Balbuzard II*. Inutile de réfléchir. Elle devait à tout prix attirer l'attention sur elle le plus longtemps possible. Elle se précipita sans perdre une seconde dans le passage interdit pour surgir au milieu de la petite rivière.

L'heure qui suivit fut une des plus éprouvantes de sa vie. Certes, elle avait récemment affronté Vangor le perfide et Shoruk le reptilien, mais le génie destructeur des humains l'effrayait davantage. Ils étaient imprévisibles et tout aussi persévérants que les pires créatures aquatiques.

Si les eaux peu profondes de la rivière lui permirent de distancer les plongeurs, c'est l'hélicoptère qui prit la relève et la survola à très basse altitude. L'incessante rafale de même que le vacarme infernal produits par le puissant appareil biturbine étaient suffisants pour désorienter le plus hardi des monstres lacustres. Mais Mhorag se démenait avec l'énergie du désespoir et elle descendit le cours d'eau en zigzaguant de part et d'autre du rivage, évitant à trois reprises les projectiles qui l'auraient facilement plongée dans un sommeil profond.

À l'insu de tous, un couple de touristes hollandais qui s'était égaré en pleine nuit dans ce coin reculé de l'Irlande circulait sur la route qui longeait la rivière. Le tumulte produit par l'hélicoptère les incita à immobiliser leur véhicule. Ils en surgirent alors, mini-caméra vidéo en main, et enregistrèrent les déplacements de l'appareil. C'est alors qu'ils aperçurent le monstre lacustre. Ce voyage d'agrément en Irlande venait ainsi de prendre une tournure médiatique dont le retentissement allait dépasser leur imagination.

Le nez collé à la fenêtre de sa chambre, Jet entrevit l'hélicoptère qui survolait la région, produisant sa pétarade ahurissante et découpant le paysage nocturne de ses puissants phares. Il se rappela soudain les paroles de son grand-oncle lors de son repas d'anniversaire. Harold évoquait un futur coup d'argent spectaculaire. Jet pouvait imaginer la somme extraordinaire que l'on pourrait obtenir en révélant la présence d'un monstre lacustre à des gens riches et puissants. « Est-ce le père de Molly qui aurait montré les photos aux scientifiques, pour ensuite devenir le complice de mon grand-oncle dans toute cette affaire ? » s'interrogea-t-il.

Alors que le vrombissement de l'hélicoptère s'atténuait, Jet se rassit sur son lit, troublé par la perspective d'une trahison provenant de sa propre famille.

Avant de continuer son cours plus au sud, la rivière se déversait dans le modeste plan d'eau que les humains appelaient Finlough, situé non loin de l'auberge Fitzwilliam-Talbot. Mhorag demeura tapie en son point le plus profond pendant quelques courtes minutes avant de percevoir de nouveau les lueurs du *Balbuzard* qui la pourchassait. Elle fonça alors plein sud.

Au moment où Mhorag s'engageait de nouveau dans la rivière, le *Balbuzard* descendit à moins de deux mètres de la surface et lui bloqua le chemin, la forçant à affronter son poursuivant. À l'aide de ses puissantes nageoires antérieures, elle se propulsa de toutes ses forces et heurta le côté de l'engin de son front. L'hélicoptère fut suffisamment secoué pour obliger ses occupants à s'agripper les uns aux autres. Mhorag réussit à se faufiler sous l'appareil et risqua un coup d'œil vers le haut. Elle vit un homme dans l'habitacle, braquant son pistolet sur elle et appuyant sur la détente. Mhorag entendit un bruit sec et ressentit un pincement sur le dessus de son dos.

— Je perçois le signal! s'écria l'imposant Akira Matsumo, debout devant le récepteur électronique qui captait les signaux émis par l'animal.

Depuis la salle des commandes du *Nemo III*, les membres de l'équipe de scientifiques se réjouissaient de constater que l'émetteur qu'on avait réussi à fixer au dos de la créature fonctionnait parfaitement.

Assise devant l'écran et pilotant la Fouine dans les eaux du lac déserté, Viviane avait l'impression de manquer toute l'action qui se déroulait à ses côtés. Elle s'efforçait de conserver son calme, même si elle se sentait dépassée. Maintenant que l'énorme bête était munie de l'appareil permettant de suivre ses déplacements dans son milieu naturel, Viviane espérait que l'on abandonnerait l'idée de la capturer. Elle ne put s'empêcher de frémir lorsque Matsumo continua d'ordonner les tirs de projectiles anesthésiants.

Pour leur part, de Nantes et Jouvet avaient refait surface et s'étaient joints à l'assistant Vidal, qui les attendait à bord de la jeep de production. Ils s'engagèrent ensuite à toute vitesse sur la petite route afin de retrouver l'hélicoptère qui talonnait la créature.

Mhorag sentit renaître l'espoir dès qu'elle eut atteint la portion plus profonde de la rivière. À partir de ce point, elle n'avait plus à patauger comme un phoque en détresse. Elle pouvait maintenant nager à plein régime en suivant le cours d'eau.

Après avoir évité deux autres projectiles, elle arriva enfin au vaste bras de mer. Elle aurait aimé faire une courte halte pour tenter de retirer l'objet fixé à son dos, mais il·lui fallait continuer sa course folle et entraîner les humains le plus loin possible.

42

— Au moins deux créatures habitent ce lac, et peut-être davantage. J'en suis persuadé, lança Matsumo, tentant d'apercevoir le rivage à travers le brouillard.

— Très possible, mais nous avons arpenté chaque centimètre carré du fond pendant toute la nuit sans découvrir quoi que ce soit, pas même la moindre émanation calorifique, répondit Viviane, l'air épuisé.

Matsumo ne réagit pas. Il savait comme elle que ces créatures étaient douées pour le camouflage. C'est d'ailleurs pourquoi Viviane, lui et les autres membres de l'équipage – en plus d'avoir passé la nuit à suivre les mouvements de Mhorag et à explorer les profondeurs de Doo lough avec la Fouine – avaient installé trois sondes sous-marines permanentes, afin de détecter toute créature suspecte durant leur absence.

L'esprit envahi par un tourbillon d'idées, le zoologiste japonais s'animait à la perspective d'enfin réussir là où tous les experts en cryptozoologie avaient échoué : prouver l'existence des grands monstres lacustres qui captivaient l'imaginaire des humains depuis des siècles. Après avoir piloté le chapitre scientifique de ce projet depuis plus de cinq ans, il considérait cette nuit de chasse au monstre comme un pas de géant. Une capture de la bête ne signifierait rien de moins qu'une véritable consécration.

— Leurs peaux sont de couleurs très similaires, mais l'animal sur la photo avait une longue queue et des ailerons dorsaux, tandis que notre bête a un corps plus trapu, sans queue, et des bosses sur le dos, poursuivit-il. Tu as remarqué ces bosses ?

Viviane fit signe que oui.

— Ça ne te rappelle pas certaines des créatures qui ont été vues en Écosse ?

— Oui, tout à fait. Notre animal est un monstre lacustre typique.

— Celui qui était blessé serait donc une sorte de serpent de mer.

Viviane acquiesça. En manque flagrant de sommeil, elle enviait l'énergie de Matsumo qui, malgré ses cinquante et un ans, s'enthousiasmait comme un gamin.

Le *Nemo III* se frayait un chemin à travers l'épais manteau de brume matinale qui s'étendait sur la surface immobile de Doo lough. Viviane et Matsumo commençaient à distinguer à une centaine de mètres les silhouettes du campement installé sur la rive, à l'extrémité sud du lac. On devinait surtout l'ombre du camion-remorque qui s'apprêtait à transporter le yacht jusqu'au bras de mer, à moins d'une trentaine de minutes de route.

Quelques heures auparavant, l'hélicoptère s'était posé devant l'estuaire de la petite rivière, où de Nantes et son équipe avaient rejoint l'appareil pour guetter le retour potentiel de la créature. Le cinéaste maintenait une communication constante avec l'équipe du yacht afin de connaître la position exacte de Mhorag, dont le signal électronique indiquait qu'elle arpentait les fonds marins du fjord de Killary Harbour sans jamais trop s'éloigner.

— Vous n'avez pas peur qu'on la perde ? demanda Viviane.

— Si c'est réellement une créature lacustre, elle ne survivra pas longtemps en eau salée.

— Elle tentera sûrement de revenir.

— Peut-être, mais elle craint de retourner dans son lac. On va monter la garde avec l'hélicoptère au confluent de la rivière et du bras de mer, pendant que le yacht va la suivre en eau salée. Elle va faiblir et remonter de plus en plus souvent. C'est une chance inouïe qu'il faut saisir. Un monstre de lac est à notre portée, jeune dame. Vous vous rendez compte ?

Même si la brume tardait à retirer son manteau ouaté, l'opération de remorquage du *Nemo III* s'effectua en un temps record. Installé sur le puissant camion-remorque, le yacht se retrouva ainsi à la tête du convoi quittant Doo lough en direction de Killary Harbour.

Seule au volant de son véhicule de location, Viviane luttait contre la fatigue. Elle aperçut dans son rétroviseur le légendaire plan d'eau qui se révélait à travers le brouillard. Un retour s'imposait en ce lieu. Elle voulait à tout prix élucider le mystère de ce palais subaquatique et de ces étranges symboles. C'est alors qu'elle vit une silhouette qui sillonnait la petite route le long du lac, dans la direction opposée. « Matinal, ce cycliste », songea-t-elle. Sa montre indiquait à peine six heures. Elle reconnut soudain Jet, qui pédalait à vive allure vers le nord, puis elle fit retentir son klaxon.

Croisant le convoi des scientifiques, Jet ne tint pas compte du coup de klaxon et continua sa route pour atteindre le lac. Il s'arrêta quand même au bout d'un moment, le temps d'observer derrière lui la suite de véhicules qui s'éloignait vers le sud. Tout indiquait que Doo lough avait été le théâtre d'événements hors du commun la nuit précédente. Pas de temps à perdre. Il reprit aussitôt son chemin et arriva en un temps record à l'extrémité septentrionale du lac. Les images qu'il avait vues par l'intermédiaire de rêves télépathiques durant cette nuit agitée lui revinrent à l'esprit : Mhorag qui s'enfuyait en hâte vers le sud, la petite rivière qui reliait les deux loughs qu'empruntait Ragdanor pour prendre la fuite, l'invasion humaine, la solitude du jeune monstre. Jet savait précisément à quel endroit il devait se rendre.

Il quitta Doo lough et parvint au point où la route s'approchait sensiblement des rives du petit plan d'eau adjacent. Abandonnant sa monture, il s'y dirigea en courant et s'arrêta tout près du rivage. Il remarqua au loin la présence d'un gros bélier esseulé qui avait probablement abandonné son troupeau. Comme lui, l'animal semblait regarder le lac dans l'attente de quelque chose.

N'écoutant que son intuition, Viviane laissa les autres la distancer et fit demi-tour sur l'étroit chemin de campagne. « Je les rejoindrai plus tard », se dit-elle en pensant à ses coéquipiers. Elle roula en hâte sur la petite route, cherchant de part et d'autre à y repérer Jet. Elle atteignit le bout du lac : rien. Elle commençait à regretter sa décision. Ses collègues allaient bientôt remarquer son absence. « Un demi-kilomètre de plus », songea-t-elle. Elle n'eut pas besoin d'en faire un quart avant de découvrir la bicyclette. Elle descendit de son véhicule sans refermer la portière et s'aventura dans l'herbe humide pour se rendre au lac. Elle s'arrêta sec en apercevant Jet, debout dans l'eau jusqu'aux cuisses. À trois mètres devant lui émergeaient la tête et le long cou du singulier monstre aquatique que la zoologiste avait pu voir en photo. Avec la prudence d'un animal traqué, Viviane s'accroupit dans l'herbe.

Jet salua de la tête Ragdanor. Celui-ci fit de même.

— Les humains ont quitté ton lac.

Ragdanor tourna la tête vers le sud, puis regarda Jet de nouveau et acquiesça.

— Tu ne dois pas y retourner. Ils reviendront. Ils sont nombreux.

Ragdanor garda le silence un long moment.

— Mhorag est repartie, n'est-ce pas ? risqua Jet.

Ragdanor fit encore signe que oui.

— Mais elle reviendra. Elle en a fait le serment, prononça d'une voix profonde le monstre lacustre.

— Tu peux parler ?

— Tu peux me comprendre ?

Jet hocha de la tête affirmativement.

— Je ne croyais pas que l'on pouvait parler aux humains, sauf par la pensée et par les rêves, ajouta Ragdanor.

Le monstre lacustre s'approcha davantage de Jet.

Viviane n'en croyait pas ses oreilles. Ce monstre de lac était capable de communiquer par la parole. Elle demeura immobile ; il ne fallait surtout pas briser le lien délicat entre le garçon et la créature.

— Ma mère a évoqué une faculté que je serais le seul à posséder.

— Tu as le pouvoir de parler aux humains, déclara Jet.

— Pourquoi craint-elle que j'utilise ce pouvoir ?

— Les humains peuvent être très dangereux.

— Je sais. Ils sont venus. Ils ont pourchassé ma mère toute la nuit. Elle a emprunté le passage interdit. Depuis, je ne perçois plus rien de sa part. Par-delà ce passage, le vaste monde m'est inconnu. Je sais qu'ils se sont acharnés contre elle, mais je ne puis dire si elle est morte ou vivante.

— Je vais la retrouver, lança Jet, persuadé que lui seul pouvait dorénavant sauver ces créatures de la mort.

— Comment?

— Je ne sais pas. Mais je suis convaincu qu'elle n'est pas morte. Je vais la retrouver et je te dirai où elle se cache.

— J'irai la rejoindre.

— Un jour, oui, mais pas tout de suite. Tu ne dois surtout pas quitter ce lac. Tu ne dois pas attirer l'attention sur toi. Ils te piégeront. Crois-moi. Ils ont des appareils hypersophistiqués, et des harpons, et des tas de machines pour te mettre en pièces en un rien de temps.

Ragdanor sembla confus.

— Les humains capturent tout et mangent tout. Je t'en supplie, reste caché ici, Ragdanor. Reste.

Accablé, Ragdanor baissa la tête et ferma les paupières. Son museau était maintenant à la portée de la main de Jet, qui posa les doigts sur la surface rugueuse de son cuir verdâtre. À ce moment précis, la vision du jeune garçon s'embrouilla. Une succession d'images défila devant lui à une vitesse effarante. Il revit les quatre signes dissimulés dans les profondeurs de Doo lough, Mhorag qui nageait avec l'énergie du désespoir, le terrible reptile des mers qui l'avait attaquée quelques jours plus tôt, Mandrigane et les oiseaux de proie, Korax et sa branche d'arbre trempée. Soudain lui apparurent des visions du château FitzWilliam dans toute sa splendeur d'antan, alors qu'une femme à l'épaisse chevelure noire prenait la route avec un homme à la crinière rousse. Il vit une fois de plus des moments de la tuerie de la créature du lough Derg, puis aperçut Dalak, le serpent de mer, gisant sur la plage écossaise. Sa dernière vision fut celle d'un homme de haute taille, à la barbe blanche, se penchant sur un blessé.

Puis il revint à la réalité. Ragdanor ouvrit les yeux. Ni l'un ni l'autre ne saisissait pleinement la signification de ces visions partagées.

« Je vais la retrouver », songea Jet. Ragdanor acquiesça. Il avait compris. Sans mot dire, il nagea à reculons et se retira dans son refuge secret. Jet retourna vers le rivage. Épuisé, il s'assit dans l'herbe, fixant le lac. Il remarqua alors le bélier aperçu plus tôt. La bête avançait vers lui quand soudain le démarrage d'une voiture brisa le silence. Jet se releva et reconnut le véhicule de Viviane effectuant un demi-tour pour foncer vers le sud.

43

L'homme de haute taille à la barbe blanche se pencha au-dessus de Garrett et déposa sa grosse main calleuse sur son front. La vue du chevalier FitzWilliam était encore embrouillée par de longues heures de sommeil, dont il émergeait avec peine.

— Votre fièvre vous a quitté, prononça Diarmad MacNichol dans la langue gaélique écossaise, semblable à celle des Irlandais.

Le visage du vieux guérisseur apparut alors clairement à Garrett sous les pâles rayons du soleil matinal qui pénétraient par la petite fenêtre. Derrière ses traits prononcés, son regard soutenu, ses sourcils broussailleux et ses rides profondes dessinées par le vent des montagnes, la compassion transparaissait.

La confusion se lisait sur le visage décoloré de Garrett. Il tenta de se replacer en position assise, mais il grimaça de douleur. La blessure infligée par Dalak refusait de guérir. MacNichol mit la main sur son épaule et l'aida à se redresser.

— Doucement. Vous avez vu la mort de près, et elle vous guette toujours.

MacNichol lui tendit un bol d'eau. Garrett en but quelques gorgées.

— Combien de temps ai-je dormi ? demanda-t-il, la voix enrouée.

— Plusieurs heures depuis votre dernier moment de délire.

— Où est Cormac ?

— Vous ne vous souvenez de rien ?

Garrett fit signe que non.

— Après votre très glorieux combat, raconta MacNichol avec une touche d'ironie, vous êtes demeuré semi-inconscient pendant plus de sept jours. Vous avez repris connaissance à quelques occasions pour sombrer de nouveau. Pendant tout ce temps, le père Cormac s'est acharné à guérir votre blessure. Le pauvre bougre! Il n'en est jamais venu à bout et a dû se résigner à me faire confiance, conclut-il en éclatant d'un rire puissant, qui fit frémir Garrett.

— Je me souviens maintenant. Je me souviens de vous, maître Mac…?

— MacNichol, jeune noble. Diarmad MacNichol du loch Maree.

— Je vous dois la vie, MacNichol.

— Vous ne me devez rien, chevalier FitzWilliam. Cette plaie aura raison de vous avant longtemps si nous n'agissons pas.

— N'avez-vous pas réussi là où Cormac a échoué? l'interrogea Garrett, en tâtant le pansement qui ceinturait sa taille.

— Je n'ai pas pu refermer la plaie, mais le baume que j'y ai appliqué a tout de même permis d'interrompre le saignement.

Des gouttes de sueur perlaient sur le front de Garrett. Le souvenir de la perte de son vieil ami lui revint à l'esprit.

— FitzHerbert est mort. FitzHerbert, mon compagnon d'armes depuis toujours. Et plus d'une cinquantaine d'hommes sont tombés avec lui.

— Cent soixante-quatorze. J'ai aidé à rassembler les dépouilles.

— Ai-je rêvé, maître MacNichol? Je me souviens d'avoir lancé le cristal en direction de Cormac, le sommant de partir avec son butin et sa gloire. J'étais dégoûté par toute cette aventure.

— Vous n'avez pas rêvé. Vous lui avez bel et bien décoché le cristal, sans l'atteindre toutefois. J'étais présent. Il l'a d'ailleurs ramassé et serré contre lui avant de vous regarder, bouche bée, comme un abruti. Il n'y comprenait plus rien et ne cessait de vous répéter que ces bêtes immondes devaient passer par la mort pour servir le royaume. Ce à quoi vous avez répondu par un épouvantable cri de souffrance, en lui faisant signe de sortir. Puis vous avez de nouveau plongé dans un sommeil profond.

— Le père Cormac vous a-t-il fait part de ses plans ?

— À vrai dire, il était peu loquace. Il m'a paru fort secoué par votre réaction et m'a simplement chargé de veiller sur vous. Puis il est parti précipitamment le lendemain, en mentionnant qu'il allait revenir sous peu.

— Il est parti seul ?

— Oh que non. Il a rassemblé les guerriers survivants. Ils ont quitté le monastère en transportant la dépouille du grand serpent de mer, avec promesse de récompense. Si je comprends bien, ils sont allés partager leur trésor avec les membres des noblesses anglaise et écossaise.

— De tous mes hommes et de ceux de Cathal, combien sont demeurés ici ?

— Il ne reste que vous et moi, lança le guérisseur en souriant.

Garrett observa cet inconnu à l'apparence singulière comme s'il était son dernier ami.

— Le père Cormac a-t-il emporté avec lui le cristal du lough Derg ?

MacNichol fit signe que oui.

Le visage de Garrett s'assombrit. Il ne s'était pas passé une nuit depuis qu'il avait hérité de cette pierre sans qu'il fasse appel à ses pouvoirs. Son corps s'était élevé du sol à plusieurs reprises et son esprit avait maintes fois été transporté dans les profondeurs des lacs et des mers du nord, où il avait suivi ces étranges créatures.

— Ne vous attachez pas à cette chose. Vous en avez fait un appât pour la chasse alors qu'il faisait jadis partie d'un ensemble qui n'avait rien à voir avec les ambitions des hommes, les vêtements de guerre, les ordres d'un souverain ou les combats aux portes de Jérusalem.

— D'où sortez-vous donc et qu'attendez-vous de moi ? lança alors Garrett.

— Je n'attends rien de vous. C'est vous qui avez besoin de moi.

La blessure de Garrett le fit soudainement souffrir à l'extrême. MacNichol posa sa main sur son abdomen et se concentra un moment. Le malaise finit par passer, mais Garrett, à bout de force, dut s'allonger de nouveau.

— Je ne suis qu'un vagabond, continua MacNichol.

— Aucun vagabond ne possède de tels dons, répondit le chevalier, les dents serrées.

— Oh, vous seriez étonné, mon seigneur. Mais sachez que je ne puis vous guérir, je peux seulement vous soulager.

— Pourquoi cette plaie ne cicatrise-t-elle pas ?

— Parce qu'elle vous a été infligée par une grande créature aquatique.

— Pourtant, plusieurs de mes hommes ont subi de telles blessures lors de nos chasses en Irlande, et ils ont tous guéri.

— Peut-être, mais aucun d'eux n'avait fait usage comme vous de ce fameux cristal. Le pouvoir de vision que vous avez obtenu grâce à cette pierre n'était pas sans conséquence. Monstres de lac et serpents de mer vous sont devenus poisons.

Garrett ferma les yeux un moment et respira profondément, tentant de reprendre des forces. « Cormac savait-il que le cristal pouvait provoquer une telle vulnérabilité ? Ai-je été réduit à poursuivre cette chasse dans le seul but de servir ses propres ambitions ? » songea-t-il.

— Je crains fort que le père Cormac soit une âme tourmentée, ajouta MacNichol, comme s'il avait capté les réflexions de Garrett.

— Je ne sais plus que penser de lui. Après tout, il a contribué à faire de moi un homme de grand renom, riche et puissant.

— … mais accablé par la perte de son meilleur compagnon, blessé à mort et abandonné. Quand je vous regarde, je ne vois guère de raison de lui manifester de la reconnaissance. Cormac saura maintenant grimper les échelons de l'église en profitant de votre prestige.

À l'extérieur, le vent du loch Linnhe gagnait en intensité et se mit à siffler sur les pierres du bâtiment. Garrett s'efforça d'ignorer sa blessure et pensa à Cormac, non dans le contexte de cette étrange entreprise, mais plutôt dans ses moindres gestes quotidiens durant leurs années de paix au château FitzWilliam. Son regard fuyant, ses bégaiements occasionnels, ses brèves conversations en irlandais avec Derdriu lui revinrent à l'esprit. Il se demanda si c'était lui qu'il avait vu courir dans les bois en pleine nuit, alors que sa bien-aimée s'était aventurée seule pour négocier avec son frère. Il revoyait le regard que le religieux avait posé sur Derdriu le jour de leurs fiançailles et celui de leur mariage.

— Je dois partir, affirma-t-il avec détermination.

— Ne soyez pas stupide, vous n'avez pas assez de force pour atteindre la porte de ce monastère.

Garrett se redressa en s'agrippant aux vêtements de l'Écossais. Il sortit du lit et tenta de son mieux de se tenir debout.

— Je dois retourner en Irlande sur-le-champ, lança-t-il.

— Vous devez retourner au lit et prendre des forces !

— Laissez-moi !

D'un geste agressif mais imprécis, Garrett voulut repousser MacNichol, mais ce dernier ne broncha pas. L'Écossais semblait être fait de marbre.

— Faites quérir mes vêtements !

Silencieux, MacNichol s'assit et fit mine de l'ignorer.

— Ma veste, mes bottes, ma lance ! s'écria Garrett, s'appuyant au mur et titubant dans la pièce.

Il se précipita sur la porte et essaya de l'ouvrir mais, malgré ses efforts, il en était incapable. Le visage crispé de douleur, les yeux exorbités, le ton hystérique, il criait sa rage et sa douleur.

— Laissez-moi sortir d'ici ! Laissez-moi sortir !

Sentant une présence derrière lui, il fit volte-face et aperçut MacNichol qui l'avait rejoint. Garrett s'acharna sur le vieil homme et le frappa de ses bras affaiblis. L'Écossais se protégea pendant quelques instants, mais il vit soudain une tache de sang qui passait au travers du vêtement de Garrett, au niveau de sa blessure. Il prit une grande respiration puis asséna un solide coup de poing au chevalier FitzWilliam, qui s'effondra, inconscient.

44

Jet fonçait à vive allure sur la route qui longeait le bras de mer. Le vent du large exerçait sur lui une forte poussée qui accélérait sa cadence dans la bonne direction.

Moins d'une heure plus tôt, il avait pédalé à toute vitesse devant l'auberge familiale, drapée de mystère en ce matin brumeux. Il avait remarqué Harold en proie à une quinte de toux, alors qu'il grillait une cigarette devant l'entrée. Jet était passé inaperçu. Un peu plus tard, il avait reconnu au loin l'hélicoptère blanc rayé noir posé tout près d'une jeep d'exploration, au confluent de la petite rivière et du fjord. Des membres de l'équipe scientifique fourmillaient autour de l'appareil en observant Killary Harbour à travers leurs jumelles. Jet les avait ignorés. Il préférait suivre le chemin qui progressait vers l'est afin d'atteindre l'extrémité intérieure du bras de mer. Si Mhorag avait décidé de gagner l'océan Atlantique, Jet s'éloignerait d'elle en allant vers l'est. Mais son instinct le poussait quand même à continuer sa route. Il se disait que Mhorag ne souhaitait peut-être pas se rendre au large, car cela la distancierait trop de Ragdanor.

Épuisé, mais décidé à trouver la fameuse créature, Jet arriva à l'extrémité orientale de Killary Harbour. Il s'arrêta au milieu du pavé pour observer l'impressionnante étendue d'eau entourée de montagnes, alors que le brouillard cédait la place à un soleil éclatant. Il grimpa à pied l'escarpement qui surplombait la chaussée. Une fois au sommet, il put s'asseoir dans l'herbe. Le visage fouetté par la brise, il fixa les vagues jusqu'à ce que la fatigue ait raison de lui. Ses paupières s'alourdirent et se fermèrent graduellement. Il tenta de lutter contre le sommeil, mais il finit par s'octroyer un court repos, persuadé que ce ne serait que pour quelques minutes.

Quarante-cinq minutes plus tard, une goutte de pluie tomba sur son nez et lui fit ouvrir les yeux en sursautant. Jet se redressa d'un coup. Un ciel maussade dominait maintenant le bras de mer.

Jet aperçut au loin le *Nemo III* qui naviguait dans sa direction. Le pont grouillait de monde. Les membres de l'équipage s'activaient et leur fébrilité était perceptible même à pareille distance. À moins de vingt mètres devant l'embarcation, la tête chevaline d'un monstre lacustre surgit des vagues. Mhorag était pourchassée et, cette fois, son ennemi avait l'avantage de la vitesse en plus d'être armé de sédatifs en quantité industrielle. Le yacht s'approcha de la bête, qui replongea aussitôt pour ressortir une cinquantaine de mètres plus loin. « Elle ne leur échappera jamais », se désola Jet. Ce qui lui sembla invraisemblable, c'est que Mhorag nageait en direction du rivage, où elle n'aurait aucune chance de se dérober à ses poursuivants.

À moins de cent mètres de la berge rocailleuse, elle replongea. L'espace d'un instant, Jet eut l'occasion d'admirer l'imposante créature. Il put distinguer son long cou de dinosaure et ses larges nageoires. Il crut aussi remarquer le clignotement d'un petit voyant sur le sommet d'une de ses bosses dorsales.

Le *Nemo III* continua d'avancer à plein régime, puis se mit tout à coup à ralentir pour s'immobiliser à environ cinquante mètres du bord. La fébrilité de la chasse fit place à la panique. Il était clair qu'on avait perdu la trace de la proie. On courait dans tous les sens sur le pont. Jumelles en main, on s'époumonait à donner des ordres. On aurait dit que la bête s'était dissoute dans l'eau.

— Elle a pris la fuite par un tunnel, prononça calmement une voix venue de nulle part.

Jet se retourna. Debout derrière lui se tenait un homme maigre de taille moyenne, qui l'observait de ses grands yeux foncés. D'ordinaire, il aurait été réceptif à la rencontre d'un inconnu. Mais l'apparence singulière de celui-ci eut pour effet de lui glacer le sang. Il reconnaissait cet individu.

Mhorag savait précisément où ce symbole était situé. L'eau était encore très profonde dans ce secteur oriental du bras de mer, malgré la proximité de la berge. Elle avait donc attiré le yacht jusqu'à ce point, pour ensuite plonger à toute vitesse et atteindre le fond, où se trouvait une énorme roche plate à demi soulevée. Pour un plongeur humain, ce pictogramme pouvait aisément se confondre avec les nombreuses rayures qui ornaient la surface du roc. Mais pour un œil averti de monstre aquatique, il était facile de distinguer le signe gravé sur le dessus de la pierre, indiquant une des entrées du réseau des tunnels qui menaient vers l'est.

Mhorag avait ainsi contourné le roc afin de pouvoir s'introduire sous la partie surélevée. De prime abord, elle semblait trop volumineuse pour pénétrer dans l'ouverture. Mais à l'aide de ses nageoires, elle n'avait eu qu'à dégager le bouchon de vase qui obstruait partiellement l'entrée pour pouvoir en un rien de temps s'engouffrer dans une profonde crevasse sous-marine. Jusqu'ici, son objectif avait été atteint. Elle avait réussi à éloigner les humains de son lac aux Sombres Collines et, surtout, du Petit Lac du Refuge, où Ragdanor l'attendait. En disparaissant dans le dédale des tunnels de l'est, elle confondait les humains. Toutefois, elle s'éloignait de son royaume et s'aventurait au cœur d'un labyrinthe qui comportait sa part de danger.

Le tunnel que Mhorag avait emprunté constituait un chemin rectiligne, qui s'allongeait pendant près de deux kilomètres en suivant son cours sous les collines environnantes. Par la suite, il rejoignait une multitude de corridors sous-marins qui partaient dans toutes les directions pour se fondre dans le réseau complexe de lacs de la région du Connemara. Il était très facile de s'y perdre et de ne jamais trouver un plan d'eau pour pouvoir refaire le plein d'oxygène. Connaissant plutôt bien la région, Mhorag s'était mis en tête d'atteindre un petit lac que les créatures lacustres appelaient Le Havre Sablonneux. Comme celui-ci était assez près, et surtout inoccupé, il lui permettrait de profiter d'un répit.

Accablée par l'épuisement, elle s'était engagée dans un embranchement qui lui semblait familier. Il y avait longtemps qu'elle ne s'était pas aventurée dans ce secteur, et elle ne se rappelait pas avec exactitude toutes les particularités de chaque tunnel. Après avoir sillonné plus de huit kilomètres, elle constata que les parois devenaient de plus en plus irrégulières. On y apercevait d'énormes cavités, des trous béants et des marques qui indiquaient que l'endroit avait été le théâtre de violents combats. Mhorag dut se rendre à l'évidence: elle n'avait aucun souvenir de ce lieu. De plus, elle était consciente qu'une erreur de parcours pouvait la précipiter dans les eaux profondes, noires et maudites de ce que les monstres avaient surnommé le lac de la Terreur ou le Repaire de Nharg.

Gigantesque reptile des mers, à l'aise en eau douce comme en eau salée, Nharg ne laissait aucun monstre lacustre traverser son domaine. Protecteur d'une chambre de cristal dont il était le seul à profiter, et descendant d'une prestigieuse lignée de carnivores, Nharg se moquait de la Doyenne de Ness et détestait les autres monstres, tout comme les humains. Le réseau de tunnels sous-marins qui parcourait l'Irlande d'est en ouest passait par son lac. Depuis des siècles, nul n'osait y pénétrer. Ce plan d'eau constituait pour de nombreuses créatures une frontière infranchissable, isolant par le fait même les autres lacs de la région du Connemara et leurs habitants, qui avaient perdu le contact avec leurs frères et sœurs de l'est. Seuls quelques Mentors connaissaient l'accès à de petits tunnels secrets permettant de contourner cet immense lac et son gardien perfide pour pouvoir atteindre l'ouest de l'Irlande.

À bien des égards, la terreur de Nharg avait contribué à rendre la région du lac aux Sombres Collines inaccessible aux bêtes qui voyageaient d'est en ouest, protégeant ainsi Ragdanor de toute menace.

Mhorag s'arrêta lorsqu'elle aperçut des ossements de monstres lacustres qui s'éparpillaient devant elle sur le sol du tunnel. L'eau lui parut plus verdâtre qu'à l'accoutumée. Un courant aquatique glacial parcourut le corridor et vint frapper son dos, lui refroidissant le sang. Il ne faisait aucun doute qu'elle arrivait au lac tristement célèbre. Elle fit aussitôt demi-tour, mais perçut les vibrations hostiles d'une créature qui approchait. « Est-ce lui ? Est-ce le terrible tylosaure des mers qui revient d'une excursion pour regagner son lac ? » se demanda-t-elle. Elle n'avait d'autre choix que de reprendre son chemin, même si elle devait aboutir dans le Repaire de Nharg. Elle se considérait alors inapte à s'engager dans un combat.

Mhorag s'enfonça donc davantage dans le macabre tunnel. L'obscurité devint telle qu'elle dut s'en remettre à la sensibilité de ses moustaches pour distinguer les parois oppressantes qui l'entouraient. Le tunnel prit une pente ascendante accentuée, puis soudain, elle déboucha dans les eaux sombres du vaste repaire de Nharg, connu sous le nom de lough Mask par les humains.

Elle y nagea prudemment, s'éloignant de l'entrée du tunnel, de peur que Nharg lui-même en surgisse. À son étonnement, elle constata que le lieu baignait dans une profonde sérénité. Rien ne bougeait. Quelques rares truites glissaient çà et là au-dessus du fond sablonneux qui s'étendait à perte de vue. Toutefois, en apercevant au loin deux imposantes silhouettes qui se révélaient au travers d'un nuage de vase, Mhorag comprit vite que la tranquillité n'allait pas durer bien longtemps.

— Le danger guette cette noble créature, jeune Irlandais. Les hommes de la mer la pourchasseront sans relâche. Et sache que, dans les tunnels de son monde secret, une malédiction la hante depuis des siècles.

Stupéfié, Jet n'osait même pas ouvrir la bouche pour crier. Devant lui se tenait un personnage qui ressemblait au spectre aperçu dans les ruines du château FitzWilliam. La même soutane brunâtre, le même capuchon, les mêmes yeux, grands et perçants, et surtout une transparence à peine perceptible qui ne laissait toutefois pas de doute sur sa nature fantomatique.

— Tu es le dernier des FitzWilliam, ajouta-t-il. Il te revient de veiller sur elle et sur son rejeton.

Jet s'empressa d'enfourcher son vélo et s'enfuit à toute vitesse en dévalant l'escarpement. Il regarda derrière lui. Le spectre avait disparu. Il continua alors à pédaler sans relâche vers l'ouest, espérant atteindre la demeure familiale avant que l'on s'inquiète de son absence. Mais il freina brusquement quand il aperçut le fantôme en soutane se tenant au milieu de l'étroit chemin, à une centaine de mètres devant lui. Jet refusait de composer avec cette entité. Il fit demi-tour et prit la fuite dans la direction opposée. À quelques kilomètres de là se trouvait le village de Leenane. Faute de pouvoir retourner à la maison, Jet savait qu'il pourrait faire un appel téléphonique à ses parents depuis la station-service.

Les deux silhouettes nagèrent en direction de Mhorag. Le cœur de celle-ci se mit à battre à tout rompre quand elle reconnut Vangor, le perfide monstre lacustre à la crinière dégarnie et au regard torve qui l'avait attaquée quelques jours auparavant, lors de son périple vers la Grande Île. Il était suivi de près par Shoruk, l'impitoyable tylosaure. Celui-ci se mit à rôder autour d'elle tout en faisant mine de ne pas la voir. Elle savait fort bien qu'il attendait le moment opportun pour la mettre en pièces.

— Tu nous as échappé une première fois, Mhorag! Le moment est venu pour toi de subir le châtiment que tu mérites, lança Vangor par télépathie.

— Pauvre fourbe! Tu es au service d'une créature belliqueuse qui a fait de toi son esclave, répliqua Mhorag.

— Gordhal, mon père, veut ta mort, car ton existence contamine notre espèce.

— Les paroles de Gordhal ne sont que médisances et mensonges.

— Sache que Gordhal est le véritable Doyen de Ness. Tous les descendants de Neldoch l'ancien doivent périr.

Soudain, un nuage de sang flotta autour d'eux. Mhorag et Vangor se tournèrent alors vers Shoruk. À travers le rideau rougeâtre, ils distinguèrent avec stupéfaction la tête du reptilien qui roulait dans les fonds sablonneux. Son corps décapité se trouvait encore entre les mâchoires d'un tylosaure presque deux fois plus volumineux que lui.

Le terrible Nharg était de retour dans son antre. Après avoir délaissé les restes de sa victime, il s'immobilisa à quelques mètres de Vangor. Ce dernier ne put s'empêcher d'effectuer un mouvement de recul. S'il connaissait la réputation de Nharg, il ne l'avait jamais vu de si près. Avec ses impitoyables yeux jaunes lumineux, ce mastodonte des mers inspirait une frayeur instantanée.

— Hors de mon royaume ! Nul ne peut traverser ce lac, lança-t-il par télépathie.

— Je ne suis pas ton ennemi, noble Nharg ! Je suis en ce lieu pour réclamer la mort de Mhorag, répondit Vangor. Ne vois-tu pas la traîtresse qui séjourne dans ton lac ?

— Tu es ici et tu ne devrais pas y être. Voilà tout ce qui m'importe. Sors de mon antre par l'endroit même où tu y es entré.

Vangor fit demi-tour et se mit à nager vers l'entrée des tunnels de l'est. Chemin faisant, il dirigea ses dernières pensées télépathiques vers Mhorag.

— Nous vous retrouverons, toi et Zarak. Votre existence souille l'honneur de nos semblables. Mort à vous !

L'énorme reptilien tourna alors son attention vers Mhorag, qui n'avait pas osé bouger. L'idée de prendre la fuite lui avait traversé l'esprit, mais le géant aurait pu la rejoindre en un rien de temps.

Nharg se déplaça autour d'elle en louvoyant, fixant son regard dévastateur sur l'étrange appendice électronique qui clignotait de façon irrégulière sur son dos.

— Qui es-tu donc pour susciter tant de haine chez tes semblables ?

Mhorag garda le silence.

— Cette chose sur ton dos te portera malheur, continua Nharg. Les humains te traquent sans relâche, n'est-ce pas ?

Mhorag acquiesça.

— Quitte mon royaume et n'y reviens jamais.

Mhorag fit demi-tour, nagea au-dessus de la carcasse de Shoruk, puis plongea dans l'orifice d'où elle avait surgi.

Les jours suivants, Nharg demeura caché dans son lac, s'occupant à dévorer les restes de sa victime. Le fait qu'une créature lacustre affublée d'une machine humaine s'était introduite dans son repaire l'inquiétait. Si, dans un lointain passé, il avait dévoré des humains envahissants, il avait par la suite compris l'ampleur de leur curiosité, de leur détermination et surtout de leur cruauté. Il agissait maintenant dans le secret, prenant soin de ne jamais attirer leur attention.

45

ÉCOSSE

XIIIe SIÈCLE

 irée par un vaillant poney d'Écosse au pelage caramel, la vieille charrette de bois transportait Garrett Fitz-William au cœur des Highlands, ce pays de hautes montagnes balayé par le vent et battu par la pluie.

Étendu sur un amas de paille et enveloppé dans de chaudes couvertures, le seigneur du château FitzWilliam n'arrivait pas à se débarrasser de la honte que lui causait son incapacité à se déplacer sur ses propres jambes. Reconnu pour sa grâce et son endurance, il devait se contenter d'effectuer tout au plus une trentaine de pas au quotidien avant de plier sous la douleur de sa blessure.

En cet après-midi glacial du 24 décembre 1218, on pouvait voir la vapeur sortir des narines du poney, qui s'acharnait à tirer son lot le long d'une pente abrupte. Les yeux mi-ouverts, Garrett venait de sortir d'un sommeil aux rêves incompréhensibles. Il fit un effort pour se redresser. Il comprit que la dénivellation était très accentuée et se rendit à l'évidence que jamais il n'aurait pu la gravir lui-même. Cela faisait plus de deux semaines qu'il avait entamé son périple en direction d'un lac lointain qu'il ne connaissait pas, dans le but de trouver une communauté monastique aux origines douteuses. Mais la mort le guettait et, au bord du désespoir, il n'avait eu d'autre choix que d'accepter la main qu'on lui tendait.

— Bien dormi, mon seigneur ? lui demanda MacNichol, qui marchait aux côtés de la brave bête, en s'aidant d'un bâton de pèlerin.

Encore confus, Garrett fit signe que oui.

— Je crains fort qu'il nous soit impossible de célébrer la Noël dans les murs d'une cathédrale, ajouta l'Écossais, un sourire en coin.

— Combien de temps encore ?

— Oh ! Je ne saurais dire au juste. Pas moins de cinq jours.

Garrett s'allongea de nouveau. « Encore un jour de Noël sans Derdriu et sans Nollaig, qui aura dix ans demain. Les reverrai-je un jour ? » songea-t-il. Il n'avait pas assez de force pour pleurer ni d'énergie pour s'apitoyer sur lui-même ou encore exprimer du regret. Il aurait souhaité vivre ses émotions, même douloureuses, comme un être humain normal. Mais cette blessure maudite le détournait de sa véritable nature.

Soudain, MacNichol accéléra le pas et devança la charrette pour s'arrêter à mi-chemin du sommet de la pente, attentif au moindre bruit.

— Qui va là ? demanda-t-il.

Rien. Pas de réponse. On n'entendait que le vent soufflant sur la montagne rocailleuse. La charrette rejoignit MacNichol, qui l'immobilisa.

— Que se passe-t-il, maître ? s'enquit Garrett.

— Je n'en suis pas certain. Il me semble avoir perçu des bruits de pas. Ce territoire paraît bien désert, mais en réalité, il se trouve au cœur d'une sanglante guerre de clans. On y attaque souvent les étrangers de peur qu'ils soient des espions ou des traîtres du camp ennemi.

— Où te diriges-tu de la sorte, vieillard ? s'écria un homme au bas de la pente.

MacNichol aperçut alors le gaillard pauvrement vêtu qui l'interpellait.

— As-tu perdu la parole, vieil homme ? lança un autre individu, depuis le sommet cette fois.

— J'accompagne un blessé vers un monastère. Nous ne sommes que de passage !

— Il n'y a pas de monastère dans cette région ! déclara l'homme du sommet, en descendant la pente d'un pas alerte.

— Nous les avons tous brûlés ! fit un troisième avec un rire narquois.

Ce dernier, accroupi derrière une pierre à proximité du sentier, surgit de sa cachette et rejoignit MacNichol avant les autres. Il aperçut Garrett dans la charrette.

— Tu as la peste ? l'interrogea-t-il.

— Il souffre de graves blessures, précisa MacNichol.

— C'est à lui que je parle, pas à toi, le vieux.

— Il n'a pas la force de vous répondre. Je l'escorte chez un guérisseur. Nous voulons atteindre la vallée avant la tombée de la nuit, expliqua MacNichol sur un ton conciliant.

Le vieil Écossais adopta une attitude soumise. Sa posture avait changé. Le dos légèrement courbé, le regard fuyant, il paraissait diminué.

— Un guérisseur ! s'exclama l'homme du bas de la pente, qui arrivait à la hauteur de son compagnon.

La cicatrice qui sillonnait le visage de ce personnage trapu trahissait son caractère de combattant.

— Seuls les riches ont droit aux services des guérisseurs, ajouta l'homme du sommet, qui tenait une longue dague dans sa main droite.

Il pointa sa lame vers MacNichol et s'approcha à quelques centimètres de lui avec une attitude de défi.

— Est-ce un noble qui se meurt dans ta charrette, le vieux ?

MacNichol ne sembla plus avoir de salive pour répondre.

— Réponds ! insista-t-il en le poussant. Est-ce un seigneur ?

MacNichol répondit par l'affirmative, d'un timide geste de la tête.

— Et toi, avec ta cape en fourrure, tu dois être riche, non ?

— Je ne suis… Je ne suis qu'un serviteur. Mais je ne vous demande qu'une chose.

— Qu'oses-tu demander ? tonna l'homme en riant.

— Prions ensemble en cette veille de la Noël, murmura-t-il.

— Comment dis-tu ?

MacNichol s'apprêtait à répéter sa requête, mais poussa plutôt un cri de fureur qui surprit ses assaillants pendant un moment. Il en profita alors pour faire volte-face à la vitesse de l'éclair. Le balafré qui se tenait derrière lui ne vit jamais venir le coup. L'extrémité du bâton du vieil Écossais le frappa de plein fouet sous la pomme d'Adam, le paralysant de douleur.

MacNichol se plaisait à jouer au faible avant de s'attaquer à des agresseurs maladroits.

Il esquiva par la suite la dague de l'homme du sommet, lui agrippa le bras, qu'il fractura en lui infligeant une violente torsion, s'empara de son arme et eut vite fait de lui trancher la gorge. D'un seul coup de poing, il envoya au sol l'autre brigand, puis le souleva comme une poche de légumes et le catapulta hors du sentier. Le pauvre prit la fuite en boitant.

Toutefois, MacNichol n'avait pas prévu que sa première victime se remettrait si vite. L'homme à la cicatrice ramassa en hâte une pierre qu'il lui lança à la tête. L'Écossais tomba à genoux, toujours conscient, mais solidement ébranlé. Le malfaiteur se rua sur lui en brandissant son couteau, le forçant à s'étendre sur le ventre. Puis, au moment où il s'apprêtait à lui enfoncer son arme dans le dos, la lance de Garrett le transperça au niveau de l'abdomen. Il s'effondra, sans vie.

À moitié nu, Garrett avait rassemblé ce qui lui restait de forces pour s'emparer de sa lance et porter secours à son compagnon de voyage. Il perdit connaissance.

— Eh bien, nous ne serons pas près d'oublier cette veille de Noël, marmonna l'Écossais en se redressant avec peine.

Tentant de son mieux d'ignorer le froid, Garrett suivait du regard les étincelles ardentes qui zigzaguaient vers un ciel sans étoiles. Le vigoureux feu de camp allait procurer aux deux hommes la chaleur requise pour la nuit.

Après l'attaque des brigands, ils avaient poursuivi leur chemin, mais n'avaient pu atteindre le village où MacNichol souhaitait demander l'asile avant la tombée du jour. Connaissant à fond le territoire, l'Écossais avait déniché un coin tranquille au pied d'une imposante falaise qui les protégeait des rafales. Ils ne manquaient de rien. Le poney avait eu sa ration d'herbe fraîche et d'eau, tandis que les voyageurs avaient eu droit à un modeste, mais appréciable repas de veille de la Nativité, qui se composait de pain, d'un reste de fromage et d'une sorte de galette apprêtée par le vieil homme avant leur départ.

Emmitouflé dans des couvertures, Garrett n'avait plus rien du conquérant normand d'autrefois. Même s'il se taisait, ses grands yeux gris pâle trahissaient le torrent de pensées contradictoires qui l'agitaient.

— Tout un chaos dans votre tête, seigneur Garrett, lança Mac-Nichol en replaçant une bûche qui s'affaissait.

— Qu'est-ce qui vous a poussé à me venir en aide ? Parlez franchement, maître MacNichol.

— La charité chrétienne, répondit-il sans hésiter, d'un air sérieux.

Il y eut un moment de silence, puis MacNichol éclata d'un rire puissant, à la limite du démentiel, qui résonna sur la falaise.

— Vous me croyez fou, n'est-ce pas ? Vous avez raison.

— Je me moque bien de savoir si vous êtes fou ou non. Vous m'avez sauvé la vie, au moins deux fois. Parlez-moi de votre communauté.

— D'abord, ce n'est pas ma communauté. Je ne suis pas moine. Je n'en suis qu'un serviteur. J'habite en marge du monastère. On fait appel à mes dons de guérison et j'assure de mon mieux la protection des membres.

— À quel ordre appartiennent ces moines ?

— Aucun. Ce monastère chrétien est le seul représentant de son ordre. Il accueille des moines et des moniales vivant séparément, mais qui partagent ensemble de nombreuses tâches. La sainte Église ne les regarde pas d'un très bon œil. Mais ce n'est pas cela qui dérange le plus.

— Qu'est-ce donc ?

— Oh, certains évêques ne sont pas friands de voir une femme diriger le destin de la communauté. Puis il y a le fait que nous observons à la fois les rites chrétiens et ceux des traditions anciennes d'Irlande et d'Écosse que les druides nous ont léguées. Nous vénérons la nature et ses miracles, de plus en plus ignorés des hommes.

— Les créatures géantes des lacs font donc l'objet de vos dévotions ?

— C'est une façon de dire les choses.

— Vous avez ainsi quitté votre monastère pour assister à notre chasse au monstre du loch Linnhe ?

— Et en vous y trouvant, je m'attendais à rencontrer un homme plutôt court, trapu et fort en voix. Je présume que vous ressemblez davantage à votre mère qu'à votre père.

— Vous avez connu mon père, vous avez connu le vieux FitzWilliam ? demanda Garrett, stupéfait.

MacNichol referma son long manteau de fourrure pour se protéger du froid, puis se rapprocha de Garrett. Avec une branche tordue, il continua d'attiser le feu.

— Il y a près de quarante ans. Vous n'étiez même pas né. J'étais tout jeune et complètement écervelé. J'avais passé ma jeunesse à parcourir l'Écosse avec des malfaiteurs. J'ai volé, tué et massacré de braves gens pour une bouchée de pain. Je n'avais pas encore vingt ans et je me suis retrouvé au pays de Galles. J'avais décidé de me joindre aux guerriers du valeureux chef Owain. Il défendait son territoire contre vos cousins normands. J'étais probablement attiré par la perspective des combats sanglants contre un ennemi qui nous surpassait en nombre. William, votre père, avait mon âge. Je me souviens qu'il accompagnait son oncle, le très respectable Odo FitzGarrett. Tous les hommes de notre campement connaissaient Odo. Il avait beau être notre ennemi juré, nous respections ce fier guerrier. Il était plus enclin à négocier des ententes territoriales qu'à se lancer dans des conquêtes sanglantes. Mais l'affrontement eut quand même lieu. Les hommes aux côtés desquels j'ai combattu étaient de courageux gaillards, et nous avons tenu tête à l'adversaire pendant plusieurs heures. Jusqu'à ce qu'Odo et votre père foncent sur nous. Je ne me souviens plus de celui qui enfonça sa lance dans l'abdomen de votre père, mais je me rappelle la détresse de son oncle, qui l'a transporté à lui seul sur ses épaules. Votre père ne vous a-t-il pas raconté tout cela ?

Garrett fit signe que non.

— Vos semblables furent tout de même victorieux. Je pris la fuite pour gagner le refuge des membres de notre clan. C'est là que j'eus vent que les chefs gallois de la région s'apprêtaient à nous envoyer des renforts. Le vent allait tourner. Owain alla donc négocier avec Odo FitzGarrett et je l'accompagnai. J'appris alors que son neveu, William, était mourant.

— Je n'étais qu'un bambin encore trop jeune pour comprendre les récits de guerre quand mon grand-oncle est mort, dit Garrett à voix basse. Pourtant, ma mère qui me faisait part de tous les exploits de mon père ne mentionna jamais le fait qu'il avait été blessé de la sorte.

— Il ne lui en a peut-être jamais parlé. Je crois que votre père a davantage tiré parti des légendes racontées à son sujet que de la réalité.

— Continuez, MacNichol.

— Owain le Gallois promit à Odo FitzGarrett une guérison complète de son neveu s'il retirait ses troupes et s'entendait avec lui sur un pacte territorial. FitzGarrett accepta et, le lendemain, ils se rendirent sur les berges du lac Llangorse. J'y étais, bien entendu. Votre père y fut emmené, agonisant. Il ne lui restait que quelques heures à vivre, tout au plus. On le baigna dans les eaux du lac pendant qu'un druide prononça des incantations aux divinités. C'est là qu'un prodige eut lieu. Sans faire le moindre bruit, le monstre du lac sortit lentement des profondeurs pour s'immobiliser à une toise de William. Les hommes d'armes s'apprêtèrent à tirer leurs épées, mais Owain leur fit signe de ne pas bouger. La créature observa longuement le blessé. Je me souviens que William ouvrit les yeux. Il tenta de crier, mais n'en eut pas la force. Puis, pendant de longues secondes, le monstre projeta son souffle sur sa blessure. Votre père perdit de nouveau connaissance et la bête se retira dans son lac. Le lendemain, il était guéri et plus vigoureux que jamais.

— N'est-ce pas cette même créature qu'il tua quelques années plus tard ?

— Très juste.

— Mon père aurait mis en pièces la bête qui lui avait sauvé la vie ?

— Sept années s'écoulèrent. Entre-temps, votre père était devenu un seigneur respecté et craint dans tout le pays de Galles. Son château avait la réputation d'être imprenable. C'est à cette époque que les rois de France et d'Angleterre oublièrent leurs différends et organisèrent la troisième croisade vers Jérusalem. L'archevêque de Cantorbéry, Beaudoin d'Exeter, somma William de se joindre à lui afin de recruter des guerriers au pays de Galles. La réponse du peuple fut plutôt froide. Personne ne désirait partir en Terre sainte pour affronter les redoutables armées arabes. C'est durant cette campagne de recrutement que votre père rencontra Giraud de Cambrie. Un religieux brillant et érudit, à moitié normand et à moitié gallois. Il était d'ailleurs lui-même accompagné de son apprenti, le jeune père irlandais Cormac MacNamara.

— Notre Cormac ?

— Nul autre que lui. Giraud et Cormac assistaient l'archevêque. Ils devaient trouver un moyen d'attiser la curiosité des jeunes guerriers, de les motiver à s'engager dans une grande aventure de foi et de tuerie.

— Et ils se sont attaqués au monstre du lac Llangorse ?

— Vous avez deviné. Giraud de Cambrie réussit à convaincre votre père de mettre à mort la bête pour susciter la fascination, mais aussi pour confectionner des vestes prodigieuses avec sa peau et même sculpter des croix à partir des ossements.

— Mais comment mon père a-t-il pu accepter ?

— Giraud lui a sûrement parlé de la réputation qu'il se taillerait auprès de l'archevêque, du prestige d'une telle chasse, du renom qui allait le suivre sa vie durant, de la reconnaissance que le roi lui exprimerait pour cet exploit. Un chevalier capable de tuer un monstre serait perçu comme l'incarnation même de saint Georges ou de saint Michel. Si cet homme partait en croisade, l'on se devrait de le suivre. Du charabia de la sorte.

— Et tout cela a fort bien fonctionné.

— La réponse excéda leurs espérances. Après le massacre de la créature, le recrutement pour la croisade fut un succès qui valut à votre père la réputation de héros légendaire que vous connaissez.

— Et cette fiole qui pendait à son cou en tout temps, contenait-elle vraiment le sang de la bête ?

— Tout à fait. Pour bien comprendre, il faut remonter aux années qui ont suivi la guérison de votre père. À cette époque, ma vie avait basculé. C'est une longue et bien étrange histoire que je vous épargne. Mais bref, j'avais commencé à servir les membres de la communauté du loch Maree. Nous avions eu vent de la mission de William. Nous nous sommes rendus au lac Llangorse pour assister à cette chasse. J'accompagnais une nouvelle moniale d'une grande beauté. À vrai dire, j'étais amoureux de cette petite femme au caractère de feu, mais cela aussi, c'est une autre histoire. Vous savez, seigneur Garrett, même si nous faisions brûler ici tous les arbres d'Écosse et d'Irlande, je n'aurais pas le temps de raconter la moitié de mes aventures que la braise serait déjà froide.

Sur ce, il éclata de son rire de géant, mais Garrett resta de glace.

— Décidément, il n'y a que moi pour rire de mes plaisanteries. Toujours est-il que, à notre grand dégoût, nous avons assisté à la mise en pièces de la bête du lac Llangorse par votre père et ses hommes. Cette ravissante moniale avait des visions.

— Des visions ?

— Elle faisait des songes éveillés et pouvait y entrevoir l'avenir. Un don hérité de sa famille, paraît-il. Avait-elle deviné que William mourrait un jour tué par un monstre ? Je l'ignore, mais c'est elle qui insista pour récolter quelques gouttes du sang de la créature et les remettre à votre père dans ce petit contenant qui pendait au bout d'une chaîne. Il en fut d'ailleurs ravi, comme s'il s'agissait d'un trophée de chasse.

— Il ne l'abandonnait jamais. L'objet lui portait bonheur, disait-il.

— Il a pourtant précipité sa mort.

Garrett fronça les sourcils.

— La créature du lough Derg qui a tué mon père aurait reconnu le sang de ce monstre du pays de Galles?

— Monstres lacustres et serpents de mer communiquent entre eux.

— Cormac m'a déjà fait part de ce mystère.

— Il disait vrai.

— Sont-ils réellement perfides et sournois?

— Nullement. Les monstres ne s'attaquent pas aux hommes sans raison. Le vieux William avait simplement commis le pire des sacrilèges. Les créatures lacustres ont un instinct de guérison très poussé et considèrent cet acte comme un geste sacré. Voilà pourquoi quand la bête du lough Derg a senti la présence du vieux William, qui portait à son cou le sang du monstre trahi, elle s'est vengée. Comptez-vous fortuné, seigneur Garrett, qu'elle vous ait épargné.

De tous les sentiments contradictoires que Garrett éprouvait à ce moment précis, celui d'être fortuné ne faisait pas partie du lot. Il avait un effroyable dégoût de lui-même. Il s'était laissé duper en acceptant d'entreprendre cette grande chasse aux monstres qu'il voyait maintenant comme un terrible gâchis, causé par une succession de mensonges.

Il fut soudain pris d'une douleur perçante qui le fit grimacer. MacNichol s'empressa de trouver un contenant d'eau, qu'il réchauffa au-dessus du feu et dans lequel il laissa tomber des herbes qui produisirent une forte odeur.

Malgré les soins prodigués par le vieil Écossais, cette nuit de Noël allait s'avérer interminable pour le chevalier FitzWilliam. Quand le jour se leva, il était encore plus épuisé que la veille.

Diarmad MacNichol savait qu'il n'y avait plus de temps à perdre et qu'il devait presser le pas pour atteindre le plus rapidement possible le monastère du loch Maree.

46

Perché au sommet de la péninsule de Horn, Korax ferma les yeux et baissa la tête. Le vent du large secouait son plumage d'ébène, mais il ne broncha point. Ses pensées allaient vers le vieux Périmé, qui avait péri en combattant vaillamment un reptile des mers, selon les dires des oiseaux de la région.

« Tharvorax le seizième, honorable ami des messagers de la Falaise Noire, que ton âme trouve tes ancêtres et qu'elle festoie avec eux jusqu'à l'infini », songea le jeune crave à bec rouge. Il était bouleversé par la perte du seul oiseau qui s'était comporté comme un ami sincère durant l'expédition de fou qu'il avait accomplie sur l'Île Verte.

Après sa guérison, Korax avait profité de sa vitalité renouvelée pour survoler les paysages du nord de l'Irlande. Cette falaise constituait la dernière étape de sa mission avant son retour chez lui. Il espérait pouvoir converser avec le vieux crave, mais il dut se résigner à méditer sur la perte d'un ami.

Il ouvrit les yeux et regarda vers le nord-est. Au large se trouvaient la Grande Île et la Falaise Noire, sa terre natale. Alors qu'il s'apprêtait à prendre son envol, son attention fut attirée par des cris de bipèdes se querellant pour de la nourriture. Rien de tout ça ne l'intéressait. Puis soudain, il crut reconnaître au milieu de la cacophonie une voix familière.

— Mais je n'ai rien volé du tout. Ce hareng est à moi ! Laissez-moi tranquille, lança Mandrigane à un goéland trop insistant.

— Ça fait deux poissons que tu me voles, la pie ! s'exclama le goéland.

— Tu as mangé quatre de mes œufs ! enchaîna une mouette.

— Menteurs ! Vous êtes tous des menteurs ! répliqua Mandrigane.

— Je t'ai vue, la pie. Je t'ai vue la nuit dernière ! Tu as perforé ses œufs pour les manger ! déclara un macareux.

— Je n'aurais jamais osé faire ça !

— Ce poisson ne peut pas être le tien, tu ne sais même pas pêcher ! poursuivit le goéland

— Je l'ai pris dans le but de vous aider, tous !

— Qu'est-ce que tu nous racontes ? demanda le macareux.

— Ce poisson ne vient pas de ton nid, assura Mandrigane au goéland. Il vient d'une plage située tout près d'ici. Un bateau de pêcheurs humains s'y est échoué.

— Quelle plage ? fit la mouette.

— Tout près d'ici, au sud. Je voulais vous y emmener. C'est un véritable festin. Si vous me suivez, nous pourrons tous manger ensemble.

— Ne l'écoutez pas ! intervint Korax.

Tous les oiseaux se retournèrent pour regarder le crave. Mandrigane, sidérée, fixa Korax de ses grands yeux noirs.

— Kroupax !

— Oui, c'est bien moi. Korax de la Falaise Noire.

— Mais… tes blessures ?

— Guéries ! annonça-t-il, le torse bombé.

Mandrigane s'envola aussitôt. Sans perdre une seconde, Korax la prit en chasse. Les autres firent de même afin d'assister à l'affrontement.

Plus rapide, le crave à bec rouge eut tôt fait de rejoindre la pie bavarde.

— Mandrigane! Mandrigane! Prends ça, traîtresse! cria-t-il en lui assénant au dos un rude coup de bec.

— Tu ne comprends donc rien, le crave!

— Maudite sois-tu, la pie! Et prends encore ça! poursuivit-il en la martelant de son long bec.

— Ce sont les affaires, pauvre innocent! s'écria-t-elle en s'écrasant au sol.

Korax continua de la frapper, tandis que Mandrigane tentait de lui échapper en trottinant dans tous les sens sur le terrain rocailleux. L'emportement de Korax rendait ses coups moins précis.

— Mort à toi, renégate!

— Tu as trouvé ta Mourag! Alors, laisse-moi!

— Je serais mort sans elle, bestiole maudite!

— Dommage qu'elle ait de nouveau quitté son lac.

Korax s'arrêta net de frapper.

— Que dis-tu?

— Morvoug s'est enfuie.

— Tu mens! lança-t-il en la frappant encore.

— Non! Arrête! Je le jure sur mon propre nid! Demande aux oiseaux de la région. Ils le savent tous. Des humains ont envahi son lac la nuit dernière, et elle a été forcée de prendre la fuite!

— Et Ragdanor?

— Je n'en sais rien. Il a dû rester caché. On raconte que sa mère a quitté seule son lac par le ruisseau, pourchassée par une machine volante.

Korax porta son regard vers le sud. «Se pourrait-il qu'elle dise vrai? Mhorag a peut-être besoin d'un messager», songea-t-il en ignorant Mandrigane, qui profita de son inattention pour s'esquiver en boitant.

Venant de constater la fuite de leur fils, Philippe et Nora se regardèrent un bref instant avant de passer à l'action. Chacun retenait ses commentaires et ses reproches à l'égard de l'autre de peur qu'une dispute explose. Nora appela aussitôt la police, alors que Philippe alla chercher les clés de la jeep.

Nora s'efforçait de repousser un sentiment de regret à l'idée d'avoir mis fin aux séances avec le docteur Skreb. Pour sa part, Philippe n'avait pas la tête aux problèmes psychologiques. Son esprit se trouvait encore accroché à Internet. La nuit précédente, il était tombé par hasard sur des images captées quelques heures plus tôt par des touristes hollandais voyageant dans la région. Floue, tremblante, mal cadrée, cette vidéo était quand même assez claire pour que l'on puisse distinguer une énorme créature à la tête chevaline, au cou allongé et aux larges nageoires, poursuivie par un hélicoptère. D'ordinaire, il aurait soupçonné un canular. Mais après tout ce que Jet avait raconté, Philippe commençait à croire à ce fameux monstre. Il pouvait au moins se réjouir du fait que son fils n'était pas si troublé qu'on le croyait. Il se passait bel et bien quelque chose d'insolite dans les eaux de Doo lough.

Assis à une table de pique-nique devant le casse-croûte de Leenane, Jet scrutait le village. Si le spectre lui apparaissait de nouveau, il se précipiterait dans la station-service pour appeler ses parents.

— Jet ?

Jet sursauta en entendant cette voix qui ne lui était pourtant pas étrangère. Il aperçut alors Korax, debout sur le pavé, tout près de lui, l'observant de ses yeux noirs.

— Korax !

— Je survolais le secteur quand je t'ai vu, dit-il en sautant sur la table. Je cherche encore Mhorag.

— Je la cherche, moi aussi. Des gens ont envahi son lac la nuit dernière.

— J'ai eu vent de cette nouvelle, répondit Korax en notant que, pour une fois, Mandrigane ne lui avait pas menti.

— Elle se cache dans des tunnels.

— Tu sais cela ? Ma foi, tu sais beaucoup de choses pour un membre de ton espèce. Où devrions-nous la chercher ? Au nord, à l'est ou à l'ouest ?

Jet indiqua le sud-est. Il s'agissait de la direction qu'elle semblait avoir empruntée en plongeant à Killary Harbour, la dernière fois qu'il l'avait vue.

— Au sud-est ! Pourquoi pas, lança Korax. Tu me suis, dans ce cas ? Je prends les devants et je reviendrai te faire part de ce que je vois à mesure que j'explore les lacs du coin.

Korax s'envola dans la grisaille. Jet enfourcha sa bicyclette et se mit à pédaler à sa suite.

47

IRLANDE
XIIIe SIÈCLE

ormac MacNamara effectua un retour inattendu au château FitzWilliam à la mi-février de l'an 1219. Il y fut accueilli par une abondante chute de neige qui lui apparut comme un déferlement de confettis tombés du ciel.

Escorté par trente hommes à pied et vingt chevaliers au service du jeune roi Henri, Cormac chevauchait sa monture blanche en se donnant l'allure d'un prince en visite.

Lorsque Nollaig l'aperçut depuis le sommet de la tour ouest, il ne sut trop comment réagir. Il ressentait une certaine joie à revoir son vieux maître. Toutefois, au cours des derniers mois, il n'avait entendu de la bouche de sa mère et de ses oncles irlandais que de sombres propos à son sujet.

Approchant de la porte principale, les chevaux tachetaient de noir le manteau de neige qui s'étendait sur les terres FitzWilliam. Cette blancheur éclaircissait un peu la grisaille d'un hiver qui n'en finissait plus. Par-delà les royaumes d'Écosse, d'Angleterre, du pays de Galles et d'Irlande, la nouvelle courait depuis quelque temps que l'illustre chevalier Garrett avait succombé à ses blessures après sa dernière chasse au monstre dans les eaux du loch Linnhe. Padraig O'Corrigan, qui parcourait l'ouest de l'Irlande en tant que guérisseur et qui avait gagné l'estime des chefs irlandais et des barons normands, avait eu la triste tâche d'apprendre la nouvelle à Derdriu.

Celle-ci refusait obstinément d'y croire.

Pourtant, Cormac revenait seul. Ni Garrett ni le fougueux FitzHerbert ne l'accompagnaient.

Comme sa mère, Nollaig ne croyait cependant pas que le destin tragique de Garrett avait encore frappé. Mais il se souvint du rêve qu'il avait fait au sujet de la mort du père de la belle Catherine. Tout indiquait que son songe s'était réalisé. Depuis qu'elle avait appris que FitzHerbert avait péri en Écosse, la jeune demoiselle était inconsolable. C'est d'ailleurs son chagrin qui avait intrigué le noble Thomas de Courcy, l'incitant à accueillir cette belle adolescente dans ses bras. Ils étaient inséparables depuis.

Alors que les cavaliers mettaient pied à terre, Nollaig sentit l'agitation qui se propageait dans les murs de la forteresse. Il couvrit sa tête pour braver le vent qui s'intensifiait et décida de demeurer à son poste.

La grande salle du château était presque déserte en ce début d'après-midi. Un feu pétillant brûlait dans l'énorme foyer ornementé des armoiries de la famille FitzWilliam. Cormac vit à l'extrémité de la pièce un homme assis dans la chaise principale. Il avança vers lui d'un pas décidé, suivi par quatre de ses hommes d'armes. À sa grande surprise, il reconnut Cathal O'Corrigan. Debout, de chaque côté du chef irlandais, se tenaient Thomas de Courcy et le colosse Brogan O'Flynn. Cormac songea qu'on ne trouverait nulle part ailleurs en Irlande un chef de clan flanqué d'un chevalier normand et d'un guerrier irlandais. Mais ainsi l'avait voulu Garrett, lui-même marié à une fille de chef irlandais.

— Bon retour, père Cormac ! lui lança Cathal en langue irlandaise.

— Dieu et Marie vous bénissent, Cathal O'Corrigan. C'est une agréable surprise de vous retrouver ici. L'époque où vous faisiez partie de notre grande chasse me semble déjà loin.

— De tristes événements ont marqué nos jours depuis.

— Que l'âme de notre noble seigneur Garrett repose dans la sainte paix des grands héros.

— Amen, répondit Cathal, avec une touche de sarcasme.

— Je comprends votre désarroi, Cathal, et j'imagine bien que vous me tenez pour responsable de sa perte, mais sachez que Garrett a péri au cours d'un combat dans lequel il s'était engagé de son plein gré. Certes, le prix de sa vie fut trop élevé, mais le résultat de son triomphe, même s'il est posthume, assurera la protection de vos domaines respectifs pour des décennies à venir.

— Et que signifie cette escorte de soldats du roi d'Angleterre ? demanda Cathal, en dévisageant les quatre chevaliers qui arboraient l'écusson rouge aux trois lions dorés. Il me semble, père Cormac, que vous marchez sur nos terres non pas comme un serviteur de Dieu, mais comme un conquérant militaire.

— Je me présente pourtant à vous comme un simple apôtre, et surtout, comme le porteur de richesses dont vous saurez profiter. Ces hommes n'avaient d'autre but que d'assurer ma défense durant le long voyage. Dois-je d'ailleurs vous rappeler que j'appartiens encore et toujours à l'entourage du seigneur Garrett et de dame Derdriu, qui, je l'espère, acceptera de me recevoir sous peu ?

— Nos éclaireurs vous ont repéré à l'aube et ils ont fait part de votre arrivée imminente à la dame du château.

— Quand puis-je espérer avoir un moment d'audience avec elle ?

— Elle ne vous recevra pas.

— J'insiste.

— Ne sous-estimez pas son entêtement, père Cormac.

— Lui parlerez-vous en mon nom, dans ce cas ?

— Comment oses-tu intercéder en sa faveur ? s'écria Derdriu.

— Je n'intercède pas en sa faveur, je tente de te faire voir la situation avec plus d'ouverture, répondit Cathal, tout en gardant son calme.

— Quelle ouverture pourrais-je bien avoir pour ce rat d'église qui a entraîné mon mari dans une quête insensée ? Tu l'as toi-même abandonné après avoir entendu en songe les lamentations de ces bêtes innocentes.

— Je sais. Ton mari était un noble et courageux guerrier. Dieu ait son âme.

— Il n'est pas mort.

— Derdriu, ma sœur…

— Cormac ment. Il ment, je le sais. Je le sens. Garrett vit toujours quelque part. J'en suis certaine.

— La nouvelle court depuis plus d'un mois, Derdriu. Le monstre du loch Linnhe a vengé ses cousins d'Irlande. Garrett n'est plus. Tu dois l'accepter.

— Accepter ?

Enfermée au sommet de sa tour depuis l'annonce de la mort de son époux, Derdriu, tout en refusant d'y croire, savait que quelque chose de terrible s'était passé en Écosse. Accablée, elle avait temporairement confié la gouvernance du domaine à son frère aîné. Même si Cathal assumait de bonne foi ce rôle, on aurait dit que le château avait perdu son âme.

— D'abord, reprit-elle, je n'accepterai jamais ce scélérat dans les murs de mon château.

— Ce qu'il nous apporte n'est pas sans valeur.

— Ces vestes puantes !

— Les hommes de guerre les estiment grandement.

— J'en interdirai à tout jamais l'usage à mon fils.

— Il y a aussi ces lettres du roi Henri.

— Comme tu as changé ! Depuis quand vénères-tu les lettres d'un roi d'Angleterre, Cathal ?

— Depuis que ces lettres garantissent à Garrett, à ses descendants et à ses alliés la protection du monarque.

— La protection du monarque ? Je n'en ai que faire ! Nous assumons notre propre protection. D'ailleurs, Garrett a toujours su faire acte d'allégeance à la couronne d'Angleterre tout en laissant aux Irlandais, comme toi, le privilège de régner pleinement sur leur territoire.

— Rien dans ces lettres ne t'empêchera d'en faire autant.

— Alors pourquoi insistes-tu, Cathal O'Corrigan, fils de Nial, pour que je m'émerveille devant ces bouts de parchemin ?

— Parce que, ma sœur, les temps ont changé. Les Normands sont à l'aube de dominer toute l'Irlande. Le fait d'expulser Cormac serait interprété comme un désaveu. D'autres puissants chevaliers normands dont les domaines sont à moins de dix jours de marche d'ici, comme de Burgo, et surtout Prendergast, n'hésiteront pas à foncer sur nos terres. Maintenant que Garrett n'est plus, ils ignoreront l'alliance des pères O'Corrigan et FitzWilliam. Ils sont plus nombreux que nous. Que l'on porte ou non des vestes en peau de monstres lacustres, ils auront ta tête et celle de ton fils, qu'ils planteront dans des piquets devant les portes de ton château pour célébrer leur victoire.

Cormac arpenta lentement la chapelle que Derdriu avait pris soin de restaurer durant son absence. Il ne restait plus la moindre trace des bassins et autres installations utilisées pour confectionner les fameux vêtements en peau de créatures aquatiques. On avait d'ailleurs mis plusieurs semaines à nettoyer le lieu en faisant brûler de l'encens à répétition afin d'en chasser les odeurs fortes. Cormac ne s'attendait pas à être accueilli à bras ouverts et comprenait que les circonstances ne jouaient guère en sa faveur.

Il s'assit dans la première rangée et baissa la tête pour prier quand il entendit soudain des pas légers. Se retournant, il aperçut Derdriu qui avançait dans sa direction. La neige avait cessé et un soleil éclatant inondait la nef par les vitraux. Chaque rayon caressait la silhouette de cette femme qui lui apparaissait comme une manifestation divine. Il ferma les yeux un bref instant avant de s'adresser à elle.

— Dame Derdriu, je n'espérais plus votre visite, dit-il d'une voix tremblante.

— Elle sera de courte durée. Où et quand avez-vous vu mon mari pour la dernière fois, père Cormac ?

La froideur de son ton eut pour effet de le ramener à l'ordre.

— En novembre dernier, ma dame, au monastère de Saint-Moluag, en Écosse, sur les rives du loch Linnhe.

— Est-il mort en votre présence ?

— À mon grand désarroi, oui.

Cormac préférait ainsi éliminer chez Derdriu tout espoir de revoir Garrett.

— Qu'avez-vous fait de son corps ? demanda-t-elle en retenant ses larmes.

— L'étrange plaie qui l'affligeait dépassait mes connaissances, tout comme celles des moines. Par crainte de la peste, les autorités locales décidèrent de laisser la mer emporter sa dépouille. Nous l'avons donc enveloppée dans un linceul pour ensuite la jeter au large.

Derdriu leva la tête et fixa le plafond de cette chapelle que Garrett aimait tant. Elle prit le temps nécessaire pour retrouver la maîtrise de ses émotions. Cormac était magnétisé par la beauté de celle à qui il vouait une passion secrète. Derdriu tourna de nouveau son attention vers lui.

— Cathal a insisté pour que je vous entende.

— Votre frère est un homme droit et noble.

— Qu'avez-vous à me dire ?

— Je comprends votre réticence à me revoir. Mais se pourrait-il que vous oubliiez le plus important ?

— Poursuivez.

— Nollaig. Votre fils, ma dame.

— En quoi tout cela peut-il concerner un enfant de dix ans ?

— En tout, ma dame. L'immense prestige obtenu par son père pourrait facilement lui ouvrir les portes du savoir. Sa vivacité d'esprit est sans égale. S'il continue de vivre en ce lieu, si majestueux soit-il, son existence sera réduite à défendre avec acharnement un territoire indéfendable. Il en va de même pour vous. Ce château lointain et isolé ne vous sied pas, belle dame. Grâce à la renommée que j'ai récemment acquise, j'ai accès à tous les hauts lieux de la sagesse et de la noblesse du royaume d'Angleterre. Je saurais vous introduire, vous et votre fils, dans un autre monde. Acceptez d'abandonner le fardeau d'un domaine qui a perdu sa raison d'être. Vous n'avez qu'à me suivre et toutes menaces de conquêtes et de guerres territoriales sanglantes seront choses du passé. Votre fils jouira des félicités de la connaissance, et vous, de jours plus lumineux.

Cette invitation en disait trop long sur sa flamme, et ses belles paroles semblèrent se fracasser au sol comme un cristal fragile. Un silence accablant s'installa. Derdriu respira profondément avant de s'adresser de nouveau au religieux avec un calme déconcertant.

— Père Cormac, je vous somme de reprendre les documents du roi d'Angleterre que vous avez présentés à mon frère, de même que les vestes confectionnées avec les fruits de vos chasses, et de quitter sur-le-champ ce domaine à jamais.

Cormac tenta de répliquer, mais d'un geste de la main, Derdriu l'en empêcha.

— En tant que dame de ce domaine, je m'attends à ce que vous m'obéissiez. Partez maintenant.

— Vous faites là une grave erreur.

— Que m'importe, ce ne sera pas la première.

Cormac se dirigea vers la porte qui menait à ses quartiers, mais avant de l'ouvrir, il s'adressa une dernière fois à Derdriu.

— Je reviendrai. Je le jure devant Dieu. Je reviendrai.

48

La petite route 336 sillonnait un paysage de tourbières et de montagnes. Jet pédalait à vive allure sur le pavé mouillé. Il surveillait Korax qui, au loin, effectuait de grands cercles autour des lacs et des étangs environnants. Après avoir parcouru près de huit kilomètres, Jet s'arrêta à un embranchement. Il pouvait soit continuer vers le sud ou s'engager sur la petite route qui menait au lough Nafooey, un paisible plan d'eau apprécié des pêcheurs. À vrai dire, l'idée même de faire un choix l'épuisait. Il était à bout de souffle et commençait à regretter son départ du village de Leenane. Ses parents allaient constater sous peu son absence. La panique et le chaos s'ensuivraient. Korax se posa près de lui.

— Rien. Pour le moment, du moins, dit le crave sur un ton préoccupé.

— Je l'ai vu plonger dans cette direction. Ça ne veut pas dire que les tunnels qu'elle a empruntés allaient dans le même sens.

— Mais comment connais-tu l'existence de ces tunnels?

— Tu n'en savais rien?

— Si, bien sûr. Mon vénérable père m'en a glissé un mot jadis en me parlant de Mhorag. Mais je ne croyais pas que les humains connaissaient ce secret. C'est Ragdanor qui t'en a parlé?

— Oui. Enfin, non. C'est un peu compliqué.

Ils aperçurent soudain un hélicoptère qui volait au-dessus du secteur avant d'amorcer sa descente un peu plus loin, à quelques kilomètres vers l'est. Jet reconnut l'appareil des scientifiques.

La capture de Mhorag par l'équipe de chercheurs eut lieu dans Le Havre Sablonneux, communément appelé lough Nafooey par les humains.

Après avoir fui le repaire de Nharg, Mhorag était parvenue dans les eaux de cet antre de paix, où elle avait d'ailleurs souhaité se rendre depuis le tout début. Mais de paix, elle n'en trouva aucunement.

Les scientifiques avaient d'abord repéré sa présence dans les eaux du lough Mask. Puis, consternés, ils avaient de nouveau perdu toute trace de la créature. Ils en avaient conclu que des passages secrets devaient lier entre eux les divers plans d'eau de la région. En détectant tout à coup son arrivée dans ce petit lac du Connemara, ils s'étaient empressés d'y accéder par hélicoptère.

Éreintée par cette course folle, Mhorag n'avait pas eu l'énergie de déjouer ses assaillants et s'était transformée en cible facile. Le tireur d'élite de l'appareil avait réussi à l'atteindre à la tête avec de puissants sédatifs.

Lorsque Jet dévala la pente douce qui conduisait jusqu'au lough Nafooey, il découvrit au loin l'hélicoptère qui survolait le centre de la baie. C'est alors qu'il distingua l'imposante créature qui nageait avec peine, ralentie par l'effet des tranquillisants.

La scène lui chavira le cœur. Il s'arrêta un moment, puis sentit derrière lui le grondement du cortège de véhicules qui approchait. Il se précipita hors de la route, entraîna sa bicyclette dans le champ et se cacha dans l'herbe humide.

Korax se posa près de lui, l'air bouleversé, comme s'il espérait que le garçon puisse faire quelque chose.

— Elle a abandonné, déclara tristement l'oiseau.

— Comment ?

— Elle me l'a dit. Je survolais le lac pendant que l'engin du ciel la terrassait avec son vacarme. Dès qu'elle a senti le pincement du premier dard, j'ai entendu sa voix qui résonnait dans mon esprit. Elle m'a demandé de voler jusqu'à la Grande Île afin d'avertir la Doyenne de Ness. Elle a compris qu'elle devait se laisser capturer pour que ses assaillants en oublient le petit. Crois-tu qu'ils vont la dévorer sur place, Jet?

— Je ne crois pas.

— C'est pourtant vrai, n'est-ce pas, que les humains ont toujours faim?

Jet ne trouva rien à répondre. Il savait que Viviane faisait partie de cette expédition. Il refusait de croire qu'elle accepterait de participer à la capture d'une créature si magnifique pour qu'on la retrouve ensuite dans un chaudron.

Le *Nemo III* fut rapidement mis à l'eau, tandis que Mhorag tentait de se rendre à l'extrémité opposée du lac. Elle n'avait plus la vigueur nécessaire pour demeurer longtemps submergée. Korax s'envola de nouveau et alla se poser sur la cime d'un grand pin sylvestre, d'où il put observer les dernières étapes de la prise. Le yacht eut tôt fait de rejoindre la créature, qui semblait momentanément reprendre de la vivacité. On décocha trois autres projectiles, dont deux l'atteignirent au sommet du cou.

Tapi dans les profondeurs du Petit Lac du Refuge, Ragdanor sentit un vif serrement. Une grande frayeur l'envahit. À cet instant précis, il sut que sa vie ne serait plus jamais la même. Il comprit que, quelque part dans le vaste monde, sa mère avait été victime d'une agression dont elle ne sortirait pas triomphante. D'instinct, il ferma les yeux. Son rythme cardiaque diminua, sa température corporelle se refroidit et il tomba dans un sommeil protecteur qui allait lui permettre de fuir la réalité tout en cessant d'attirer l'attention. Il souhaitait ne jamais se réveiller.

Depuis le point culminant de sa colline, Jet tenta de son mieux de suivre de loin cette chasse au monstre, mais il dut soudain lutter contre un épuisement inexplicable. Cette brusque défaillance n'était aucunement liée à son manque de sommeil ou aux kilomètres de vélo parcourus. Une lourdeur étrange s'emparait de tout son être. L'idée même de retourner à la maison lui paraissait inconcevable. Il voulait se fondre avec la colline et y somnoler pour toujours.

— Prête serment, jeune Irlandais, toi, dernier des FitzWilliam.

Jet fit volte-face et aperçut le personnage fantomatique.

— Je ne suis pas un vrai FitzWilliam! Je suis un enfant adopté!

— Que m'importe! Tu appartiens maintenant à cette famille et, qui plus est, le lien qui t'unit à la jeune créature du lac est le plus fort de tous les liens.

— Allez-vous-en!

— Je ne peux m'en aller. Je ne suis de nulle part. En fait, il y a bien longtemps que je ne suis plus du tout. Je ne suis qu'une voix qu'on ne veut plus entendre.

— Que voulez-vous?

— Jure que tu veilleras sur Mhorag et sur son rejeton. Vois à ce que rien de mal ne leur arrive, afin que Mhorag puisse un jour retrouver son partenaire de vie qui erre dans les mers. Fais le serment de protection.

— Mais je ne suis qu'un enfant.

— C'est déjà beaucoup.

— Je n'ai aucun pouvoir.

— Tu as tous les pouvoirs du monde. Tu es vivant. Tu es jeune. Tu sais parler aux oiseaux et les monstres lacustres sont tes amis.

— Que dois-je faire ?

— Commence par le commencement. Apprends.

— Apprendre quoi ?

— À connaître ces créatures. Cherche, jeune Irlandais. Cherche et tu trouveras le cristal ainsi que le Grand Livre Vert.

— Trouver quoi ? demanda Jet, qui se sentait faiblir.

— Cherche la pierre ornée de losanges au monastère des FitzWilliam. Tu y trouveras le cristal du lough Gill et le livre perdu.

— Qui êtes-vous ?

— Je suis celui qui s'efforce de réparer dans la mort ce qu'il a détruit dans la vie. Fais le serment que tu les protégeras.

Jet n'eut pas la force de répondre. Il s'écroula. Tout se mit à tourner. Il avait froid. Chaque bruissement d'herbe résonnait comme le grondement du tonnerre. Juste avant de perdre connaissance, il entendit un effroyable cri de douleur provenant du lac.

Prise dans les filets des scientifiques, Mhorag poussait une dernière lamentation alors qu'on la tirait vers la berge.

Viviane rassembla tout ce qui lui restait d'énergie pour communiquer un semblant d'enthousiasme à ses collègues de travail. Elle fit un effort pour se remémorer les conditions salariales exceptionnelles qu'on lui offrait et se sentit encore plus mal à l'aise.

Après toutes ces années d'étude, de stages et de conférences sur la sauvegarde des espèces menacées, elle était en train de prendre en photo les membres de cette expédition scientifique, tout souriants, qui posaient devant leur prise. Il lui était impossible de chasser de son esprit ces images historiques de chasseurs colonialistes en costumes d'explorateurs qui posaient fièrement devant un tigre, un lion ou un éléphant dont la tête, la peau ou les défenses allaient agrémenter leur bibliothèque privée.

Derrière ce groupe hétéroclite de scientifiques à la solde d'une firme dont les motifs paraissaient de plus en plus obscurs respirait profondément l'imposante créature. Étendue sur un quai, elle était ramollie et anesthésiée au maximum.

Viviane se réjouissait secrètement de n'avoir rien dit de l'existence de Ragdanor. Depuis qu'elle avait assisté au contact entre Jet et le jeune monstre, tout ce qu'elle avait appris sur les géants des lacs durant les mois précédents s'était évanoui en fumée. Une infime parcelle d'un monde inconnu et fascinant lui avait été révélée. Elle se trouvait privilégiée d'avoir pu observer un tel phénomène. Mais elle se sentait aussi prisonnière d'une organisation scientifique pour laquelle sa confiance et son estime s'envolaient avec la brise irlandaise.

Lors des deux derniers jours, alors que la chasse battait son plein, la jeune zoologiste avait été témoin d'une série d'altercations virulentes entre Bernard de Nantes et Akira Matsumo. L'un tentait de défendre l'intégrité d'un tournage de documentaire animalier, l'autre insistait pour capturer à tout prix la créature. Au milieu de ce chaos, la pauvre Ryu Ishii s'évertuait à maintenir un semblant d'harmonie au sein de l'équipe. Jamais d'ailleurs elle n'avait laissé transparaître son opinion personnelle. Matsumo lui-même disait avoir les mains liées par un mandat dont il n'était pas responsable. De Nantes avait laissé échapper le nom du multimilliardaire new-yorkais, W.S. Ritchie, comme étant celui qui tirait les ficelles de l'organisation. On l'avait sommé de se taire et c'est dans cette ambiance de tension et d'incertitude que la capture d'un monstre de lac avait eu lieu.

Une fois la photo prise, on procéda avec soin au transport de la créature. Un camion équipé d'un système thermostatique ultramoderne allait servir de taxi vers l'avion-cargo – spécifiquement adapté pour les besoins de la situation – qui attendait à l'aéroport de Shannon.

En dépit de son désir grandissant d'abandonner ce cirque, Viviane savait qu'il lui fallait poursuivre son travail. Elle avait été affectée à l'équipe zoologique qui devait veiller à la santé de la bête. Elle héritait en somme d'une mission : maintenir en vie cette noble créature tout en entretenant le but secret de pouvoir un jour entrer en contact avec elle.

Alors que la grue s'apprêtait à soulever Mhorag pour la placer à l'intérieur de l'immense véhicule, du coin de l'œil, Viviane remarqua un bel oiseau noir qui tournait autour de l'équipe avant de s'envoler vers une petite colline avoisinante.

— Jet ! Jet, réveille-toi ! Mais réveille-toi ! répétait sans cesse Korax qui venait de se poser.

Le jeune garçon respirait faiblement. Le crave songea alors avec tristesse que Mhorag aurait pu le sortir de sa léthargie.

Il prit son envol et se mit à effectuer de grands cercles dans le ciel. Si un humain venait à passer dans les environs, il tenterait d'attirer son attention. Cependant, si un intrus de n'importe quelle espèce osait menacer son jeune ami, il aurait affaire à lui.

49

ÉCOSSE
XIIIe SIÈCLE

L a main menue et ridée de la révérende mère manipulait avec aisance une plume qui paraissait trop longue. Pourtant, chacun des caractères qu'elle s'évertuait à tracer agrémentait de façon symétrique et gracieuse la page de cet imposant volume verdâtre.

La bougie dégageait une faible lumière orangée laissant deviner les livres, les parchemins et les documents qui tapissaient les murs de la pièce exiguë.

Révérende mère de la communauté monastique du loch Maree, l'abbesse Fianna dégageait une autorité tranquille. Sa capacité de concentration, son écoute attentive et son incomparable esprit de synthèse assuraient son ascendant, qui faisait oublier sa petite taille. Même si le passage du temps lui avait laissé son lot de rides et de rondeurs, ses yeux verts n'avaient aucunement perdu la brillance de sa jeunesse et l'intensité de son regard transparaissait dans l'ombre de son large capuchon.

La flamme s'éteignit au moment même où elle achevait de rédiger en latin un paragraphe dont la dernière phrase se terminait ainsi : « ... *même le temps ne saura chasser le tourment de Garrett, fils de William.* »

Elle jeta un œil par l'étroite fenêtre. À l'extérieur, une pâle lumière commençait à révéler la forêt de pins qui entourait sa chaumière. Elle abandonna aussitôt son travail, sachant d'instinct qu'un moment privilégié du jour approchait.

Malgré le ciel voilé qui inondait de gris, de bleu sombre et de noir le paysage forestier, l'abbesse dévala d'un pas assuré le sentier en pente qui reliait les huttes monastiques de la communauté. Elle atteignit les rives du loch et longea la berge pendant quelques minutes pour rejoindre les moniales qui l'attendaient. Celles-ci la laissèrent passer devant afin qu'elle s'approche du plan d'eau.

Transporté sur un brancard par quatre moines, Garrett FitzWilliam arriva peu après par un autre sentier. Il n'était pas en mesure de se déplacer par ses propres moyens en ce matin humide du mois d'avril 1219. Les moines déposèrent la civière sur le sable, saluèrent Fianna et firent quelques pas en arrière. Pour sa part, Diarmad MacNichol observait la scène à travers les arbres depuis le sommet de la colline. Sa mine assombrie cachait mal l'inquiétude qui l'habitait au sujet du chevalier FitzWilliam.

Depuis que Garrett était arrivé au monastère du loch Maree avec MacNichol trois mois plus tôt, son état évoluait en dents de scie. Les soins prodigués par la révérende mère lui avaient apporté un soulagement parfois notable, mais sa blessure ne guérissait pas. Ce n'étaient que des moments de répit dans une longue période de souffrance. Son moral n'allait guère mieux, mais il ne désespérait toutefois jamais de se rétablir. De plus, la présence de l'abbesse le réconfortait. Il reconnaissait dans le vert de ses yeux le lien de parenté qui l'unissait à Derdriu.

Le destin avait en effet voulu qu'il trouve refuge chez la légendaire tante de sa bien-aimée. La révérende mère Fianna était une O'Corrigan. Garrett entretenait toujours l'espoir de revoir Derdriu, ce qui lui procurait le courage d'affronter l'adversité.

Il effectuait chaque jour sa visite rituelle en bordure du lac afin que Torgolan puisse lui apporter la guérison. Mais cette noble créature lacustre, pourtant sensible aux souffrances d'autrui, ne s'était jamais manifestée.

En cette sombre matinée de printemps, pas la moindre brise ne soufflait, pas le moindre gazouillis ne se faisait entendre. Fianna savait cependant que, cette fois, le Doyen du lac allait se présenter.

Garrett aperçut l'abbesse. Elle ferma les yeux en signe de compassion. Soudain, des moines constatèrent que la surface de l'eau s'agitait. Surgit alors le long museau de ce vieux mâle âgé de plus de huit cents ans, qui projeta un puissant jet d'eau par ses narines. Tout en glissant vers la berge, son cou s'éleva à environ quatre mètres au-dessus du lac. Les mèches d'une longue crinière blanchie et clairsemée pendaient de part et d'autre de sa tête, comme des haillons trempés. Son front saillant semblait guider son corps vers la rive. Ses paupières s'ouvrirent pour révéler de grands yeux rougeâtres qui se fixèrent sur Garrett. Il s'immobilisa un moment. Plus personne n'osa bouger. Puis Torgolan poussa un long cri insupportable, forçant tous ceux qui étaient présents à se boucher les oreilles. Il fit ensuite brusquement volte-face, éclaboussant Garrett de sa crinière ruisselante, et replongea dans son antre.

Quand Garrett ouvrit les yeux, midi approchait. Il avait sombré dans un profond sommeil peu après le départ de Torgolan. Moines et moniales avaient poursuivi leurs activités quotidiennes, le laissant seul avec la révérende mère.

Quelques rayons caressaient maintenant les montagnes de la rive opposée. Fianna s'assit près du chevalier.

— Il a parlé, prononça-t-elle doucement. Torgolan a parlé.

— Il est clair qu'il désire ma mort.

— Il est Doyen de ce lac depuis plus de huit siècles ; s'il avait voulu ta mort, il l'aurait obtenue depuis longtemps.

— Reste-t-il de l'espoir ?

Fianna mit du temps à répondre. L'accablement se lisait dans les yeux de Garrett. Consciente des horreurs qu'il avait commises à l'égard des créatures lacustres, elle savait toutefois qu'il avait été manipulé et qu'il regrettait tout.

— Son souffle guérisseur ne réussirait pas à cicatriser ta blessure. Il ne peut rien pour toi.

Garrett soupira.

— Que la mort vienne me chercher.

— Je ne puis t'apporter la mort.

— Je me laisserai mourir, dans ce cas.

— Cette blessure t'en empêchera. Elle te fait désirer la mort sans te permettre d'y accéder. Voilà le fardeau que tu dois porter.

— Combien de siècles encore devrai-je endurer ce mal ?

— L'écho des paroles de Torgolan a résonné dans mon esprit toute la matinée. D'ici peu, il tiendra conseil avec la Doyenne de Ness. S'il reste de l'espoir, il réside dans leur volonté de t'octroyer un privilège que nul n'a reçu depuis des millénaires.

— La guérison ?

Fianna hésita encore avant de répondre.

— Une forme de libération, dit-elle.

Les lueurs du crépuscule s'étiraient sur la colline qui surplombait les chaumières de la communauté monastique. Un coucher de soleil enflammait les derniers nuages. Debout sur un rocher, Fianna guettait le ciel, puis elle esquissa un léger sourire en apercevant au loin un point noir qui se rapprochait.

Korax le septième se posa près d'elle. Le vieux crave à bec rouge quittait régulièrement sa Falaise Noire pour lui rendre visite et lui offrir ses services. Son ancêtre, Korax le troisième, avait été le premier à créer des liens avec les monstres lacustres, de même qu'avec les humains qui les vénéraient. Fianna était par ailleurs la seule abbesse sur le vaste territoire des Highlands capable de communiquer avec lui.

Il baissa la tête pour la saluer. Elle répondit de la même façon.

50

Harold observait l'hélicoptère de l'équipe scientifique qui s'éloignait dans le ciel nuageux de cette fin d'après-midi. Il toussota, puis tenta de ses mains tremblantes d'ouvrir l'enveloppe blanche qu'il serrait entre ses doigts.

— Je sais que tout ça est mal, dit-il à sa chère Alice dans l'au-delà. Mais tu vas voir. Tu vas voir. Tout va s'arranger. J'en suis certain.

Quelques minutes plus tôt, l'appareil s'était posé devant l'auberge et Ryu Ishii lui avait remis l'enveloppe en le remerciant, avant de reprendre le chemin du ciel. Harold était troublé par les événements qui se bousculaient. On lui avait confié la garde de l'auberge. Un vent de panique soufflait. Accompagnés des forces policières, Philippe et Nora étaient partis à la recherche de Jet. Jusqu'ici leurs efforts étaient demeurés infructueux.

Le vieux Fitzwilliam se sentait responsable de ce gâchis. Même s'il tenait maintenant entre ses mains une fortune assez considérable pour sauver la famille du marasme financier, tout cela ne vaudrait plus rien s'il fallait qu'un malheur soit survenu à Jet.

— Ce que j'ai fait, je l'ai fait pour Jet, pour ma nièce, pour Philippe et pour l'auberge. Regarde! Regarde la récompense! Elle vient même du ciel! D'accord, tu as donné du pain à ce monstre. Mais ça fait des années de ça! Et puis, rien ne dit qu'ils ne vont pas le gaver de bon pain dans son aquarium! De toute façon, il y a deux monstres. Celui qu'ils montrent à la télé ne ressemble en rien à celui qu'on a sauvé !

— Regrettes-tu d'avoir trahi, Fitzwilliam ? prononça doucement une voix provenant d'outre-tombe.

Harold aperçut soudain le spectre, debout à ses côtés, ses yeux presque lumineux fixés sur lui. Il se leva et fit quelques pas à reculons en se pressant la poitrine, craignant un arrêt cardiaque.

— C'est toi, Alice, qui m'envoies un démon pour me punir ?

— Non. Ce n'est pas ton Alice qui t'envoie un démon. Je suis un messager qui te permettra d'aller porter secours à ton petit-neveu.

— Que me voulez-vous ?

— Pars immédiatement si tu veux te racheter. Emprunte le chemin du bras de mer et repère l'oiseau noir qui fait des cercles dans le ciel. Tu trouveras l'enfant.

Lorsque Korax vit le vieil homme surgir de son camion, il le reconnut tout de suite pour l'avoir aperçu dans la maison de Jet durant sa captivité. Il s'efforça de voler à basse altitude au-dessus du corps inanimé du jeune garçon. Harold trouva enfin Jet et s'assura qu'il respirait toujours. Il salua discrètement le crave avant d'emporter l'enfant dans ses bras.

Korax reprit de l'altitude et suivit du regard la camionnette qui transportait Jet vers la ville de Castlebar. Cette fois, il avait bel et bien accompli sa mission. Comme le lui avait demandé Mhorag avant qu'elle soit faite prisonnière, il s'envola vers la Grande Île, vers le loch Ness, pour faire part à la Doyenne des nombreux événements qui se déroulaient dans le vaste monde.

Cinq heures approchaient. Les lueurs du matin commençaient à poindre sur l'aire de stationnement de l'hôpital de Castlebar. Philippe, qui n'avait pas fumé depuis des années, avait demandé une cigarette à un préposé à l'entretien. Il peinait à la terminer. Une ambulance arriva en hâte et s'introduisit dans l'entrée du service d'urgence. C'était la deuxième en dix minutes. Les ambulanciers en sortirent pour transporter un vieillard en civière. « La vieille Irlande se meurt », songea-t-il. À pareille heure, après la journée éprouvante de la veille, il ne savait plus trop que penser. Il ne voulait surtout pas tomber dans un vortex de regrets. Regretter Dublin, son emploi d'autrefois, l'achat de l'auberge et tout le reste. Mais le sentiment d'échec à l'égard de son « Little John » pesait lourd. Il avait passé des mois à se questionner sur les raisons qui amenaient Jet à faire des cauchemars de monstres. Et maintenant que l'on avait filmé une créature en fuite dans la région, il s'en voulait de ne pas l'avoir écouté davantage, au lieu de passer ses temps libres sur Internet à rechercher les ancêtres de sa femme.

Il regarda sa montre, puis s'empressa de retourner à l'unité des soins intensifs où Jet reposait depuis plusieurs heures déjà.

Les trois médecins qui l'avaient examiné n'avaient pas réussi à établir un diagnostic concluant. Ses fonctions vitales se trouvaient ralenties à un point inquiétant. Pourtant, tout chez lui allait à merveille. Le cerveau n'était pas atteint. Il était plongé dans un sommeil profond et rien ne semblait pouvoir l'en extirper. On aurait dit qu'il hibernait.

Assise au chevet de Jet, Nora lui tenait la main en silence. Quand Philippe revint dans la chambre exiguë, il se demanda si toutes ces épreuves n'allaient pas tôt ou tard avoir raison de son couple. Il s'attendait d'ailleurs à ce que sa femme lui reproche d'avoir négligé leur fils. À sa grande surprise, elle évoqua un passé plus lointain.

— Je n'avais que seize ans quand tante Alice est morte, murmura-t-elle.

— L'Alice de l'oncle Harold? répondit-il, en se demandant où elle voulait en venir.

Elle fit signe que oui.

— Harold devait en avoir quarante-cinq, à l'époque…

— Quarante-quatre. Il n'a jamais voulu croire à son histoire de monstre. Moi non plus, d'ailleurs. En fait, c'est faux. Je voulais y croire, mais je n'osais pas. Avec sa tumeur et tout, je me disais que ma tante délirait un peu. Durant les derniers mois de sa vie, elle demandait à mes parents de la conduire au bord du lac deux ou trois fois par semaine. Elle apportait une dizaine de pains. On la laissait seule pendant quelques heures. Elle me racontait comment le serpent du lac sortait la tête, puis s'approchait du rivage sans faire le moindre bruit. Il dévorait tout le pain et retournait se cacher par la suite. Je me souviens de l'avoir entendue dire que le monstre l'avait saluée de la tête.

— Elle s'y est rendue combien de fois?

— Une bonne dizaine, je suppose, jusqu'à ce qu'elle ne puisse plus sortir de l'hôpital. Elle a ensuite demandé à Harold de se rendre au lac pour nourrir la chose.

— Il y est allé?

— Avec les pains et tout. Il me l'a raconté par la suite.

— Et puis?

— Rien. Il n'a jamais vu de monstre. Avant de mourir, tante Alice m'a demandé d'aller au lac au moins une fois par mois.

— Tu l'as fait?

— Non.

Mhorag reprit connaissance l'espace d'un instant. Elle sentit le vrombissement de l'appareil à réaction à bord duquel elle survolait l'Atlantique. Ouvrant légèrement les yeux, elle entraperçut les silhouettes de trois humains qui rôdaient autour d'elle en chuchotant. Enveloppé dans une combinaison argentée, son corps tremblait de froid. Elle n'osait pas bouger. Reliées à un ingénieux système de suspension, de larges courroies soutenaient sa tête, son cou, son abdomen et sa queue afin de créer une impression de flottement.

Elle vit alors une femme aux longs cheveux noirs qui posa doucement sa main sur le dessus de son crâne. La chaleur de ce contact lui apporta un peu de réconfort, jusqu'à ce qu'elle sente le pincement d'une aiguille dans son cou. Elle perdit de nouveau connaissance.

Au petit matin, l'avion se posa sur la piste de l'aéroport John F. Kennedy alors qu'une foule de journalistes et de curieux attendait depuis plusieurs heures l'arrivée historique du premier monstre lacustre en captivité.

51

IRLANDE
XIIIe SIÈCLE

 n vent impétueux faisait voler les capes des deux cavaliers qui traversaient la plaine. Devant eux se dressait une chaîne de montagnes parsemée de frênes et de pins. Cathal O'Corrigan et Brogan O'Flynn savaient qu'ils chevauchaient maintenant hors du territoire des FitzWilliam et qu'ils s'aventuraient en des terres moins accueillantes. Le chef irlandais porta d'instinct la main sur la garde de son épée quand il vit apparaître au loin un guerrier progressant dans leur direction. Brogan prit aussitôt les devants pour affronter l'ennemi le premier.

— Inutile de foncer, Brogan!

Le colosse fit ralentir sa monture.

— Ce n'est pas un cavalier ennemi, affirma Cathal, les yeux fixés sur le nouveau venu.

— Ta vue est meilleure que la mienne, répondit Brogan.

— Mon odorat aussi. Ça sent le Normand à plein nez!

Brogan éclata de rire.

— Le bon, j'espère!

— Le meilleur qui soit. Oh là, maître de Courcy! Quel bon vent vous ramène?

L'air épuisé, Thomas de Courcy immobilisa son cheval à proximité des Irlandais.

— Votre absence fut de bien longue durée, jeune homme!

— Trop longue, mais elle ne fut pas vaine.

— Tant mieux. L'inquiétude nous rongeait. Vous avez mauvaise mine.

— J'ai passé près de ne point revenir.

— La belle Catherine aurait été dévastée. Venez !

Les trois hommes firent demi-tour et retournèrent au trot vers les terres du château. À titre d'éclaireur, le chevalier de Courcy n'avait pas son égal. Cathal avait d'ailleurs vite compris que toute mission de reconnaissance devait l'inclure. Il maîtrisait à merveille l'art de passer inaperçu, parlait couramment l'irlandais, le français normand et le flamand, savait user de ruses et rapportait toujours des renseignements pertinents sur les ennemis potentiels.

— Qu'avez-vous appris ? demanda Cathal avec une touche d'impatience.

— Prendergast se prépare à attaquer.

— Nous nous en doutions.

— Il a recruté plusieurs guerriers.

— Normands ?

— Oui. Des Flamands aussi et des archers gallois.

De Courcy s'interrompit et regarda autour de lui.

— Quoi d'autre ? Parlez, sieur de Courcy, je vous écoute.

— J'ai vu des chevaliers du roi Henri qui portaient des vestes en peau de créatures. Et j'ai vu le père Cormac, lui-même, qui conversait avec Richard Prendergast.

— Ce rat en soutane ! Je lui arracherai les grands yeux ! lança Brogan.

— Dans ce cas, ils ne tarderont pas, déclara Cathal. Je vais en informer ma sœur.

— Je crains qu'il nous faille trouver des renforts.

— Je ne suis pas Garrett, sieur de Courcy. Ni les de Burgo, ni même les O'Malley n'écouteront mes requêtes. Il faudra se préparer au pire et se défendre avec ce que nous avons.

— Je n'aime rien de tout ça, ajouta Brogan en désignant le ciel.

Les deux autres guerriers portèrent en même temps leur regard sur un grand oiseau noir qui survolait la région à basse altitude. Il effectua quelques cercles autour d'eux et poursuivit ensuite son vol en direction du domaine.

— Mauvais présage! grogna le colosse. Un corbeau qui survole le territoire alors que l'ennemi s'apprête à frapper. Il annonce la mort!

— Ce n'est pas un corbeau, rectifia Cathal. Son bec est rouge.

— Un corbeau à bec rouge? Je n'ai jamais rien vu de pareil.

— Qui donc désire me parler? demanda Derdriu

— Il prétend que son nom ne te dirait rien, répondit Nollaig.

— Je n'ai pas le cœur à bavarder avec qui que ce soit.

Derdriu ne sortait presque plus. Les autres dames ne conversaient avec elle qu'en de rares occasions. Le mois d'août 1219 tirait à sa fin et il lui semblait que le vent ne cessait de fouetter les murs du château comme s'il tentait d'en chasser les mauvais souvenirs. Plus de six mois s'étaient écoulés depuis la visite de Cormac. Elle résistait encore et toujours au deuil et refusait toute forme de cérémonie pour commémorer son mari. En sa présence, il était interdit de faire allusion à la mort de Garrett.

Nollaig savait qu'elle s'isolait souvent dans la chapelle pour méditer. C'est en ce lieu qu'on l'avait unie devant Dieu à Garrett.

— Mère, je crois qu'il te faut accepter…

Elle se retourna pour regarder son fils, debout dans l'embrasure du portail.

— Mais tu es pâle. Tu as vu un revenant, ma foi.

— Suis-moi, je t'en prie.

Nollaig sortit, gagna la cour intérieure et poussa les portes de la grande salle. Derdriu se sentit obligée de le suivre.

Ils traversèrent en hâte la pièce principale du château, où des serviteurs s'affairaient à installer la table pour le repas du midi. Ils saluèrent tous Derdriu d'un signe respectueux de la tête, mais elle les ignora, trop intriguée par le comportement de son fils.

— Mais où se trouve donc ce visiteur ?

— Au sommet de la tour ouest.

Ils atteignirent le hall et grimpèrent les escaliers en colimaçon. Nollaig arriva en premier à l'étage supérieur. Il tendit la main à sa mère pour l'aider à gravir les dernières marches alors qu'elle soulevait sa lourde robe. Lorsqu'elle accéda au sommet, le vent prit d'assaut ses longs cheveux. Elle dégagea son visage et découvrit le bel oiseau noir au bec rouge qui l'attendait, perché sur le parapet. Il la salua en baissant la tête. Derdriu fit de même.

— Vous pouvez me comprendre, gente dame ? demanda le crave.

— Depuis toujours, j'entends les paroles des corbeaux. Mais tu n'en es pas un, que je sache.

— Grand dieu, non. Je suis un crave. Korax le septième est mon nom. J'habite la Falaise Noire.

— Et où se trouve ta falaise, noble crave ?

— Au nord de la Grande Île, dame Derdriu. En ce royaume que vous appelez l'Écosse.

Elle cessa de respirer.

— Voilà plus de quatre mois que je survole les terres de l'Île Verte à votre recherche. En apercevant votre fils, j'ai pris le risque de m'adresser à lui. Par bonheur, il comprend le langage de mes semblables. La Providence m'a souri.

— Qui t'envoie ?

— Fianna, votre tante. Elle me charge de vous quérir. Traversez mers et vallées et trouvez son monastère. Garrett vous y attend. Il vit toujours. Ne tardez pas.

52

« Si tu trempes un doigt dans la mer, tu touches le monde entier »,
disait le proverbe croate que Vlado Skreb se répétait en ce matin
pluvieux.

Prisonnier dans un bouchon de circulation sur la route M4 en
direction de Dublin, le psychologue tentait de trouver de sages
citations qui chasseraient le tumulte de son esprit. Il peinait à
croire qu'en osant toucher à cet aspect controversé de la science,
un monde nouveau allait s'ouvrir à lui. Il s'était toujours conformé
à une éthique irréprochable dans l'exercice de sa profession de
thérapeute. Mais voilà qu'il traversait l'Irlande d'ouest en est pour
rencontrer un expert en cryptozoologie que plusieurs considé-
raient comme un charlatan.

Y avait-il réellement un monstre dans ce lac dont lui avait parlé
le jeune Talbot ? Alors qu'il cherchait à s'expliquer les compor-
tements de Jet en évoquant les traumas, les angoisses et autres
troubles psychiques, un extrait vidéo de trente secondes sur
Internet l'avait amené à mettre en doute près de trois décennies
d'expérience thérapeutique. Certes, il s'agissait peut-être d'un
canular, mais la créature en question avait été capturée au beau
milieu de la région où vivait son ex-patient.

Son collègue de l'Université de Dublin l'avait mis en contact
avec le professeur Archibald McNicol. Un historien, un érudit, un
passionné, un polyglotte, un spécialiste des manuscrits anciens d'Irlande et d'Écosse, et un fou, comme plusieurs s'évertuaient à le dire.

Skreb apportait dans ses documents une copie des signes que Jet avait vus dans ses rêves afin que McNicol puisse les examiner de près. Il se rappelait cette phrase que Jet lui avait lancée : « Et si c'était votre perception à vous qui vous jouait des tours ? » Il songeait à rebrousser chemin, mais le flot de véhicules le poussait inéluctablement vers la capitale.

— Iriez-vous me chercher une autre pointe de tarte pendant que j'examine de plus près ces symboles, docteur Skreb ?

— Bien sûr, avec joie, répondit Skreb, se demandant combien de desserts ce goinfre allait dévorer avant d'être rassasié.

McNicol avait donné rendez-vous au psychologue à dix heures précises à l'étage supérieur du café Bewley's, au centre de Dublin. Haut lieu touristique de la capitale, ce café-restaurant au décor d'autrefois avait le mérite, selon le professeur, de vendre les meilleures tartes aux fraises et les meilleurs gâteaux aux carottes du monde. Pour sa part, Skreb avait tôt fait de constater que son hôte était passé maître dans l'art de se faire payer de la nourriture.

Quand il revint avec la pointe de tarte, Skreb trouva McNicol occupé à déguster la dernière bouchée du morceau précédent. Le document illustrant les symboles vus par Jet n'avait même pas été touché.

— Alors, qu'en dites-vous ? l'interrogea Skreb en déposant l'assiette sur la table.

Tout en rondeurs, le sexagénaire au crâne dégarni et à la peau luisante jeta un coup d'œil furtif sur les pictogrammes, en piquant sa fourchette dans sa nouvelle victime.

— Vous ne mangez rien ?

— Merci, je n'ai pas très faim. Alors, ces symboles, ils vous disent quelque chose ?

— Bien entendu, répondit le professeur, observant de ses yeux globuleux un groupe d'étudiantes.

— Et ?

— Je crois ce que j'ai toujours cru.

— C'est-à-dire ?

— Cet endroit est parfait. On y trouve de tout. Toute notre société s'y bouscule. Les touristes les plus médiocres, les académiciennes les plus adorables, les intellectuels les plus prétentieux, des enfants insupportables, des parents débordés, des ivrognes, tout, et les meilleurs gâteaux en plus. Vous ne voulez vraiment pas goûter ?

— Non, merci.

— Pour ce qui est de vos griffonnages, je ne vois qu'une chose, conclut McNicol en engloutissant la dernière bouchée de sa pointe de tarte.

— Laquelle ?

— Une autre preuve que j'ai toujours eu raison, dit-il en mastiquant.

— Je ne vous suis pas.

— Ces signes ne sont rien de moins que la clé d'une des plus grandes énigmes de l'histoire naturelle.

Une heure plus tard, Skreb observait le professeur McNicol en train de dégager une grande enveloppe jaunie d'une boîte de carton. Si cet étrange individu avait occupé un bureau trois fois plus spacieux, peut-être aurait-il été un peu moins encombré, mais il se contentait depuis vingt-cinq ans d'un local exigu et avait abandonné tout espoir d'être relogé.

McNicol enfila des gants blancs pour extirper de l'enveloppe un manuscrit qu'il manipula avec un soin excessif.

— Je vous ai bien parlé du fameux *Liber Viridis*, le Livre Vert, n'est-ce pas ?

Sur le chemin entre le café et les locaux du Trinity College, McNicol lui avait fait part de ses recherches sur les monstres aquatiques, qu'il poursuivait depuis plus de quarante ans. Il avait d'ailleurs publié de nombreux articles sur une singulière communauté monastique établie au Moyen Âge en Écosse, d'où provenait un légendaire ouvrage sur l'univers secret de ces créatures.

— Ne m'avez-vous pas dit que votre lointain ancêtre en était l'auteur ?

— Vous voulez dire Diarmad MacNichol ? Non. C'était un aventurier qui aurait eu des liens avec la communauté, mais l'auteur, je ne crois pas.

— Le livre a été perdu, si je me souviens bien ?

— Tout à fait. Perdu à jamais. Le monastère a été saccagé au cours du XIIIe siècle. Il n'en reste plus rien. Le volume a été partiellement copié toutefois. Vous connaissez Ulrich de Neustrie ?

— Je dois avouer que non.

— Oh ! Il manque à votre culture. C'était un personnage fascinant. Richissime médecin, descendant de la noblesse normande, il était astrologue et alchimiste. Il a laissé des écrits absolument magnifiques. Et, vous savez quoi ? Il a séjourné au monastère du loch Maree pendant au moins un an et il aurait copié une partie de ce fameux livre vert. Voyez par vous-même, conclut-il en exhibant le document ancien.

Skreb fit le tour du bureau et s'approcha du professeur. Celui-ci tourna doucement les pages de ce volume d'autrefois.

— Ces écrits ouvrent les portes d'un monde oublié, docteur Skreb. Un monde secret dans lequel évoluent des mammifères aquatiques ignorés de la science. On y raconte l'existence de grottes cachées sous les montagnes, dont les parois cristallines, en réfléchissant les rayons du soleil, transmettaient aux créatures des pouvoirs de guérison. Vous vous rendez compte ? Et ces mêmes cristaux, sous les reflets de la pleine lune, plongeaient les créatures dans un état de transe permettant à leur esprit de se détacher de leur corps et de couvrir des distances phénoménales pour entrer en contact avec leurs semblables à l'autre bout du monde, ou même avec des humains.

— Mais ce ne sont peut-être là que des légendes, professeur McNicol.

Le professeur s'arrêta sur une illustration de quatre signes en tous points identiques à ceux dessinés par Jet. Skreb avait peine à le croire.

— Les créatures lacustres ont gravé ces symboles dans les profondeurs de leurs lacs. Elles le font depuis des millénaires. Les voyageurs de leur espèce s'en servent comme repères. C'est ce qui est écrit ici, noir sur blanc.

— Ces signes ont-ils déjà été publiés ?

— Une seule fois, en 1965, dans le cadre d'un article de mon cru pour la revue scientifique de l'Université d'Édimbourg.

Il y avait peu de chance que Jet ait rêvé de cette publication oubliée.

— Quelle est leur signification ?

— Voilà la grande question. J'ai échafaudé plusieurs théories, sans pour autant en arriver à la moindre certitude.

Songeur, Skreb s'assit sur le bord de la fenêtre. Il se disait que, tôt ou tard, McNicol allait devoir rencontrer Jet. Alors que le professeur réinsérait le livre dans son enveloppe, Skreb porta son attention sur une photo déposée sur le bureau. On y voyait McNicol prenant fièrement la pose, manuscrit en main, au côté d'une jeune femme à la chevelure noire.

— Une de vos étudiantes ? demanda Skreb en indiquant la photo.

— Non. Une jeune scientifique qui prenait part à un projet de recherche sur les monstres de lac. Son nom m'échappe toujours.

— Elle ne s'appelait pas Viviane, par hasard ? risqua le psychologue.

— Vous la connaissez ?

53

ÉCOSSE ET IRLANDE
XIIIe SIÈCLE

u soir du 6 mars 1220 – trois ans jour pour jour après le départ de Garrett pour sa chasse aux monstres lacustres –, Derdriu et son frère Padraig étaient arrivés au monastère du loch Maree, après un long pèlerinage depuis l'ouest de l'Irlande jusqu'aux Highlands d'Écosse.

En bordure du lac écossais, Derdriu avait de nouveau serré Garrett dans ses bras. Comme elle avait trouvé chétif et fragile cet homme devenu l'ombre pâlissante du guerrier qu'il avait été !

Le séjour de Derdriu et de Padraig au loch Maree dura plus de sept ans. Sept années durant lesquelles les créatures lacustres d'Écosse méditèrent sur le cas du chevalier Garrett. Les géants des lacs ne percevaient pas le temps de la même façon que les humains, et Fianna savait que l'attente semblerait interminable à ces derniers.

Durant ces années, Derdriu s'était peu à peu intégrée à la communauté. En plus de prendre soin de Garrett et d'assister les moniales dans leurs tâches quotidiennes, elle avait bénéficié d'un entraînement sévère au combat à l'épée, à la lance et au bâton de la part de Diarmad MacNichol. Il se disait persuadé que son destin l'obligerait un jour à se défendre contre d'impitoyables ennemis.

Derdriu avait aussi participé à la rédaction du Livre Vert. Fianna avait insisté pour y relater en détail l'histoire de Garrett et de sa légendaire chasse aux monstres. Grâce à sa capacité de communication par télépathie avec les créatures lacustres, Fianna avait acquis une connaissance phénoménale de l'univers secret de celles-ci. Elle avait transcrit le tout dans cet ouvrage volumineux qui constituait l'œuvre de sa vie.

Le plus douloureux pour Derdriu fut l'absence de son fils. Elle avait communiqué avec lui à quelques reprises par l'entremise de Korax le septième et de Korax le huitième, qui lui succéda. Les nouvelles d'Irlande étaient toujours alarmantes. Guidés par Cormac MacNamara, les hommes de Prendergast s'étaient emparés du château FitzWilliam. Cathal avait été forcé de prendre la fuite pour se réfugier dans ce qui restait du territoire des O'Corrigan. Le colosse Brogan l'avait accompagné, mais plusieurs de leurs hommes n'avaient pas survécu aux hostilités. Parmi eux, Rory O'Corrigan – le frère de Cathal et de Derdriu – était tombé au combat, de même que le valeureux Thomas de Courcy, qui avait succombé à ses blessures. Pour leur part, Nollaig et la jeune Catherine avaient précédé Cathal dans son exil. Mais la menace de conquête pesait encore lourd sur les anciens compagnons de Garrett.

Cormac s'écroula au sol, le précieux cristal du lough Gill entre ses doigts. Il avait lévité pendant près d'une minute. Ses minces cheveux trempés de sueur lui collaient au visage. Haletant, il ouvrit les yeux et mit un long moment à reconnaître la base de son modeste lit, situé dans ses quartiers du château FitzWilliam, renommé château Prendergast.

Ce qu'il avait vu et entendu depuis les profondeurs d'un lac d'Écosse en cette nuit de juin 1227 le dégoûtait. La chambre de cristal du royaume de Dalak lui était apparue. De grandes créatures y flottaient dans un état de transe. La lune brillait de mille feux. Il vit alors se profiler sur le bord de l'étang les ombres du chevalier Garrett et de Derdriu. À son grand désarroi, il avait capté les pensées des monstres lacustres. Il n'y avait pas de doute dans son esprit : il s'agissait d'une vision prémonitoire. Il connaissait l'état d'illumination que procuraient les rayons lunaires aux créatures lacustres. Mais cette fois, une manifestation abjecte qui n'avait pas eu lieu depuis des siècles allait se dérouler lors de la prochaine pleine lune. Il devait donc intervenir avec force afin de mener à bien la plus grande mission de sa vie.

Il se releva avec peine en s'agrippant à son bureau. Quand il fut debout, encore titubant, il fouilla parmi la multitude de documents, de livres et de cartes qui s'étalaient devant lui. « Le royaume de Dalak se trouve près du loch Linnhe, le loch Linnhe », se répétait-il. Il dénicha un vieux plan caché sous une pile de parchemins et le souleva pour l'examiner de plus près. Une lueur apparut dans ses yeux. Il allongea la carte sur sa table de travail et promena son maigre index le long du fameux bras de mer écossais. Il l'immobilisa en un point précis : l'île de Staffa.

54

«Fils de Mhorag, sors de ta torpeur! Ne sombre pas dans l'oubli. Extirpe-toi de ton sommeil et pars à la recherche de tes semblables.»

Dans les profondeurs de son refuge, Ragdanor s'éveilla soudain. Cette voix qu'il avait entendue sur la montagne résonnait de nouveau en lui. Il faisait nuit à la surface. Il secoua la tête et attendit que sa vision s'ajuste à l'obscurité. Le calme le plus total régnait dans le modeste plan d'eau. Il activa ses nageoires. Une vitalité nouvelle l'habitait et il avait grand besoin de respirer. Ses moustaches détectaient pourtant une présence en bordure du lac, mais rien qui ne l'inquiétât. Il se propulsa vers le haut pour remplir ses poumons d'air pur.

Les quatre pattes solidement plantées dans le sol sablonneux, les cornes bien en vue, l'imposant bélier observait Ragdanor depuis le bord du lac. Ce grand mouton à la laine abondante veillait depuis plusieurs jours sur la jeune créature endormie dans son antre.

Il le salua en baissant la tête. Ragdanor l'imita. Le mouton s'approcha davantage de la rive. Ragdanor nagea à sa rencontre et s'immobilisa à quelques mètres de lui.

— Tu pars à sa recherche?

Ragdanor acquiesça.

— Ton chemin sera long.

— Je sais.

— J'ai entendu les corbeaux. Ils ont parlé de toi.

— Il ne faut pas les écouter.

— Ils disent parfois vrai. Si tu t'égares, ont-ils crié, cherche la pierre lumineuse qui t'indiquera le chemin.

— La pierre lumineuse ?

— Ils n'ont rien dit de plus. Garde l'œil bien ouvert. Va maintenant, fils de Mhorag. Rappelle-toi que je veille sur ta demeure. Cela te réconfortera.

Sur ces mots, il quitta la berge et rejoignit son troupeau qui l'attendait. Ragdanor n'oublierait jamais ce que ce brave animal avait fait pour lui.

Le jeune monstre replongea et se mit à nager vers le sud. Il fit de nouveau surface pour patauger dans l'étroit cours d'eau reliant le Petit Lac du Refuge à son lac aux Sombres Collines. Dès qu'il parvint à son royaume, il s'enfonça dans les profondeurs et s'arrêta devant le palais de troncs d'arbres construit par Mhorag. Figée dans une quiétude troublante, la structure faisait fi du temps et attendait, imperturbable, le retour de sa Doyenne.

Après avoir dit adieu à sa demeure, Ragdanor reprit le chemin du sud. Il remarqua trois sondes installées par les humains, qui soupçonnaient toujours l'existence d'une deuxième créature. Étonnamment, les appareils ne démontrèrent aucun signe d'activité à son passage.

Ragdanor accéléra sa course et finit par atteindre l'extrémité méridionale du lac. Devant lui se présentait l'accès qui conduisait à la rivière, au bras de mer, puis aux innombrables tunnels du vaste monde.

Il jeta un dernier coup d'œil derrière lui, puis fonça à toute vitesse pour s'engager dans l'entrée interdite.

Jet ouvrit les yeux, croyant qu'il allait apercevoir la rivière, puis le bras de mer. Il vit plutôt apparaître le visage de Molly.

— Jet ? Jet ?

Il se demanda soudain ce que Molly Flynn pouvait bien faire dans sa chambre. Tournant la tête, il constata alors à son grand désarroi qu'il n'était absolument pas dans sa chambre.

— Jet !

Molly sortit en trombe pour aller chercher les parents de son ami de même que son propre père, qui s'étaient absentés pour aller manger à la cantine. Elle fut vite remarquée par le personnel médical présent. Un infirmier se précipita aussitôt dans la chambre pour constater que le jeune Talbot avait repris connaissance. Molly abandonna l'idée de trouver la cantine et retourna auprès de Jet. Quand il l'aperçut, il tenta de parler mais s'étouffa un moment avec sa salive.

— On respire doucement, jeune homme, doucement, lança l'infirmier.

Jet se calma, puis s'adressa à Molly.

— Ragdanor a quitté le lac. Il est parti.

L'infirmier crut qu'il délirait, mais la jeune fille avait compris.

55

Viviane traversa la Cinquième Avenue avec l'empressement typique des gens animés par une mission importante. Elle grimpa les marches de la New York Public Library – colossale institution du savoir située au cœur de la métropole – et y pénétra par les grandes portes.

Il s'agissait de sa première journée de congé depuis plusieurs semaines. La créature lacustre se portait relativement bien dans son immense bassin. Le choc de la capture et les effets secondaires des puissants sédatifs ne s'étaient pas encore dissipés, mais tout indiquait qu'elle allait survivre. Viviane pensait souvent à Ragdanor, caché dans les eaux de son petit lac irlandais. Elle éprouvait une certaine culpabilité à l'égard de ses employeurs pour avoir désactivé en secret les sondes installées dans les profondeurs de Doo lough. Elle refusait que cette jeune créature fasse l'objet d'une nouvelle chasse.

Viviane avait passé la nuit à élaborer une théorie sur la signification des fameux symboles que la Fouine avait aperçus sous l'eau. Ayant effectué des recherches sur les innombrables témoignages relatifs aux monstres lacustres dans l'hémisphère Nord, elle avait passé des heures à réviser ses notes afin de sélectionner des plans d'eau qui se démarquaient. Il lui fallait maintenant trouver des cartes pour vérifier la validité de son concept.

Une fois bien installée dans la grande salle d'étude richement décorée, elle se mit à fouiller dans les atlas qu'elle venait de rassembler.

Sept lacs démontraient des points communs frappants, en ce qui avait trait non seulement aux descriptions des créatures qui les habitaient, mais aussi à leurs caractéristiques biologiques, zoologiques et climatiques. Sa liste comportait le lac Brosno en Russie, le lac Peïpous en Estonie, le lac Gryttjen en Suède, le lac Mijosa en Norvège, le loch Ness en Écosse, le lough Fadda en Irlande et le lac Logurinn en Islande.

En reliant ces plans d'eau par un simple tracé, elle vit apparaître soudain le premier des quatre symboles :

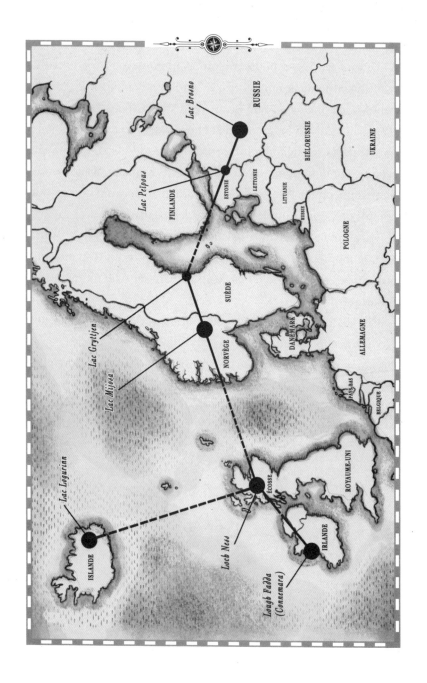

RUSSIE

Lac Brosno

Lac Peïpous

FINLANDE

ESTONIE

LETTONIE

LITUANIE

RUSSIE

BIÉLORUSSIE

POLOGNE

UKRAINE

SUÈDE

NORVÈGE

DANEMARK

ALLEMAGNE

Lac Gryttjen

Lac Mjøsa

PAYS-BAS

BELGIQUE

ROYAUME-UNI

ÉCOSSE

Lac Lagarinn

ISLANDE

Loch Ness

IRLANDE

Lough Fadda
(Connemara)

Durant la longue poursuite qui avait eu lieu en Irlande pour capturer Mhorag, les membres de l'équipe scientifique en étaient venus à la conclusion que les monstres lacustres se déplaçaient d'un lac à l'autre grâce à un enchevêtrement de tunnels sub-aquatiques. En découvrant ce lien entre des lacs qui étaient séparés par des centaines de kilomètres, Viviane pouvait maintenant soupçonner l'existence d'un immense réseau d'une grande complexité, dont l'ampleur dépassait l'imagination.

Qu'en était-il des autres signes ? Elle ne pouvait en être sûre pour le moment, mais tout portait à croire qu'ils correspondaient probablement au tracé reliant d'autres lacs en Asie ou même en Amérique.

Elle était maintenant persuadée que les monstres aquatiques possédaient non seulement une intelligence développée, mais aussi une perception accrue de leur situation dans un cadre géographique large et détaillé.

56

ÉCOSSE
XIIIe SIÈCLE

erdriu et Fianna se donnèrent une longue accolade. Elles ne trouvaient pas les mots pour se dire adieu.

Aucun mage ne pouvait prédire l'issue de ce long et périlleux voyage dans lequel Derdriu s'engageait avec Garrett, son frère Padraig et Diarmad MacNichol en ce matin du 10 juin 1227. Fianna, qui avait entendu la voix du noble Torgolan quelques jours plus tôt, avait toutefois pris la décision de ne pas les accompagner. Son âge, sa nature plutôt fragile et ses responsabilités d'abbesse l'incitèrent à rester.

Padraig avait insisté pour prendre part à l'expédition. Il connaissait bien les routes d'Écosse, et la destinée de sa sœur et de Garrett lui tenait à cœur.

Ce destin pesait d'ailleurs bien lourd dans le cœur de Derdriu. Elle se doutait du dénouement possible de cette singulière entreprise : elle conduisait son bien-aimé vers le gouffre, le néant et la mort. Certes, elle ne l'aurait jamais laissé partir seul pour ce dernier voyage, mais elle détestait l'idée de devenir une spectatrice impuissante de sa disparition. Même si elle était consciente que son mari n'était plus qu'une pâle copie de l'homme qu'il avait été jadis et que le désespoir minait ses jours, la perspective de cette séparation l'atterrait.

MacNichol, pour sa part, assumait les rôles de guide et de garde du corps. De plus, il apportait la fiole contenant le sang de Dalak qu'il avait récolté après la dernière chasse. Rien n'était plus précieux que ce liquide.

Le soleil n'était pas encore levé sur les rives du loch Maree. Flambeaux en main, une dizaine de moines formaient un cercle autour des aventuriers. La révérende mère se pencha une dernière fois sur Garrett, qui était étendu dans une petite charrette, trop faible pour marcher.

— Torgolan a tenu parole. Il a quitté son lac pour gagner l'ancien royaume de Dalak. Lui et les siens t'y attendent. Tiens bon, fils de William. Tiens bon. Tu bénéficieras de la grâce des géants des lacs et des mers, et les profondeurs de notre Terre te seront salvatrices.

Garrett manifesta silencieusement sa reconnaissance. La révérende mère se redressa et regarda Diarmad une dernière fois.

Ils s'étaient fait leurs adieux moins d'une heure plus tôt. Dans un passé qui leur semblait maintenant lointain, ils avaient été des amants, des époux et des parents. La vocation de Fianna avait mis un terme à leur union, mais leur amitié ne s'en était jamais trouvée diminuée, au contraire.

L'Écossais esquissa un sourire nostalgique. Elle retint ses larmes. À titre d'abbesse, elle ne pouvait exprimer tout haut ses émotions. Elle salua enfin Padraig d'un signe de tête. Il en fit de même. Elle était déchirée par le départ de ce neveu qu'elle aimait tant, et elle ne put garder les yeux sur lui très longtemps.

Le cercle formé par les moines s'ouvrit, et le cortège prit la route du sud en direction de la côte ouest de l'Écosse.

Le voyage dans les montagnes écossaises fut long et ardu, mais il se déroula toutefois sans réelles embûches. Certains jours, Garrett réussissait même à marcher sur plus de la moitié du trajet. Cependant, il devait par la suite se résigner à poursuivre le chemin à bord de la charrette.

Les quatre voyageurs mirent vingt-six jours à atteindre les rives d'un magnifique lac situé à proximité de la mer, nommé loch Morar. Ils y passèrent une dernière nuit avant d'entreprendre l'étape maritime de leur voyage. À l'aube, Garrett insista pour marcher seul avec Derdriu sur la plage sablonneuse. Main dans la main, ils retrouvèrent une parcelle de la félicité qu'ils avaient jadis connue ensemble et se jurèrent de ne jamais oublier cet endroit.

Le monastère du loch Maree était sous la protection d'un puissant chef de clan du nom de Kenneth MacKenzie, qui tenait en haute estime la révérende mère. Celle-ci avait donc obtenu de Kenneth les services d'un navigateur et de sa barque de pêche pour le couple FitzWilliam. Le vieux pêcheur attendait les voyageurs dans un petit port naturel situé à moins d'un jour de marche du loch Morar. Ils allaient y prendre la mer pour naviguer au cœur de l'archipel des Hébrides afin d'atteindre l'île de Staffa.

Alors qu'une bonne étoile semblait les avoir protégés durant le trajet effectué à pied, ils vécurent deux jours de navigation exécrables. Mer agitée, fortes pluies et vents changeants ne leur consentirent aucun répit.

Située à une dizaine de kilomètres au large de l'imposante île de Mull à l'ouest de l'Écosse, la petite île de Staffa était réputée auprès des navigateurs pour ses grottes spectaculaires. Ses hautes falaises présentaient plusieurs trous géants qui constituaient d'énormes cavernes navigables.

La mer s'était calmée et la barque put glisser à l'intérieur d'une gigantesque nef rocailleuse soutenue par des parois de basalte aux rayures verticales. Cette cathédrale naturelle allait un jour être connue de par le monde sous le nom de «grotte de Fingal».

Une fois à l'intérieur de la caverne, l'écho du moindre clapotis ou du moindre soupir résonnait d'une musicalité irréelle qui donnait un avant-goût des événements surnaturels à venir.

Après avoir flotté sur une distance de presque soixante-dix mètres, l'embarcation accosta une bordure de roc qui formait la base d'un quai naturel. Padraig aida Derdriu à sortir de la barque. Ils furent suivis par Diarmad MacNichol qui, à son tour, prêta assistance à Garrett. Ils apportèrent juste assez d'eau et de nourriture pour survivre pendant quelques jours.

Le navigateur fit le serment de les attendre jusqu'à leur retour.

Guidés par MacNichol, les aventuriers grimpèrent à pied un amoncellement de pierres volcaniques humides pour atteindre les parois de basalte. Comme il n'y avait ni charrette ni poney pour transporter Garrett, celui-ci devait marcher, avançant lentement, grimaçant parfois de douleur alors que Padraig et Derdriu le soutenaient. Diarmad distribua des torches qu'on alluma. Il approcha la sienne d'un large pilier de lave qui présentait une ouverture assez large pour s'y faufiler.

Les quatre voyageurs s'introduisirent ainsi dans un étroit corridor humide en pente descendante. Ils parcoururent ce chemin obscur et oppressant pendant plus d'une quinzaine d'heures, ne faisant de pauses que pour se désaltérer ou reprendre leur souffle. Durant tout le trajet, personne n'osa prononcer la moindre parole. Pour sa part, Garrett sembla bénéficier d'un inexplicable regain d'énergie.

La descente prit fin et fut très tôt remplacée par une longue ascension qui dura près de deux jours. Après avoir progressé sans cesse en ligne droite, ils furent surpris par une courbe accentuée qui se dessinait devant eux. En l'empruntant, ils aperçurent à leur grand bonheur le bout du tunnel. Dès qu'ils en sortirent, ils furent frappés de stupeur par le tableau insolite qu'ils découvrirent.

Ils se trouvaient à la base d'un vaste espace en forme de coupole, dont les parois de cristal reflétaient une pâle lumière bleutée prenant sa source dans une petite ouverture au sommet. Ce temple naturel était dissimulé sous une montagne à proximité du loch Linnhe. Au centre d'un grand étang circulaire, tels des piliers immuables émergeaient les têtes de trois énormes monstres lacustres, supportées par leurs longs cous. Ceux-ci observèrent de leurs grands yeux les aventuriers, qui firent quelques pas sur la large plateforme de roc donnant sur le plan d'eau. D'un lent signe de tête, les créatures saluèrent les visiteurs. Les humains répondirent de la même manière.

MacNichol reconnut Torgolan du loch Maree avec ses grands yeux rouges, sa crinière dégarnie et sa peau teintée de pourpre. À ses côtés flottait un autre mâle à la crinière blanche et abondante. Une sorte de barbiche de la même teinte pendait sous son museau. Il s'agissait de Norvyngal, le noble monstre du loch Morar. Puis une femelle, tout aussi imposante que les deux mâles, s'approcha de la bordure et fixa son regard sur Garrett. Sa peau d'un turquoise foncé et ses grands yeux bienveillants situés sur le devant du visage laissaient deviner son appartenance à une ancienne lignée.

— Garrett, fils de William, je suis Neldarane, Doyenne de Ness, lui dit-elle par télépathie.

Garrett baissa de nouveau la tête. Derdriu lui prit la main et la serra de toutes ses forces.

— En cette chambre de cristal, ta traîtrise n'existe plus. En ce lieu, seule la lumière est souveraine. La lune ne tardera pas à atteindre son zénith. Approche.

Garrett jeta un dernier coup d'œil vers Derdriu.

— Tu dois maintenant le laisser partir, fille de Nial, déclara Neldarane par télépathie, en se tournant vers Derdriu. Peut-être le retrouveras-tu un jour, ajouta-t-elle.

Garrett abandonna la main de Derdriu et s'avança tout près de l'eau. Il aperçut la réflexion de sa silhouette sur la surface de l'étang. Neldarane tourna alors son regard vers MacNichol, qui sortit la fiole remplie du sang de Dalak. Il la tendit à Garrett.

— À toi d'agir maintenant, fils de William. Que la Terre te soit clémente, conclut Neldarane.

Garrett s'empara de la fiole d'une main tremblante, l'ouvrit et en avala d'un trait le contenu. Le sang de Dalak avait un goût amer et il produisit une étrange sensation de refroidissement dans son œsophage et sa poitrine.

La pleine lune apparut dans la brèche au plafond. Ses rayons frappèrent les murs et provoquèrent une intensification de la lumière bleutée, forçant Padraig, Derdriu et MacNichol à se couvrir les yeux. Un bourdonnement à la fois profond et aigu se fit entendre, comme si les cristaux émettaient une puissante vibration.

Les trois monstres lacustres relevèrent la tête, fermèrent les paupières et tombèrent dans un état de transe.

Garrett fut tout à coup pris d'un tel coup de froid que son corps se figea. Il réussit à pousser une interminable lamentation, alors que la douleur qui l'accablait depuis des années se répandait dans tout son être.

Soudain, un tumulte retentit depuis l'entrée de la chambre de cristal. Épées et lances en main, une horde de guerriers normands fit irruption dans le lieu sacré. Éblouis, les hommes se cachèrent le visage, mais l'aumônier Cormac MacNamara leur ordonna de passer à l'action. Une pluie de flèches extirpèrent les trois créatures de leur contemplation et obligèrent Derdriu, Padraig et MacNichol à se jeter au sol pour éviter les projectiles.

Le bourdonnement s'intensifia. La lumière bleutée devint presque insupportable. Au milieu de ce chaos, Cormac encouragea ses hommes à continuer la chasse. Norvyngal secoua son énorme tête et fonça sur un groupe de guerriers. Momentanément affaibli par sa transe, il ne put esquiver une flèche qui lui perça l'œil gauche. Deux vigoureux combattants réussirent à lui fracasser le crâne de leurs longues haches. D'autres flèches l'atteignirent au cou et cet auguste monstre de lac, connu pour sa sagesse et sa compassion, s'écrasa sans vie comme un vulgaire gibier.

Neldarane et Torgolan se ressaisirent. Ils eurent assez d'énergie pour s'élancer vers leurs assaillants en les frappant de leurs fronts ou en les happant pour les projeter. Mais ils étaient conscients que l'effet de la pleine lune diminuait leurs forces. Devant les renforts humains qui ne cessaient de s'introduire dans la chambre comme une infestation de vermine, ils durent abandonner le combat et plonger dans l'abîme pour prendre la fuite par un tunnel.

Cormac ordonna que l'on s'empare de Garrett. Des soldats se ruèrent aussitôt dans sa direction. Derdriu, MacNichol et Padraig s'interposèrent et le défendirent avec fougue. Le vieil Écossais faisait peur à voir tant la rage se lisait dans ses yeux. Il fit tomber au moins une dizaine d'hommes, mais un archer décocha une flèche qui lui transperça le cœur. Il tenta en vain de la retirer. S'appuyant sur son long bâton de voyage, il ploya les genoux en tournant les yeux vers Garrett. Il voulut crier mais s'effondra sans vie. Deux autres flèches atteignirent Padraig à l'épaule et dans les côtes. Ce dernier demeura debout un long moment avant d'être projeté au sol par un guerrier qui se précipitait vers Derdriu.

Garrett aurait voulu prêter main-forte à sa bien-aimée, mais il en était incapable. Sa vision s'embrouilla et le temps sembla ralentir. Il distingua Derdriu assénant un coup de bâton à son adversaire et aperçut deux autres colosses réussissant à l'immobiliser pour l'entraîner vers la sortie.

Alors que le chevalier Prendergast et deux de ses guerriers brandissaient l'épée, s'apprêtant à le frapper, Garrett entendit pour une dernière fois la voix de Derdriu, qui le somma de plonger dans l'étang. Dans un effort suprême, il laissa son corps basculer pour s'enfoncer dans une eau sombre et glaciale.

Toutes ses souffrances se dissipèrent aussitôt. Garrett ouvrit les yeux et capta d'abord les rayons bleutés de la chambre de cristal. Son attention fut soudain attirée par une faible lueur rougeâtre venant des profondeurs. Sa descente dans ce gouffre aquatique s'accéléra pour atteindre une vitesse effarante, comme si toutes les énergies de la Terre l'attiraient vers l'abîme. La pression de l'eau et le manque d'oxygène lui firent perdre connaissance.

La lune poursuivit sa lente et implacable rotation. La réflexion de ses rayons sur les parois de la chambre du loch Linnhe s'atténua. Un calme funèbre y régnait. Le sang de Norvyngal maculait de rouge une partie des murs de l'enceinte sacrée. Les restes de la bête avaient été emportés par les survivants du combat. Çà et là traînaient des corps de guerriers à la solde de Cormac et de Prendergast.

Padraig se releva avec peine. Il avait réussi à retirer la flèche qui l'avait atteint au côté, mais il dut se contenter de briser celle qui transperçait son épaule en espérant pouvoir l'extraire ultérieurement. Il ramassa son bâton et avança en titubant vers la sortie de la grotte, puis jeta un dernier coup d'œil en direction de l'étang. Il se souvenait d'avoir vu Garrett sombrer dans les eaux du puits. Ne pouvant l'apercevoir à la surface, il en conclut que le chevalier se trouvait désormais dans les profondeurs du gouffre, ce qui lui procura une mince consolation. Comme un vieillard alourdi par les années, il s'agrippa aux murs de pierre et s'efforça de retourner à l'ouverture qui menait jusqu'au long tunnel vers l'île de Staffa.

Le ballottement de la barque et l'air du large ranimèrent Derdriu. Depuis qu'un guerrier l'avait assommée dans la chambre de cristal, elle était sortie de sa torpeur à quelques reprises durant le trajet à l'intérieur du long corridor pour s'évanouir aussitôt. Il faisait encore nuit. Comme elle était étendue dans le fond de l'embarcation, la première chose qu'elle vit en ouvrant les yeux fut l'astre lunaire. Elle le contempla un long moment, songeant à Garrett. Elle se dit que, peu importe ce que le hasard lui réservait, ses jours heureux étaient déjà loin derrière elle. S'il fallait qu'elle trouve la mort, elle se considérerait comme soulagée. Elle tenta en vain de délier ses poignets et ses chevilles, solidement attachés par des cordages.

— Ne perdez pas votre temps, lança Cormac.

Se redressant, elle aperçut le religieux assis de l'autre côté de la barque, la tête couverte d'un capuchon et les mains agrippées à un câble. Il ne pouvait dissimuler sa peur de l'eau. Derdriu mit un certain temps à réagir. Elle observa les guerriers qui l'accompagnaient et les membres de l'équipage occupés à diriger l'embarcation vers la terre ferme.

— Où m'emmenez-vous ?

— Nous atteindrons les côtes écossaises avant le lever du jour.

— Ensuite ?

— Ensuite ? Vous verrez. Il se pourrait fort bien que vous regrettiez cette quête insensée dans la chambre de cristal. Mais je risque encore d'être surpris, car je vous connais et sais combien vous pouvez être têtue.

— Vous ne me connaissez pas, père Cormac. Ce serait d'ailleurs pour vous un bien horrible châtiment, lui dit-elle en plissant les yeux sous la douleur causée par sa blessure au crâne.

Elle s'allongea de nouveau, prise de nausée. Avant de fermer les yeux, elle fixa la pleine lune un moment et aperçut à haute altitude un oiseau noir qui planait au-dessus de l'embarcation.

— J'ai vu ma mère, mon oncle. Je l'ai vue, les mains liées, elle était entourée de soldats normands qui l'entraînaient dans un sentier des hautes terres d'Écosse. Le père Cormac marchait devant. J'ai vu le monastère de votre tante Fianna qui brûlait. Elle est en danger. La mort la guette. Je dois partir.

Nollaig s'exprimait avec calme et détermination. Grand et mince comme son père, il avait depuis longtemps gagné l'estime de son oncle Cathal. Maintenant âgé de dix-neuf ans, il s'était intégré au clan O'Corrigan et son existence au château FitzWilliam semblait appartenir à un lointain passé. Sept années s'étaient écoulées depuis qu'il avait dû se réfugier chez ses cousins irlandais, alors que Prendergast s'emparait de la forteresse de Garrett.

Avec persévérance, courage et ruse, Cathal avait réussi à maintenir sa petite portion de territoire, mais la menace d'invasion ne cessait de grandir. Il savait toutefois que les rêves de Nollaig ne pouvaient être ignorés. Les nouvelles de Derdriu étaient rarissimes, et apprendre qu'elle était toujours vivante, même prisonnière, le réconfortait.

— Je ne peux pas te laisser partir pour l'Écosse, mon neveu.

— Je ne suis pas venu vous demander votre permission, mon oncle. Je suis venu vous annoncer mon départ.

— Tu es courageux, Nollaig, et noble de cœur. Tu l'as prouvé à maintes reprises. Mais tu es encore jeune. Tu ne sais rien du vaste monde. La distance qui nous sépare des hautes terres d'Écosse fait mille fois celle qui nous sépare du château de ton père. Le territoire est immense et aucun homme ne voudra te suivre dans cette mission impossible.

— Mais, mon oncle…

Cathal l'interrompit d'un geste de la main.

— Je me soucie autant que toi du sort de ta mère. Mais tu dois d'abord penser à ta vie et à celle de tes cousins et cousines. Ta présence ici nous est précieuse. Ne t'engage pas dans une aventure sans espoir.

— Je ne peux me soustraire à mon devoir, et l'abandonner aux mains de ces fourbes.

— Si elle pouvait nous entendre, elle t'interdirait d'entreprendre un tel périple.

— N'attendrait-elle pas de moi que j'aille à sa rescousse?

— Non. Elle souhaiterait plutôt que tu puisses un jour reprendre le domaine de son bien-aimé et y vivre en paix. Ainsi, l'honneur de ton père serait restauré. Tel serait son vœu le plus cher.

— Vos fils, Angus et Ardan, ont accepté de m'accompagner. Nous partons demain à l'aube.

Cathal reconnaissait chez Nollaig la détermination tranquille de Garrett. Rien ne pouvait le faire changer d'idée. Il se leva de son siège et s'approcha du jeune homme.

— Et Catherine? Ne devez-vous pas vous marier cet été?

— Elle comprendra.

Le matin suivant, Nollaig quitta les terres de son oncle avec les frères Angus et Ardan O'Corrigan afin de gagner l'Écosse et de tenter d'y retrouver sa mère. Cathal lui avait donné une magnifique épée que Nial, son père, avait jadis rapportée de la Troisième Croisade.

57

— Tu es un cheval de lac ? demanda le jeune phoque.

— Tu vois bien que c'est un serpent de mer, lui lança son frère.

— Mais il a une tête de cheval de lac.

— Et son corps et ses ailerons ? Ta vue baisse, dirait-on.

— Alors, dis-nous ce que tu es.

— Je suis fils d'un serpent de mer… commença Ragdanor.

— Je te l'avais dit !

— … et d'un cheval de lac, termina-t-il.

Un peu déconcertés, les cinq phoques observèrent Ragdanor. Ils s'étaient croisés en cette nuit de septembre à l'embouchure du bras de mer. Depuis son départ du lac aux Sombres Collines, le jeune monstre avait atteint sans encombre Killary Harbour, qu'il avait parcouru de long en large à la recherche d'indices sur le chemin emprunté par sa mère. Il n'avait rien trouvé de concluant. Se dirigeant vers le large, il souhaitait tenter sa chance dans l'océan. L'eau salée n'irritait pas du tout ses yeux, contrairement à l'effet qu'elle produisait sur Mhorag. Mais le vaste océan l'intimidait et il ne savait plus trop dans quelle direction s'engager.

— Et qu'est-ce qui attire ici ce fils de cheval de lac et de serpent de mer ? lança le plus vieux phoque du groupe.

Ragdanor hésita à répondre. Sa quête pour retrouver sa mère n'était pas simple à expliquer.

— Oh là ! Tu es en mission secrète ?

— Je désire atteindre la Grande Île, risqua-t-il.

— La Grande Île! Voilà un bien long voyage pour une jeune créature.

— Je cherche ma mère. Elle se nomme Mhorag et elle a maintes fois parcouru cet océan pour atteindre la Grande Île.

— Je ne connais pas ta Mhorag, mais sache que la Grande Île se trouve à l'est. Il te faudra contourner tout le nord de l'Île Verte, pour ensuite poursuivre ta traversée jusqu'aux bras de mer qui te conduiront à la Grande Île. Tu veux atteindre Ness, c'est ça?

Il avait vu juste, mais cette fois, Ragdanor n'osa plus rien ajouter.

— Tous les chevaux de lacs désirent un jour se rendre à Ness. Ta mère s'y est peut-être rendue.

— Vous pouvez m'y conduire?

Les phoques éclatèrent de rire en chœur.

— Mon pauvre! Tu ne t'es jamais aventuré en mer, n'est-ce pas? affirma l'un d'eux.

Ragdanor fit signe que non. Le vieux phoque prit la parole de nouveau.

— Nage en profondeur pour éviter l'effet de la houle. Méfie-toi des créatures que tu rencontreras, et fuis les embarcations humaines. Elles sont mortelles.

— Pourquoi n'empruntes-tu pas les tunnels de tes semblables? lui demanda une jeune femelle. Tu traverserais ainsi l'Île Verte en ligne droite vers l'est sans être vu, et tu n'aurais qu'à poursuivre ton chemin par-delà la mer pour atteindre les tunnels de la Grande Île qui te mèneront à Ness.

— Ne l'écoute pas, jeune créature, dit le vieux. Les tunnels sont des labyrinthes interminables tout aussi dangereux que la mer. Un de mes frères a voulu les explorer et il n'en est jamais revenu.

Ragdanor n'osa pas avouer qu'il avait lui-même tenté de trouver, sans succès, l'entrée secrète des tunnels de l'est.

— Où allez-vous ?

— Nous allons vers le sud. Tu veux nous accompagner ? répondit la jeune femelle.

— Je dois me rendre à la Grande Île.

— Comme tu veux, conclut le vieux phoque. Que la mer te soit clémente, jeune cheval des lacs et des mers.

Les phoques se mirent à nager vers le sud.

— Combien de temps devrai-je nager pour atteindre mon but ? leur cria Ragdanor.

— Pas moins de vingt jours ! répondit le vieux phoque.

« Vingt jours en mer ! » songea Ragdanor.

Après quelques jours de nage, Ragdanor ne s'était jamais senti si seul ni si petit. Comme il oubliait trop souvent de plonger en profondeur, les vagues le secouaient et le forçaient sans cesse à changer de cap. Ses moustaches habituées à évoluer dans un modeste plan d'eau perdaient toute référence dans cette étendue sombre et sans fond. Quand il regardait l'immensité au-dessus de laquelle il flottait, une angoisse indescriptible l'envahissait. Il avait beau être le fils de Zarak, le serpent de mer, il avait grandi dans un lac tranquille, et l'océan constituait un monde étranger trop vaste pour lui.

John Émile Talbot
Auberge Fitzwilliam-Talbot
Delphi, Co Mayo, Irlande

Cher Jet,

Je regrette de ne pas t'avoir salué avant mon départ. De toutes les personnes que j'ai rencontrées durant mon séjour en Irlande, tu es celle qui m'a le plus marquée. Que tu puisses communiquer par la parole avec un monstre de lac est fascinant.

Oui, je connais l'existence de cette jeune créature qui vit dans Doo lough. Je t'ai vu lui parler et je l'ai même entendue te répondre. Il faut que tu saches que je n'en ai rien dit à mes collègues. Rien. Ce secret t'appartient.

Je devine que tu dois désapprouver toute cette opération de capture à laquelle j'ai participé. Je n'ai fait que mon travail. Mais je t'assure que je ferai tous les efforts nécessaires pour veiller au bien-être de cette créature. Pour le moment, elle se porte bien dans son nouvel habitat. Tu as certainement pu en voir des images à la télévision.

J'ai par ailleurs fait d'intéressantes découvertes sur les géants des lacs. J'aimerais bien t'en faire part.

J'espère avoir l'occasion de te revoir. Si le cœur t'en dit, tu pourrais me donner des nouvelles de ton ami des lacs. Pour le moment, je réside chez une collègue, à New York.

Au plaisir de te lire.

Salue tes parents pour moi.

Viviane

Jet plia la lettre et la remit dans son sac à dos. Le fait que Viviane le considérait comme un être unique et qu'elle désirait un jour le revoir le faisait rougir. Mais en deux mois, les choses avaient bien changé.

Les brises de septembre chassaient l'air plus chaud de cet été inoubliable. Ses parents avaient finalement accepté l'argent d'Harold et l'auberge n'était plus à vendre. Le tourisme local se portait d'ailleurs mieux que jamais. Des équipes de tournage et des touristes convergeaient vers Doo lough et les autres lacs de la région dans l'espoir de capter l'image d'un monstre, au grand bonheur des auberges du coin. Jet savait que Ragdanor avait quitté le lac. Allait-il revenir un jour? Où était-il parti? Savait-il que sa mère avait été capturée? La terre entière pourtant le savait. La nouvelle de la prise de Mhorag et de sa captivité dans un aquarium tout neuf de New York avait secoué la planète. On ne parlait que de ça. L'établissement allait bientôt ouvrir ses portes et la noble créature ferait la joie du grand public. Les produits dérivés abondaient. Les théories scientifiques sur ses origines meublaient les bulletins d'information. Tous les lacs du globe suscitaient soudainement de l'intérêt. Tout le monde voulait trouver son monstre. Du loch Ness au lac Champlain, du lac du Paradis en Chine jusqu'au lac Victoria en Afrique, la moindre branche flottante défrayait la chronique. La folie médiatique ne faisait que commencer.

Pour sa part, Jet avait effectué avec Molly quelques visites au lac, mais Ragdanor brillait par son absence. Le garçon aurait d'ailleurs pu profiter d'un de ces moments où il était seul avec son amie pour l'embrasser. L'idée lui avait traversé l'esprit, mais il avait manqué de courage.

Le fantôme en soutane ne lui était pas réapparu. Il se souvenait très bien de ses paroles énigmatiques concernant le monastère des FitzWilliam, le cristal et le livre. Mais il n'avait pas tenu le serment que le spectre avait exigé de lui. Dans les semaines qui avaient suivi, il n'avait pas osé s'aventurer dans ces anciennes ruines. Puis, les classes avaient recommencé. Une nouvelle école, une nouvelle dynamique et de nouveaux étudiants contribuaient à leur façon à marquer la fin de l'enfance.

Maintenant que la planète entière rêvait de monstres lacustres, Jet, lui, avait complètement cessé de les voir en songe. Son existence ponctuée par des épisodes de sommeil à l'école et ses consultations avec des thérapeutes étaient choses du passé. La vie banale avait repris son cours. La paix paraissait rétablie dans le couple Fitzwilliam-Talbot. Jet s'était réconcilié avec l'oncle Harold, mais la toux persistante du vieil homme inquiétait de plus en plus Nora. Les travaux scolaires s'annonçaient plus exigeants. Fantômes, monstres de lac et craves à bec rouge capables de parler s'installaient progressivement dans le monde des souvenirs.

Tout semblait revenu à la normale, et cette « normale » angoissait Jet. Alors qu'au début de l'été il se savait habité par une mission sans pareille contribuant à le rendre fascinant, voilà qu'il se sentait devenir ordinaire. De plus, Molly ne s'intéressait plus à lui. Elle se pâmait maintenant devant les joueurs de soccer de l'école. Il regrettait son manque de courage. « Les sportifs ne rateront pas leur chance de l'embrasser, eux », songeait-il en observant la surface du lac.

— Vous broyez du noir, jeune homme.

Jet fit volte-face. Une sueur froide lui glaça le dos : le fantôme était de retour.

— Je connais trop bien le tourment de celui qui désire celle qui ne l'aime pas. Tu dois rester fort et ne point perdre courage, jeune FitzWilliam.

— Je ne suis pas un FitzWilliam. Je suis un Talbot !

Sur ce, Jet quitta en hâte le quai en pierre, enfourcha sa bicyclette et pédala vers le sud en direction de la maison. Il ne regarda pas derrière lui. Les yeux fixés sur le pneu avant, il fonçait à plein régime, en se reprochant d'avoir espéré voir les choses redevenir comme avant. Il arriva à l'auberge en un temps record. Il s'arrêta. Plus de fantôme en vue. S'apprêtant à pédaler jusqu'à la maison, il s'interrompit pour regarder autour de lui. Le ciel couvert de cette fin d'après-midi d'automne donnait une teinte dorée au paysage. Un calme profond régnait. Il aperçut au loin l'oncle Harold qui s'affairait à des travaux ménagers avant le repas du soir. Jet n'avait qu'à entrer chez lui, monter à sa chambre, réviser ses leçons pour ensuite se mettre à table avec ses parents, qui n'allaient pas tarder à se présenter. Le fantôme n'apparaîtrait pas chez lui. Et pourtant, non. Depuis les profondeurs de son être, quelque chose l'appelait. Même s'il avait réagi en s'enfuyant, cette rencontre avec le spectre ne lui avait pas complètement déplu. Tout n'était peut-être pas fini.

Il se remit à pédaler pendant quelques minutes pour atteindre l'accès au petit chemin qui menait aux ruines du château FitzWilliam. Il s'y engagea et accéléra la cadence. Il fut alors surpris de découvrir deux voitures garées devant la clôture qui délimitait le terrain de la forteresse. Deux hommes qu'il ne connaissait pas examinaient l'emplacement en prenant des notes. Jet n'aimait pas ça du tout. Son père lui avait dit que leur château faisait partie des nombreuses constructions médiévales qui n'avaient pas encore fait l'objet d'une classification officielle par l'État irlandais. Il n'était donc pas protégé. En un rien de temps, l'ancien domaine des chevaliers FitzWilliam pourrait être remplacé par une auberge, une résidence moderne ou un abattoir.

Jet poursuivit sa course en dévalant la pente douce allant jusqu'à la petite rivière, pour se rendre aux ruines du monastère construit jadis par les FitzWilliam et dédié à saint Cuthbert.

Comme le château, le monastère avait perdu sa toiture depuis longtemps et seuls les murs de pierre rongés par les siècles et tapissés de verdure laissaient deviner la richesse architecturale de l'époque.

Jet déposa son vélo, enjamba les pierres et les broussailles qui entouraient les ruines et se risqua à entrer dans les vestiges de la salle principale. Il restait encore trois bonnes heures de lumière. S'il y avait vraiment quelque chose à découvrir en ce lieu, il aurait suffisamment de temps. Il fit quelques pas au centre de l'espace principal où se trouvaient de magnifiques arches gothiques. Certaines sections des murs de même que l'autel comportaient une multitude de sculptures religieuses. Il les examina toutes. Son regard défilait sur des figures bibliques qui lui étaient inconnues, alors que d'autres symbolisaient des images plus familières, telles que Marie et l'enfant Jésus. Il s'attendait à voir apparaître le fantôme. Pour une fois, il était résigné à lui parler, mais il ne se manifesta pas.

— Je suis là! cria-t-il dans le vide. Je suis au monastère!

Pas la moindre réponse. Il n'avait pas oublié ses paroles: « Cherche la pierre ornée de losanges au monastère des FitzWilliam. » Il scruta les ruines pendant plus d'une demi-heure, examinant la base des murs, les vieux fragments éparpillés, les multiples sections intérieures et extérieures du bâtiment, sans rien trouver. Un peu décontenancé, il s'assit sur une des nombreuses pierres tombales qui gisaient au sol.

— Beau travail, jeune homme.

Droit devant Jet se tenait le fantôme, capuchon sur la tête, le dévisageant de ses grands yeux.

— Je n'ai absolument rien trouvé.

— Bien au contraire, tu y es, dit-il en indiquant de ses maigres doigts la pierre tombale sur laquelle il était assis.

Le spectre disparut aussitôt.

Jet se mit à inspecter de plus près la surface grisâtre de cette pierre et y distingua deux armoiries dont la superficie dépassait à peine celle d'un jeu de cartes. Voyant qu'elles étaient effacées par le temps, il se rappela le truc que son père lui avait montré. Il plongea la main dans son sac à dos pour en sortir une bouteille d'eau. Vide. Il fouilla de nouveau et trouva un contenant de jus de pomme.

— Ça devrait faire l'affaire.

Il en aspergea les symboles et vit émerger les armoiries au motif en losanges des FitzWilliam, de même que celles d'une autre famille qu'il ne connaissait pas. Il discerna une barre horizontale à chevrons sous laquelle apparaissait une sorte de lézard, le tout surmonté par deux trèfles. Avec l'aide de son père, il allait apprendre plus tard qu'il s'agissait des armes de la famille O'Corrigan.

— Te reste-t-il un peu de force, jeune Irlandais ? lui demanda soudain le fantôme, qui était réapparu à ses côtés.

— Pour déplacer la pierre ?

Le fantôme acquiesça.

— Je ne veux pas tomber sur un mort en pourriture avec des rats.

— Je doute fort qu'il y ait des rats dans ce secteur. Pour ce qui est des morts, tu en trouverais sûrement sous les autres pierres, mais pas celle-ci.

Cette pierre couchée qui faisait environ un mètre carré de surface s'élevait sur moins de quinze centimètres à partir du sol. Jet s'appuya sur les bords, s'étendit presque entièrement par terre et se mit à pousser. Les joues appuyées contre la surface humide du roc, les mains crispées, il poussait en s'aidant de ses jambes, alors que ses pieds labouraient le gravier. Soudain, le couvercle de roc bougea de quelques centimètres, produisant un écho qui résonna en un son caverneux. Il poursuivit son effort jusqu'à ce que, tout à coup, la pierre glisse suffisamment pour lui permettre de regarder dans le trou qu'elle recouvrait. Il y aperçut un escalier étroit et peu invitant qui descendait dans la pénombre.

Le fantôme avait de nouveau disparu.

Jet se faufila entre la pierre et la bordure de l'entrée et descendit. À sa surprise, il atteignit très vite le fond de la petite crypte, mais il n'y voyait rien. Une forte odeur de moisissure lui fit plisser le nez. Il jeta un œil au-dessus de lui. Située à peine deux mètres plus haut, l'ouverture laissait entrevoir le ciel qui se dégageait. Il reprit courage. Sa vision s'habitua à l'obscurité. Le caveau avait moins de trois mètres de longueur. Au fond se trouvait un vieux coffre de métal appuyé contre le mur. Il s'accroupit et réussit à en soulever le couvercle. Il put en distinguer le contenu : un large objet de forme carrée, enveloppé dans un tissu en lambeaux. Il le saisit avec peine tellement il était lourd, mais il réussit tout de même à l'appuyer contre le bord du coffre. Après avoir partiellement retiré la pièce de tissu, il découvrit un épais volume à la couverture verdâtre. Il en ouvrit une page au hasard, mais le manque de clarté ne lui permit pas d'en déchiffrer le texte. Il l'enveloppa de nouveau.

Il continua alors de tâter l'intérieur du coffre et fit une nouvelle trouvaille : un objet de la taille d'un gros caillou enveloppé de la même manière que le livre. Jet s'en empara et le dévoila complètement. Le cristal du lough Gill, tel un diamant géant parfaitement conservé, captait la lumière ambiante pour produire de faibles rayons multicolores.

— Voici la pierre de la chambre de cristal du lough Gill, lança le spectre.

Jet observa son interlocuteur de l'au-delà.

— Elle te revient de droit, jeune chevalier FitzWilliam.

— Je peux la garder ? s'étonna Jet.

— C'est ce que je souhaite. Les rayons du soleil et de la lune lui confèrent des pouvoirs prodigieux. Mais tu dois attendre un signe de ma part avant d'en faire usage, car une utilisation mal avisée pourrait avoir de graves conséquences. Le Livre Vert t'appartient aussi. Tu mérites ces objets précieux. C'est grâce à toi si la jeune créature vit toujours.

Jet recouvrit avec soin le cristal, puis alla s'emparer du volume, en se demandant comment il pourrait transporter ce fardeau à bicyclette.

— Le jour tirera à sa fin sous peu. Laisse le livre ici et reviens demain le prendre. Assure-toi que tu auras de l'aide, car sa valeur est inestimable.

— Mais je ne veux pas attendre jusqu'à demain.

— N'aie crainte. Je veillerai à ce que personne n'approche de la crypte. D'ici là, tu as une mission urgente à accomplir. Fais d'abord le serment que tu veilleras sur Mhorag et sur son rejeton.

— Tu dois avoir un nom ?

— Tu peux m'appeler Cormac.

— Cormac ! C'est un nom irlandais.

— Très juste. Allons, tu dois faire le serment maintenant.

— Depuis quand es-tu mort ?

— Ça n'a pas d'importance. Prête serment, c'est tout ce qui compte.

— Je fais le serment de veiller sur Mhorag et sur Ragdanor, déclara Jet.

— Dans ce cas, cours jusqu'à l'extrémité ouest du bras de mer. Ta présence est requise.

— Où ?

Après avoir tenté sa chance dans les eaux agitées de l'Atlantique, Ragdanor avait regagné Killary Harbour. Il demeurait cependant déterminé à trouver l'entrée des tunnels même s'il devait chercher pendant des siècles. Et s'il échouait, il essaierait de nouveau de nager dans l'océan. Qu'importait si Mhorag n'avait laissé aucune trace de son passage, il refusait de regagner son lac aux Sombres Collines. Il lui fallait traverser l'Île Verte d'ouest en est afin de se rendre jusqu'à la Grande Île. Ensuite, il comptait atteindre Ness et demander conseil à Ranevoness, la Doyenne, la fille de Neldarane qui jadis les avait guidés, sa mère et lui. Si Mhorag avait péri, elle seule saurait le conseiller, croyait-il.

Il avait ainsi arpenté une fois de plus les profondeurs de cette vaste étendue d'eau sans trouver la moindre trace d'un portail.

Il nageait vers l'est depuis quelques heures lorsqu'une lueur étrange provenant du rivage attira son attention et le motiva à faire surface.

Debout sur la berge, à l'extrémité orientale du bras de mer, Jet tenait bien haut le cristal du lough Gill, qui reflétait avec force les rayons du soleil couchant.

Ragdanor se rappela les paroles que le bélier avait entendues des corbeaux : « Cherche la pierre lumineuse qui t'indiquera le chemin. »

Il redoubla d'énergie et se dirigea vers la côte.

— Plonge doucement le cristal dans l'eau, jeune homme, ordonna le fantôme.

Jet s'exécuta. À son étonnement, l'objet produisit une lumière rougeâtre qui illumina le fond rocailleux. Puis, il entrevit au loin Ragdanor faisant surface avant de s'immerger de nouveau. Il attendit un long moment. Le jeune monstre ne revint pas.

La lumière diffuse du cristal permit à Ragdanor d'apercevoir, gravé sur une grosse pierre, un des signes qu'il avait vus dans son lac. Il comprit aussitôt qu'il s'agissait de l'accès au réseau des tunnels.

— Est-ce qu'il trouvera ? demanda Jet.

— Il trouvera, répondit Cormac.

— Il doit y avoir de terribles dangers dans les tunnels.

— Oh oui. Terribles. Tout comme dans l'océan, d'ailleurs. Mais puisque rien ne l'arrêtera, il valait mieux lui indiquer le chemin le plus court qui mène à Ness, où il sera dignement accueilli.

— Le loch Ness, en Écosse ?

Cormac acquiesça.

— Comment vais-je faire pour le protéger maintenant ?

— L'occasion se présentera. Votre lien n'est pas près de s'atténuer. Le monde est à la fois très vaste et très petit, jeune Irlandais.

— J'aurais aimé lui parler une dernière fois. J'aurais aimé lui dire ce qui est arrivé à sa mère.

— Je sais. Mais cela n'aurait rien changé. Il devait partir pour trouver ses propres réponses parmi les siens. Il a franchi le passage interdit. Son aventure commence. Rien ne pourra l'arrêter. Il a hérité de l'entêtement de sa mère et de la détermination de son père.

— Tu connais le père de Ragdanor ?

— D'une certaine façon.

— Je ne sais pas ce qu'ils feront de sa mère.

— Tu sauras tout, le moment venu. Retourne chez toi maintenant, John Émile. Nous aurons l'occasion de nous revoir.

Sur ces dernières paroles, Cormac disparut.

Jet était rentré en trombe dans la résidence familiale. Par une chance inouïe, Philippe et Nora n'étaient pas encore revenus d'un souper d'affaires à Castlebar. Il se précipita dans sa chambre, ôta son sac à dos et en retira le cristal. Il le contempla une dernière fois avant de l'envelopper dans sa vieille pièce de tissu et de le cacher sous son lit. Il trépignait d'impatience à l'idée de retourner au monastère pour prendre possession du fameux livre. Il devait cependant trouver de l'aide.

« Pourquoi pas Molly ? se dit-il. Elle acceptera sûrement. Après tout, je suis un chevalier FitzWilliam. »

58

ÉCOSSE

XIIIᵉ SIÈCLE

arrett se croyait mort. Engourdi par la froideur de l'eau au cours de son inéluctable descente vers les entrailles de la Terre, il laissa son esprit voyager à une vitesse folle dans les lieux familiers de son existence. Il revit le château de son enfance au pays de Galles, sa ravissante mère aux yeux gris lisant à la fenêtre, ses pâles cheveux éclairés par les rayons du soleil. Il traversa mers et vallées jusqu'au château FitzWilliam pour admirer Derdriu faisant son entrée dans la chapelle le jour de leurs noces, sa gracieuse silhouette découpée par la lueur des bougies. Il revit Nollaig courant dans la forêt irlandaise avec sa jeune compagne. Il aperçut ensuite son père contemplant le sanctuaire du lough Derg quelques minutes avant sa mort.

Une lumière rouge éclatante chassa d'un coup toutes ces images de son passé et l'enveloppa pendant un instant qui parut durer une éternité. Chaque parcelle de cette intense source d'énergie le traversa et fragmenta son être dans toutes les directions. Il perdit le sentiment d'identité. Son corps n'avait plus la moindre forme. Son esprit s'était purgé de toute pensée, de tout espoir, de tout regret. Ni l'amour, ni la haine, ni la peur, ni la douleur n'avaient de prise sur lui.

Puis, plus rien. Il se trouva isolé au milieu d'un vide indescriptible. Le temps n'existait plus. Le silence de l'infini régnait. Il appartenait au néant.

Il eut soudain l'étrange impression que ce vide se refermait sur lui, petit à petit. Ce sentiment oppressant s'amplifia. Au bout d'un moment, une pression insoutenable le pulvérisa et il éprouva de nouveau la présence de la matière, de la vie qui se reformait.

Il constata soudain qu'il prenait part à un mouvement ascendant tout aussi vif et implacable que celui qui l'avait attiré vers le bas. Ses facultés sensorielles lui revinrent. Il ressentit l'eau qui ruisselait sur sa peau sans toutefois le faire souffrir du froid. Son odorat et son ouïe avaient décuplé.

Le souvenir de l'humain qu'il avait été et de son existence sur Terre ne s'était pas évaporé, mais plutôt réfugié dans les profondeurs insondables de son esprit.

Il ouvrit les paupières et entrevit la lumière du jour au bout d'un long tunnel. Il accéléra lui-même sa remontée et fut en mesure d'apercevoir les parois rocailleuses qui formaient ce corridor sous-marin.

Le vigoureux serpent de mer qu'il était devenu surgit du tunnel et se propulsa de ses puissantes nageoires vers les hauteurs pour faire surface au milieu du bras de mer écossais. Il respira profondément l'air frais de cette nuit de juillet et contempla la lune qui se cachait derrière les montagnes du loch Linnhe. À peine quelques heures s'étaient écoulées depuis l'illumination de la chambre de cristal. Une part de lui était consciente que les rayons de l'astre lunaire avaient d'une certaine façon orchestré sa renaissance. La transformation était complète. Sauf pour ses yeux gris situés sur le devant du visage, évoquant son passé révolu au sein de l'espèce humaine, tout indiquait maintenant qu'il appartenait au monde des géants aquatiques.

Malgré sa taille imposante, il était encore jeune et ne soupçonnait pas le destin éprouvant qui l'attendait. Tous les serpents de mer et les monstres lacustres de l'hémisphère Nord allaient tôt ou tard comprendre qu'il n'était pas tout à fait comme eux et que la nature même de son existence prenait sa source dans une collaboration entre humains et monstres de lac. Il ignorait encore qu'il serait traqué tant par les monstres que par les hommes. Mais il possédait la force nécessaire pour faire face à l'adversité, car en lui coulait le sang de Dalak, vénérable et puissante créature des mers. Il en avait hérité la noblesse, la force, la vitesse et la sagesse.

Condamné à l'errance, on le surnommerait le « sans nom » ou « l'innommable ». Mais il refuserait ces appellations injurieuses et adopterait le nom de Zarak.

Bibliographie

Coleman, Loren et Huyghe, Patrick, *The Field Guide to Lake Monsters, Sea Serpents and Other Mystery Denizens of the Deep* («Guide des monstres lacustres, serpents de mer et autre créatures des profondeurs»), Jeremy P. Tarcher/Penguin, 2003.

Rose, Carol, *Giants, Monsters and Dragons, An Encyclopedia of Folklore, Legend and Myth* («Géants, monstres et dragons, une encyclopédie des folklores, légendes et mythes»), W.W. Norton & Company, 2000.

Grehan, Ida, *Irish Family Histories* («Histoires des familles irlandaises»), Town House Dublin, 1993.

Roche, Richard, *The Norman Invasion of Ireland* («L'invasion normande de l'Irlande»), Anvil Books Limited, 1970, 1995.

Sommerville-Large, Peter, *The Irish Country House, A Social History* («La résidence de campagne irlandaise, une histoire de société»), Sinclair Stevenson, 1995.

Sweetman, David, *The Medieval Castles of Ireland* («Les châteaux médiévaux d'Irlande»), The Boydell Press, 1999.

Viollet-le-duc, Eugène Emmanuel, *Encyclopédie médiévale*, Bibliothèque de l'Image, 1996.

Remerciements

Plusieurs personnes, parents et amis, ont su à leur façon m'apporter un encouragement précieux durant l'écriture de ce premier tome. Je leur en suis reconnaissant de tout cœur. J'aimerais cependant exprimer une gratitude toute spéciale à mon éditrice, Monique H. Messier, pour ses judicieux conseils, notamment en ce qui a trait à la structure du récit. Je voudrais aussi remercier mon agent, Patrick Leimgruber, ainsi que mon amie Lucette Bernier, qui n'ont jamais cessé de croire en ce projet. Je remercie enfin ma conjointe, Rachelle Bergeron, pour sa lumineuse présence et son infaillible soutien.

LE SECRET DE MHORAG

TOME 2

LA PRISON DE VERRE

Tous attendent l'ouverture du Centre mondial de cryptozoologie de New York pour admirer le premier monstre lacustre en captivité de l'histoire : Mhorag. Dans un aquarium ultramoderne, la créature sent que ses jours sont comptés et ignore que son fils Ragdanor voyage au péril de sa vie dans les tunnels secrets d'Irlande et d'Écosse afin de la retrouver. Pendant ce temps, le jeune John Émile Talbot – Jet – reçoit une mission du fantôme de Cormac : se rendre à Manhattan pour libérer l'animal mythique.

Oscillant entre notre époque et le XIIIe siècle, le récit nous entraîne dans le périple de la belle Derdriu, qui parcourt les Highlands d'Écosse sous les traits d'un guerrier normand du nom de Liam Fitz. Bravant tous les dangers, elle tente de secourir l'abbesse Fianna, que l'on accuse de sorcellerie pour avoir organisé la transformation du chevalier Garrett FitzWilliam en serpent de mer.

Suivez les Éditions Libre Expression sur le Web :
www.edlibreexpression.com